KU-321-893

Gault&Millau
Weinguide Deutschland

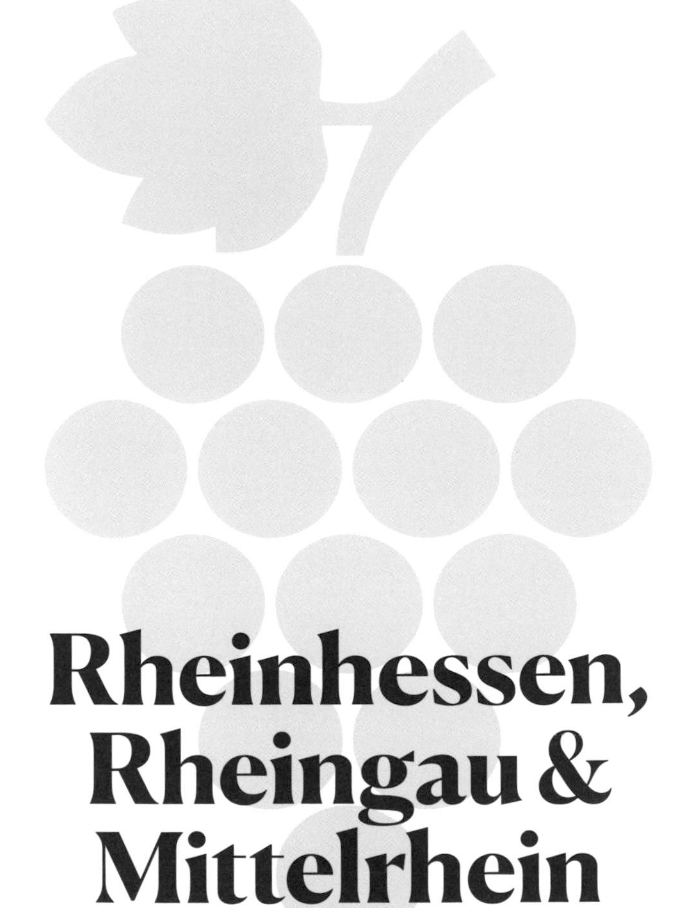

Rheinhessen, Rheingau & Mittelrhein 2021

217 Weingüter beschrieben und bewertet,
1428 Weinempfehlungen, davon 457 Weine bis 10€ und
170 Winzer-Tipps zum Essen, Schlafen und Einkaufen.

Liebe Leserin, lieber Leser, liebe Freunde des guten Weins,

Sie halten gerade knapp 400 Seiten Weinvergnügen in Ihren Händen. Wir sind sehr stolz darauf, dass wir Ihnen mit diesem vierten Gault&Millau Weinguide Deutschland für die Regionen Rheinhessen, Rheingau und Mittelrhein mehr als 1.400 Weine empfehlen können. Wir haben mit großer Freude und ebenso großer Konzentration diese Weine im Kloster Eberbach, dem mystischen Ursprungsort der Rheingauer Weinkultur, mit über 30 Winzerinnen und Winzern, Sommeliers und Mitgliedern des Gault&Millau-Verkosterteams in drei Panels bewertet und beschrieben. Es waren intensive und spannende Tage – die wir dank der hochprofessionellen Zusammenarbeit mit dem Kloster Eberbach und allen Mitarbeitern dort sehr genossen haben.

Das Faszinierende am Wein ist seine Vielfalt. Mit der Zusammenfassung von Rheinhessen, Rheingau und dem Mittelrhein in diesem Guide wird dies einmal mehr deutlich. Alleine Rheinhessen als größtes deutsches Anbaugebiet lässt uns wieder staunen, welch enorme Qualitäten hier bereits im immens preiswerten „Einstiegsbereich“ bei den Rieslingen präsentiert werden. Der Rheingau schießt mit großen Spätburgundern den Vogel ab, und die Steillagenwinzer vom Mittelrhein brillieren mit ihren ausdrucksvollen Gewächsen aus einer der bedeutendsten Kulturlandschaften Deutschlands, die mehr als die Loreley zu bieten hat.

Die deutsche Weinwelt und alle benachbarten Genussbereiche wie **Reisen, Kultur oder Kulinarik** halten viel Lebensqualität für uns bereit. Das ist der Grund, warum die neue Generation der Gault&Millau Weinguides sich vor allem auf **die Vielfalt der emotionalen Empfindungen** aus großen Generationen übergreifenden Verkostungs-Panels und nicht auf Einzelurteile stützt. Mit dieser Ausgabe setzen wir eine neue Bewertungsweise fort – ohne die Idee einer mathematischen Superpräzision. **Genuss,** insbesondere beim Wein, ist ja zum Glück nicht auf die reine Sensorik beschränkt.

Weingenuss hat immer mit Menschen zu tun. Wein ist Kommunikation und geteilte Freude. Weingenuss für sich alleine im stillen Kämmerlein ist für uns nicht vorstellbar. Deshalb laden wir Sie mit unseren **„Tipps der Winzer“** dazu ein, die jeweilige Region mit ihrem ganz eigenen Charme zu erkunden und zu genießen. Gasthöfe, Restaurants, Hotels oder Wanderwege durch die Weinberge: Die deutschen Anbaugebiete haben so viel Schönheit und regionale Köstlichkeiten zu bieten.

Wir wünschen Ihnen mit diesem Buch als Guide hin zum guten Wein ebenso viel Vergnügen, wie wir es bei den Besuchen in Rheinhessen, dem Rheingau und am Mittelrhein hatten. Und wenn Sie sich nun fragen, warum wir diese drei Anbaugebiete in einem Werk vorlegen: Der Rhein hat uns geleitet. Er ist auch hier das verbindende Element für alle drei Anbaugebiete.

In diesem Sinne legen wir Ihnen ans Herz, sich **auf die Reise zu begeben** und die hingebungsvolle Arbeit der Winzerinnen und Winzer, ihre stilvollen Vinotheken und die grandiosen Weine ganz persönlich zu erleben.

Otto Geisel

Ursula Haslauer

Inhaltsverzeichnis

Zeichenerklärung

WEINE

Weißwein
Rotwein
Rosé
Süßwein
Sekt

♥ Lieblingswein des Winzers

WEINGÜTER

5 Trauben	Weltklasse
4 Trauben	deutsche Spitze
3 Trauben	ausgezeichnet
2 Trauben	sehr empfehlenswert
1 Traube	empfehlenswert

WEINE

5 Trauben	98–100 Punkte
5 Trauben	95–97 Punkte
4 Trauben	93–94 Punkte
4 Trauben	91–92 Punkte
3 Trauben	90 Punkte
3 Trauben	89 Punkte
2 Trauben	88 Punkte
2 Trauben	87 Punkte
1 Traube	86 Punkte
1 Traube	85 Punkte

DIE GAULT&MILLAU METHODE UND DIE EXPERTEN

Gault&Millau verkostet ab 2020 ausschließlich blind in Panels mit **mindestens sechs Verkostern.** Für die Verkostungen zu den regionalen Gault&Millau Weinguides werden die Teams zum einen aus der Stammmannschaft der Verkoster beschickt, zum anderen werden Gäste – Winzer und Experten aus der Region – dazu gebeten, um der **regionalen Typizität der Weine eine starke Stimme** zu verleihen.

Für die vorliegende Ausgabe konnten wir auf **Kenntnis, Erfahrung und Leidenschaft** dieser Experten bauen:

Die Gault&Millau-Verkoster für diesen Rheinhessen, Rheingau & Mittelrhein Weinguide Eva Adler (München), Katja Apelt (Frankfurt), Jochen Benz (München), Gerhild Burkard (Köln), Thomas Hausmann (Seeshaupt), Thorsten Firlus (Düsseldorf), Jochen Kreppel (München), Astrid Löwenberg (München), Jossi Loibl (München), Andreas Lutz (Stuttgart), Nina Mann (Saarburg), Jens Pietzonka (Dresden), Thomas Sommer (Köln), Herbert Stiglmaier (München), Melanie Wagner (Vogtsburg- Oberbergen), Klaus Wählen (Düsseldorf), Ronny Weber (Düsseldorf), Andreas Winkelmann (Klüsserath)

Die Gäste der Verkostungen in Eberbach, Eltville und München Simone Adams (Ingelheim), Gert Aldinger (Fellbach), Jasmin Bähr (Oestrich-Winkel), Mark Barth (Eltville), Johanna Bossert (Gundersheim), Philipp Bossert (Gundersheim), Michael Braun (Beckstein), Nora Breyer (Selzen), Claus Burmeister (Östringen-Tiefenbach), Philipp Corvers (Oestrich-Winkel), Tom Drieseberg (Oestrich-Winkel), Lars Grebe (Eltville), Louis Guntrum (Nierstein), Max Härle (Heilbronn) Tom Hügen (Hofheim), Marcus Johst (Berlin), Urban Kaufmann (Eltville-Hattenheim), August Kesseler (Rüdesheim am Rhein), Hans Kilger

(München), Tobias Knewitz (Appenheim), Gerhard Kofler (Girlan), Wolfgang Köhler (Stuttgart), Peter Bernhard Kühn (Oestrich-Winkel), Gunter Künstler (Hochheim am Main), Josef Laufer (Hattenheim), Ulrich Mell (Deidesheim), Eva Müller (Wöllstein), Angus Price (Mainz-Ebersheim), Kathrin Puff (Hallgarten), Jochen Ratzenberger (Bacharach), Volker Raumland (Flörsheim-Dalsheim), Tanja Rosenthal (Eltville), Kai Schätzel (Nierstein), Lewis Schmitt (Ingelheim), Carolin Spanier-Gillot (Bodenheim), Christian Stahl (Auernhofen), Armin Tement (Berghausen), Hans Terzer (St. Michael-Eppan), Dr. Eva Vollmer (Mainz-Ebersheim), Martin Waßmer (Bad-Krozingen-Schlatt)

Verkostet wurde in
ZALTO DENKART UNIVERSAL-GLÄSERN.

Die Verkostungen wurden strukturiert, geleitet und moderiert von Otto Geisel. Ursula Haslauer war verantwortlich für alles Organisatorische und dafür, dass aus den Verkostungsnotizen und Autorenbeiträgen ein Buch wurde.

Die mehrtägigen Tasting-Sessions fanden in Eltville, Kloster Eberbach und im Drivers & Businessclub München statt. **Wir bedanken uns für die hervorragende Unterstützung an all diesen Orten.**

MISSION STATEMENT

Die Gault&Millau Weinguides laden ihre Leser auf **eine Entdeckungsreise zu den Weinen Deutschlands und ihren Erzeugern** ein. Wir tun dies aus der tiefen Überzeugung heraus, dass sich die großartigen Weine dieses Landes mit allen Weinen der Welt messen können und dass Weintrinken ein Erlebnis für alle ist und nicht nur Experten vorbehalten bleiben darf.

Wein ist eines der ältesten Kulturgüter unserer Zivilisation, insofern sollten wir uns alle auch daran erfreuen.

Was macht Gault&Millau **anders als bisher:**

1. Gault&Millau verkostet ausschließlich blind.
2. Gault&Millau verkostet in Panels mit mindestens sechs Verkostern.
3. Gault&Millau verkostet in vergleichbaren Klassen – Qualitätsstufen, Rebsorten, Ausbauarten und Jahrgängen.
4. Gault&Millau geht mit den Verkosterteams wann immer möglich in die Regionen.
5. Die Gault&Millau-Verkosterteams bestehen aus ausgewiesenen Experten der deutschen Weinszene.
6. Gault&Millau sucht sich für die Verkostung der regionalen Weinguides Unterstützung aus der regionalen Weinszene, um der Typizität der Region eine starke Stimme zu geben.
7. Gault&Millau beschreibt die Weine sachlich und durchaus auch in einer emotionalen Sprache, die Neugierde weckt und verständlich ist.
8. Gault&Millau will das Erlebnis Wein durch das Herausstellen regionaler Spezialitäten stärken und zu Besuchen in den Weinbaugebieten und bei den Winzern einladen.
9. Gault&Millau sieht Wein und Kulinarik als ein Gesamterlebnis, deshalb findet man ab jetzt in allen regionalen Gault&Millau Weinguides Empfehlungen für Essen, Schlafen und Einkaufen.

Rheinhessen

1 BINGEN
2 NIERSTEIN
3 WONNEGAU

1 BINGEN

Auf 8.700 Hektar wächst vorzugsweise der Riesling, aber auch Müller-Thurgau, Dornfelder und Silvaner gedeihen ganz wunderbar. Die Stadt Bingen ist selbst Sitz wichtiger Kellereien, die den rheinhessischen Wein in die ganze Welt liefern. In diesem Anbaubereich stoßen auch die Anbaugebiete Nahe, Rheingau und Mittelrhein aneinander und wird schon vom Romantischen Rhein gesprochen, der als UNESCO Weltkulturerbe den Mittelrhein prägt.

2 NIERSTEIN

Zu diesem östlichen Teil des rheinhessischen Anbaugebiets gehört die Stadt Mainz im Norden, im Osten dann Nierstein selbst sowie Oppenheim und Mettenheim. Auf 10.264 Hektar wächst hier – wie eigentlich überall in Rheinhessen – vorwiegend Riesling, die Winzer bauen aber auch Silvaner und Grauburgunder an. Der Rote Hang ist die absolute Besonderheit. Dieser Tonsandstein ist 280 Millionen Jahre alt und tritt in Nierstein sowie in Alzey zutage.

3 WONNEGAU

Es waren die Vangionen, die für den Namen Wonnegau Pate standen, ein Stamm, der in der Römerzeit in dieser Region sesshaft geworden ist. Der Wonnegau bildet den südlichen Teil des rheinhessischen Wein-Dreiecks mit Worms in der Südspitze bis in nördliche Richtung nach Alzey ab. Auf 7.890 Hektar wächst meistens Riesling, aber auch Müller-Thurgau, Grau- und Weißburgunder. Worms ist mit 1.600 Hektar die größte weinbautreibende Kommune Rheinhessens.

DIE BESTEN WEINE BIS 10€

Die hier vorgestellten Weine laden ein, die Region, ihre Winzer und Spezialitäten auf unkomplizierte wie köstliche Weise kennenzulernen. Es sind sehr preiswerte Weine **für jeden Tag**, die unsere ganz besondere Wertschätzung haben.

CHARDONNAY

2020 Chardonnay
8,50€ · 11.5% · St. Antony

2020 Chardonnay
8,60€ · 13% · Weingut Lohr

2020 Eppelsheim Chardonnay
8,90€ · 12.5% · Weingut Russbach

2019 Dalsheimer Bürgel Chardonnay
10€ · 13% · Müller-Dr. Becker

2020 Chardonnay
8,50€ · 12.5% · Weingut Balzhäuser

2019 Alsheimer Sonnenberg Chardonnay
8,70€ · 13% · Weingut Büsser-Paukner

2019 Aspisheimer Chardonnay
8,90€ · 13% · Weingut Hothum

2019 Chardonnay
8,95€ · 13.5% · Weingut Krebs-Grode

2020 Mommenheimer Chardonnay
9,50€ · 13.5% · Tobias Becker

2020 Chardonnay
9,90€ · 12.5% · Weingut Weedenborn

SAUVIGNON BLANC

2020 Sauvignon Blanc 🍇🍇🍇
8€ · 12.5% · Wein- und Sektgut Keth

2020 Sauvignon Blanc 🍇🍇🍇
6,10€ · 11.5% · Müller Schwabsburg

2020 Aspisheimer Sauvignon Blanc 🍇🍇🍇
7,90€ · 12.5% · Weingut Hothum

2020 Pfeddersheimer St. Georgenberg Sauvignon Blanc „S" 🍇🍇🍇
8,40€ · 13% · Markus Keller

2019 Sauvignon Blanc „Muschelkalk" 🍇🍇🍇
8,60€ · 13% · Weingut Beiser

2020 Sauvignon Blanc 🍇🍇🍇
9,90€ · 12% · Weingut Weedenborn

2019 Sauvignon Blanc 🍇🍇
8,50€ · 11% · Weingut Braunewell

2019 Sauvignon Blanc 🍇🍇
8,50€ · 12.5% · Weingut Wernersbach

2020 Eppelsheim Sauvignon Blanc 🍇🍇
8,90€ · 12% · Weingut Russbach

2019 Sauvignon Blanc 🍇🍇
9,50€ · 11.5% · Lisa Bunn

GRAUBURGUNDER

2019 Westhofener Steingrube Grauburgunder 🍇🍇🍇
8,90€ · 13% · Weingut Meiser

2019 Flonheimer Geisterberg Grauburgunder „SIRIUS - Sur Lie" 🍇🍇🍇
8,50€ · 13.5% · Weingut Pauser

2020 Grauburgunder 🍇🍇
7€ · 13% · Tobias Becker

2019 Wöllsteiner Äffchen Grauburgunder „J-Linie" 🍇🍇
8,10€ · 13.5% · Peter & Julian Wolf

2019 Grauburgunder 🍇🍇
6,90€ · 13.5% · Weingut Dackermann

2020 Grauburgunder 🍇🍇
6,90€ · 12.5% · Weingut Wernersbach

2020 Eppelsheim Grauburgunder 🍇🍇
8,90€ · 12.5% · Weingut Russbach

2020 Niederflörsheimer Frauenberg Grauburgunder 🍇🍇
8,80€ · 13% · Weingut Julius

2018 Vendersheim Grauburgunder „Class A vom Kalkmergel Bio" 🍇🍇
9,90€ · 13% · Neverland Vineyards

2020 Grauburgunder „Herz+Hand" 🍇🍇
10€ · 3.1% · Weingut Espenhof

RIESLING

Jahrgang	Wein	Bewertung
2019	Appenheimer Riesling „Von der Koralle“ **8,30€** · 12.5% · Weingut Gres	🍇🍇🍇
2019	Riesling „S“ **9€** · 13.5% · Cisterzienser Weingut	🍇🍇🍇
2019	Riesling „Hesslocher vom Kalkstein“ **8,20€** · 13.5% · Weingut Dackermann	🍇🍇🍇
2018	Hahnheim Riesling „Feuerstein“ **8,30€** · 12.5% · Weingut Münzenberger	🍇🍇🍇
2019	Westhofener Morstein Riesling Spätlese trocken **8,70€** · 13.5% · Weingut Michel-Pfannebecker	🍇🍇🍇
2019	Appenheimer Riesling „Kalkstein“ **8,90€** · 12.5% · Weingut Franz	🍇🍇🍇
2019	Dittelsheimer Mönchhube Riesling **8,90€** · 13% · Weingut Spies	🍇🍇🍇
2019	Dalsheimer Riesling **9,50€** · 12.5% · Weingut Neef-Emmich	🍇🍇🍇
2020	Riesling „vom Roten Schiefer“ **9,80€** · 12% · Weingut Gunderloch	🍇🍇🍇
2019	Bechtheim Riesling „S“ **9,90€** · 13% · Weingut Spohr	🍇🍇🍇

SPÄTBURGUNDER

Jahrgang	Wein	Bewertung
2017	Spätburgunder „Sprendlinger Kalkmergel“ **8,40€** · 14% · Weingut Beiser	🍇🍇🍇
2018	Pinot Noir **9,90€** · 13.5% · Lisa Bunn	🍇🍇🍇
2018	Spätburgunder „Muschelkalk“ **10€** · 12.5% · J. Neus	🍇🍇
2018	Spätburgunder „Wega“ **6,70€** · 13.5% · Weingut Pauser	🍇🍇
2019	Spätburgunder **7€** · 12% · Weingut Hemmes	🍇🍇
2018	Horrweiler Spätburgunder **8€** · 15% · Weingut Hessert	🍇🍇
2018	Pfeddersheimer Hochberg Spätburgunder **8,80€** · 13% · Markus Keller	🍇🍇
2018	Spätburgunder **9,50€** · 13% · Weingut Gutzler	🍇🍇
2018	Dalheimer Spätburgunder „Alte Reben“ **9,70€** · 13% · Eckehart Gröhl	🍇🍇
2018	Abenheimer Spätburgunder „S“ **9,90€** · 13% · Weingut Spohr	🍇🍇

DER RHEIN, SEHR VIELE HÜGEL UND EIN TRULLO

Von Anke Kronemeyer

Auch wenn das Motto **„Das Land der 1.000 Hügel“** schon ein wenig in die Jahre gekommen ist: Es stimmt natürlich immer noch. So ein Hügel verschwindet ja nicht einfach. Rheinhessens Landschaft, linksseitig des Rheins, hat diese vielen wunderbaren malerischen Hügel, die sich sprachlich als **„Hiwwel“** durchgesetzt haben. Und irgendwie dadurch an den Himmel erinnern, in den sie ja nahtlos übergehen.

Wofür steht Rheinhessen sonst noch, außer für eine sensationelle Landschaft und die „Hiwwel“? Ganz klar: für seine Weine. Rheinhessen ist mit knapp 27.000 Hektar bestockter Rebfläche Deutschlands größtes Anbaugebiet. 2.400 Betriebe bauen Wein an, davon 1.250 ausschließlich Flaschenwein. Und genau diese Flaschenwein-Winzer prägen den Ruf ihres Anbaugebiets: weil sie großen Wert auf Qualität legen, weil sie traditionsbewusst sind, aber trotzdem mit der Zeit gehen, weil sie die Natur im Blick haben, weil sie wissen, was ihre Kunden wollen.

Der Weinbau ändert sich gerade rasant. Der Klimawandel mit höheren Temperaturen und wenig Niederschlägen, der sich verändernde Geschmack von jüngeren Endverbrauchern: Das fordert die Branche heraus. In Rheinhessen ist man dabei gut aufgestellt, genau diese Herausforderungen anzunehmen, und die nachrückende Jungwinzer-Generation hat dafür konstruktiven Lösungen.

Das beweist auch die Nachfrage aus dem Ausland. Rheinhessen ist der größte deutsche Weinexporteur. Die USA stehen auf Platz 1 beim Kauf von rheinhessischen Weinen, die Niederlande und Skandinavien sind ähnlich wichtig. Was sie am Wein made in Nierstein oder Bingen lieben, ist klar: der „dry style“ dieser Weine, also der vor allem trockene Ausbau. Viele Menschen möchten die Region kennenlernen, deren Wein sie so lieben. Deshalb nehmen auch die touristischen Angebote zu.

Rheinhessens „dry style“ ist gefragt

Vor allem das „Wein-Wandern" wird immer beliebter. Dabei ist nicht nur die Rheinhessische Schweiz westlich von Alzey gefragt, sondern auch andere Regionen auf der linken Rheinseite. Tagsüber durch die Landschaft wandern, vielleicht eine der zahlreichen „Hiwwel-Touren" zwischen sechs und 14 Kilometern absolvieren, abends zum Spundekäs in der Straußwirtschaft oder zum Fine-Dining-Menü im Gourmet-Restaurant einkehren und ein Glas von dem Wein trinken, an dessen Ursprung man bei der Wanderung in den Weinbergen vorbeigekommen ist – ein perfekter Tag! Die Folge: Die Tourismus-Zahlen in Rheinhessen steigen, das Jahr 2019 war mit 1,7 Millionen Übernachtungen das bisher beste.

Die Beliebtheit Rheinhessens basiert also auf dem Wein, der Gelegenheit zum genussvollen Kurzurlaub und auf der Kultur. Diese ist vielfältig wie das Land: Festspiele wie in Worms, Musikfestivals wie in Bingen, die Dome in Worms oder Mainz, die Chagall-Fenster in Mainz, das Oppenheimer Kellerlabyrinth, die Reste der Kaiserpfalz in Ingelheim, römische Baukultur und Ausgrabungen in Mainz locken jedes Jahr mehr Besucher in diese Region von Rheinland-Pfalz. Rheinhessen liegt dabei zentral inmitten von Deutschland und ist umgeben von interessanten Städten wie Frankfurt, Darmstadt oder Mannheim. Kurztrips am Wochenende oder mehrtägige Kurzurlaube bieten sich an, zumal man dann seinen Kofferraum mit dem Lieblingswein beladen kann.

Der wächst übrigens hier im Rheinbogen zwischen Mainz, Worms und Bingen auf nährstoffreichem Lössboden und auf Kalk – auch auf Schiefer, Vulkangestein oder Rotliegendem. Dieser rote Tonsandstein, 280 Millionen Jahre alt, ist eine Besonderheit in Rheinhessen. Am berühmten Roten Hang in Nierstein tritt dieser rote Stein zutage, auch 25 bis 30 Kilometer entfernt bei Alzey zeigt er sich und gibt dem Wein seine besondere Charakteristik. Experten behaupten, dass sie genau herausschmecken können, ob ein Wein auf diesem roten Stein gewachsen ist. Am meisten wird in Rheinhessen Riesling angebaut – auch Müller-Thurgau und Silvaner stehen im Ranking ganz oben. Angesagt sind zurzeit die Burgundersorten: Weiß- oder Spätburgunder, Auxerrois oder St. Laurent. Die Nachfrage nach Grauburgunder hat außerdem zuletzt so stark zugenommen, dass viele Winzer schon früh im Jahr „ausverkauft" melden. Das liegt unter anderem auch an den erfrischenden Marketingkampagnen vor allem der Jungwinzer. Sie krempeln die Methoden ihrer Großeltern, die eher individuell vor sich hingearbeitet haben, ordentlich um. Die Mittzwanziger, die gerade die Weinbau-Schulbank hinter sich gelassen haben, die schon in Neuseeland oder Australien waren, die frische Ideen mitgebracht haben, die über den Tellerrand gucken: Sie wissen, dass man bei aller Individualität nur gemeinsam im Netzwerk stark ist. Sie tauschen sich mit anderen Jungwinzern aus, entwickeln kreative Kooperationen, ohne den eigenen Weinberg und den Werdegang der Winzerfamilie zu vergessen. Ein Beispiel sind die Appenheimer Winzer, die gemeinsam ein 30 Millionen Jahre altes Korallenriff, einen Weinberg mit Namen Hundertgulden, bewirtschaften. Jeder für sich bringt einen Wein namens Hundertgulden heraus – fertig ist eine kleine Kampagne made in Appenheim. Größer ist dagegen die „Maxime Herkunft Rheinhessen", in der rund 100 Winzer zusammengeschlossen sind. Ihre Botschaft: mit einem leicht verständlichen Wein-Klassifizierungssystem für Transparenz beim Endverbraucher sorgen. Ein gutes Vorbild für einen gemeinsamen Auftritt haben schon die mehr als 20 Rheinhessen-Winzer von „Message in a bottle" vor rund 20 Jahren geschaffen.

Rheinhessen steht auch für hochmotivierte Jungwinzer, die alle gemeinsam eine große Herausforderung vor der Brust haben: den Klimawandel. Nun kann der Lössboden Wasser zwar besser speichern als zum Beispiel Gipskeuper in anderen Anbauregionen, aber trotzdem haben die letzten drei heißen Sommer noch einmal eine neue Anstrengung im Weinberg gefordert. In die Zukunft gedacht, könnte der ökologische Anbau hier eine Antwort sein. Aber generell bleibt die Frage: Wie umgehen mit weiteren niederschlagsfreien Sommern? Bewässern? Wird kontrovers diskutiert. Mit einer neuen Art von Humus-Management? Eine Variante. Enger pflanzen? Nicht mehr 4.000, sondern 7.000 Rebstöcke pro Hektar setzen, damit sich die einzelne Rebe aus Konkurrenzdruck schneller das Wasser im Boden erschließt? Auch eine Möglichkeit.

Kreative Netzwerke stärken die Region

Auf jeden Fall muss, unabhängig von den Visionen, individuell auf besondere Wetterphasen reagiert werden. Das bedeutete für einige Winzer, dass sie wegen der Hitze die Lese anders organisiert haben. Einige sind nachts um 2 Uhr ausgerückt, um ordentlich lesen zu können, und waren mittags mit allem durch.

Bei der Frage, wofür Rheinhessen steht, fehlt nur noch eine Antwort: für Geselligkeit, gepflegte Gastfreundschaft, für Offenheit gegenüber Touristen, die sich gerne mit an den Tisch setzen dürfen, die dann aber auch mal die Direktheit des Rheinhessen aushalten müssen. Denn direkt ist er, hat nicht unbedingt Respekt vor „Oberen" oder Hierarchien. Das zeigt sich auch in der Fassenacht. Die spielt jedes Jahr in jedem noch so kleinen Dorf eine große Rolle. Es gibt Um-

züge, es wird gefeiert, gelacht, getrunken, alle haben Spaß, es gibt keine Unterschiede zwischen dem Professor oder dem Bauarbeiter.
Zu allerletzt nur noch eine kleine rheinhessische Besonderheit: ein kleines weißes, aus Stein gemauertes Häuschen, das im Weinberg steht. Genau: der Trullo. Im Plural: Trulli. Eigentlich stehen diese runden Bauwerke nur in Apulien und wurden dort als Wohnhäuser genutzt. Wie sie nun nach Rheinhessen kamen, ist unklar. Von apulischen Wanderarbeitern, die im Steinbruch bei Flonheim gearbeitet haben? Oder von Menschen in Rheinhessen, die sie nach dem italienischen Vorbild nachbauten und „Wingertshaisjer" tauften? Der bekannteste Trullo in Rheinhessen – insgesamt gibt es rund 30 davon – stammt aus dem Jahr 1756, steht in Flonheim auf dem Adelberg und ist als Fotomotiv bei Wanderern sehr beliebt.

INTERNETADRESSEN
www.rheinhessen.de
www.hiwwel-touren.de

Zahlen & Fakten

LAGE
Das Anbaugebiet Rheinhessen gehört zu Rheinland-Pfalz und liegt im Rheinbogen zwischen Bingen, Mainz, Worms und Alzey

REBFLÄCHE
26.948 ha

REBSORTEN
Riesling, Dornfelder

WINZER
2.394 Weinbaubetriebe, davon 1.248 Flaschenweinvermarkter

BESONDERE LAGE
Der Rote Hang in Nierstein

RHEINHESSISCHER RIESLING? REIF FÜR HOLLYWOOD!

Von Katja Apelt

Ich gebe zu, seit einiger Zeit macht es mir Spaß, Weinen intuitiv die Namen von Musikern, Schauspielern oder Künstlern zuzuschreiben. Da wird in einer Verkostungsnotiz etwa aus einem buttrigen Chardonnay mit kompaktem Kern ein Joseph Beuys oder aus einem breitschultrig-expressiven, aber dennoch feinsinnigen Spätburgunder ein Freddie Mercury.

Was aber ist das Wesen des rheinhessischen Rieslings? Klar, Riesling rocks! Schnell denkt man an die Stones, bei all der Steinigkeit (neudeutsch: Mineralität), die Riesling ins Glas bringen kann. Und der Riesling aus Rheinhessen erst recht. Was für ein Anbaugebiet! Es ist nicht nur das Größte in Deutschland, sondern auch das mit der steilsten Karriere: von Platz 0 in die Top Five der Innovations-Anbaugebiete. Ein Typ wie Elon Musk? Oder doch eher ein Werk von Gerhard Richter? Anders gesagt: aus dem Heimatverein ins Museum of Modern Art. In Aufstiegsgeschichten mit dieser Dynamik ist jedenfalls der Riesling nicht wegzudenken. Schließlich ist er mit knapp 5.000 Hektar und 18 Prozent der Anbaufläche heute die wichtigste Rebsorte im Rheinknick zwischen Bingen, Mainz und Worms.

Das war nicht immer so. Einst spielte bei den rheinhessischen Weißweinen der Müller-Thurgau die Hauptrolle (4.000 Hektar, 15 Prozent). Die heutige Nummer zwei ist für mich immer eine Art Heinz Rühmann: fröhlich, unterhaltsam, zugänglich. Aber auch Silvaner können die Rheinhessen (2.000 Hektar, 7 Prozent): kernig, eigensinnig und auf seine Weise alterslos. Mein Iggy Pop.

Doch zurück zu unserem rheinhessischen „rising star". In anderen deutschen Anbaugebieten von der Mosel über den Rheingau, die Nahe bis in die Pfalz und nach Franken hat er sich längst an die qualitative Spitze der Rebsorten gespielt. Er ist heute eine Traube von Weltruhm und in seiner Verbreitung nachgerade polyglott. Bis in die Nähe Hollywoods haben es die Reben bereits geschafft, aber auch nach Kanada und Australien.

Das Geheimnis seines Erfolges? In Rheinhessen wird es so deutlich sicht- und schmeckbar wie in keinem anderen Anbaugebiet. Das Besondere am Riesling ist seine Eigenheit, seine Typizität, wie man in der Weinsprache sagt, die er trotz seiner Vielseitigkeit nicht verliert. Wie einem oder einer großen CharakterdarstellerIn des internationalen Kinos schaut man ihm ins Gesicht, erkennt ihn und folgt dann gebannt der perfekten Darbietung, der Interpretation eines Charakters: Im Fall des Rieslings ist es das Terroir (die Autorin versteht darunter eine Mischung aus Herkunft, also Boden, Klima/Mikroklima, Stilistik und dem Einfluss des Winzers).

Im Roten Hang etwa schlüpft er oft in die Rolle subtiler, charmanter Charaktere mit einem Hang zur „funkyness". Ich denke an Uma Thurman oder Ryan Gosling. Die Böden sind geprägt vom roten (daher der Name) Tonschiefer, das Klima von sonnigen Süd-Ost- und Ostlagen und dem kühlenden Rhein, was den Rieslingen oft Aromen von Feuerstein sowie wunderbar klare Frucht verleiht.

Mitten im Wonnegau bei Westhofen mit Lagen wie dem Morstein, dem Brunnenhäuschen und dem Kirchspiel liegt das Herz des rheinhessischen Rieslings. Diese Lagen reihen sich nebeneinander an einem nach Süden abfallenden weitläufigen Hang, der wie ein Kissen in der Landschaft ruht. Die Böden sind weiß und von Kalk geprägt, was den Weinen eine zugängliche Tiefe und Feingliedrigkeit verleiht. Ich sehe Julian Moore in „Magnolia", in den südlicheren Lagen um Monsheim aber durchaus auch George Clooney.

Intellektuell und apart sind die Rieslinge am westlichen Rand Rheinhessens rund um Siefersheim. Hier ist die Nahe nicht weit, weder geografisch noch stilistisch. Die Böden sind vulkanisch geprägt und geben dem Riesling eine wunderbar tänzelnde Eleganz: Nicole Kidman kommt mir in den Sinn.

Und zwischendrin schlüpft der rheinhessische Riesling auch immer mal in kleine Nebenrollen: solche, die Spaß machen, fröhliche, lockere Charaktere mit dem ein oder anderen Gramm Restzucker on top – nicht jeder rheinhessische Riesling muss schließlich eine oscarverdächtige Rolle spielen.

Übrigens weist einiges darauf hin, dass Rheinhessen zu den ersten Bühnen zählte, auf denen Riesling auftreten durfte. Wo genau die Rebsorte ihr Debüt hatte, liegt ja bis heute im Dunkeln. Die erste sortenreine Rieslinganlage wurde offenbar 1490 in Worms (Rheinhessen) dokumentiert. 1511 folgt eine Urkunde aus Pfeddersheim – ebenfalls Reinhessen – über einen Morgen Riesling-Rebgarten. Auf Auktionen erzielten beispielsweise Niersteiner Riesling bis Mitte des 20. Jahrhunderts hohe Preise.

Ab den 1950er-Jahren legte Rheinhessen eine künstlerische Pause ein – für einige Jahrzehnte setzte man auf günstige Serienproduktionen statt aufs große Kino. Diese Zeiten sind jedoch ein für all Mal vorbei.

Einen Stern auf dem legendären „Walk of Fame" in Hollywood hat die Rebsorte mindestens verdient – es wird langsam Zeit!

TOP 10 – RIESLING

Charakterstark: Bei großer Vielfalt bewahrt der Rheinhessen-Riesling stets seine Eigenheit und Typizität. **Herausragende Wein-Persönlichkeiten!**

2019 Frauenberg GG

Weingut Battenfeld-Spanier, Hohen-Sülzen

Dieses absolut beeindruckende Gewächs zeigt den Facettenreichtum und den Interpretationsspielraum dieser edlen Rebe par excellence. Ein Ausnahmewein, der völlig für sich steht.

52€ · 12,5%

2019 Westhofen Morstein GG

Weingut Keller, Flörsheim-Dalsheim

Erhaben und groß: präziser Riesling mit tragender Mineralität. Wunderbar komplex – kein Hang zur Frucht. Hier geht es um Struktur. Seidig fährt der Wein über den Gaumen und seine Ahnung bleibt lange erhalten. Sehr besonders.

auf Anfrage · 12,5%

2019 Pettenthal GG

Weingut Kühling-Gillot, Bodenheim

Ein Grenzgänger. Vibrierende Aromatik mit Noten von Toast, kaltem Rauch, Dill und Küchenkräutern. Ein monumentales Gewächs, das wie ein Jäger auf seine Beute lauert. So spannend, dass es fast gefährlich wird.

52€ · 12,5%

2019 Ölberg GG

Weingut Schätzel, Nierstein

Großartiges Riesling-Gewächs, das zuerst einmal viel Luft braucht, durchaus ein Kandidat fürs Dekantieren und dann ein idealer Begleiter für Kalbsbries mit Morcheln ist.

29€ · 11,5%

2019 Höllberg GG

Weingut Wagner Stempel, Siefersheim

Höchste Eleganz auf Samtpfoten. Dieser Wein drängt sich nicht in den Vordergrund, weiß er doch ganz genau um seine Größe. Majestätisch in seiner Ruhe mit immensem Potenzial.

31€ · 13%

2019 Brunnenhäuschen GG

Weingut Wittmann, Westhofen

Ist das der perfekte Riesling? Der Wein versprüht am Gaumen ein kraftvolles Leuchten. Cremige Exotik, reifer Pfirsich, Salz und feiner Feuerstein verbinden sich in einer Linie – zusammen mit der rassigen, erfrischenden Säure der Rebsorte. Aufwachen! Nachschmecken! Alles sitzt und ist am Punkt bis hinein in den unendlichen Abgang. Ein Meisterwerk!

58,50€ · 12,5%

2018 Kirchspiel Westhofen

Weingut Dreissigacker, Bechtheim

Explosiv zitrischer Auftakt mit viel Würze. Am Gaumen dann sehr rund mit dezentem Schmelz, großer Harmonie und Länge und geradezu verführerischer Bitternote. Sehr erwachsene Trinkfreude für erfahrene Riesling-Liebhaber.

46€ · 13,5%

2019 Pettenthal GG

Weingut Gunderloch, Nackenheim

Extrem fordernd in seiner Mächtigkeit und Kraft. Exotisches Fruchtspiel mit straffem Zug am Gaumen. Dass dieser Wein es dennoch schafft, elegant zu bleiben, ist die große Überraschung.

36€ · 11,5%

2018 Nierstein „Pettenthal“ GG

Weingut Rappenhof, Alsheim

Umami pur. Salzige Noten von Algen werden ergänzt durch hefig-brotige Nuancen, am Gaumen bleibt ein tolles Spiel von Salz und Säure. Pikant, mundwässernd und stimmungsaufhellend.

33€ · 12,5%

2019 Binger Scharlachberg

Weingut Riffel, Bingen-Büdesheim

Silvester-Riesling: viel Feuerwerk in der Luft – vom Rauch bis hin zu üppiger, exotischer, reifer Frucht, wie Mango, Aprikose und Pfirsich. Ausdrucksstark, präsent und vielschichtig. Feine Mineralik und gute Länge.

27€ · 13%

1 BINGEN

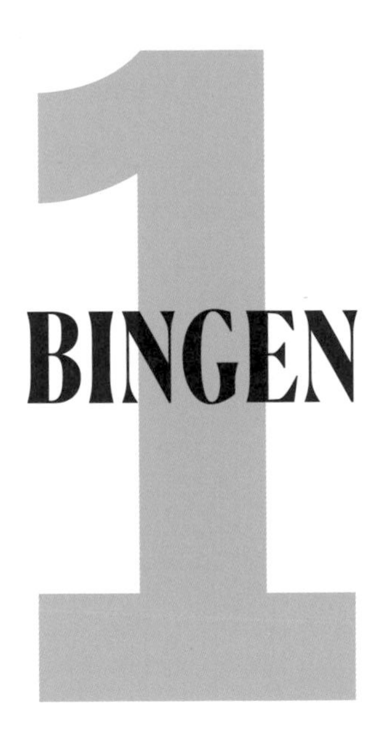

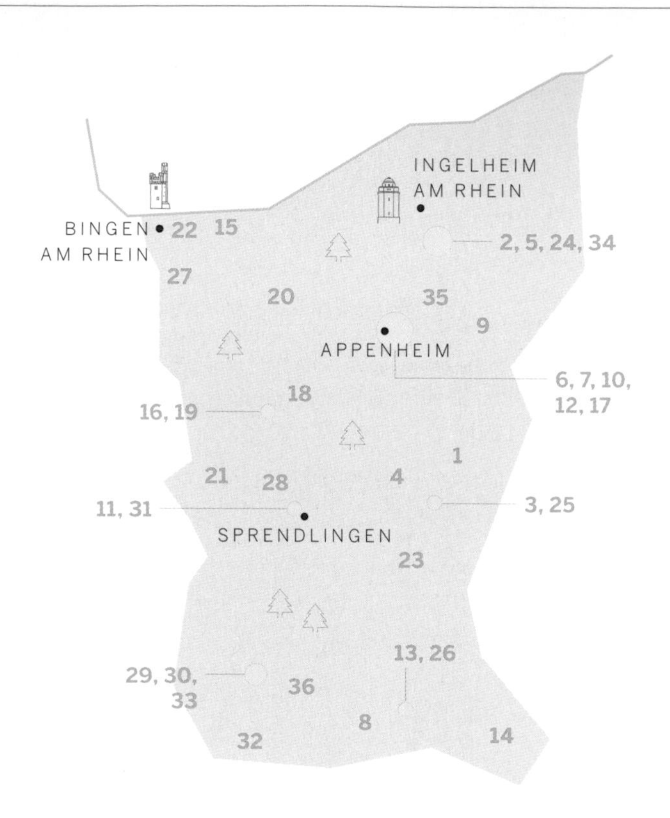

Mit dem Weingesetz von 1971 wurde diese geografische Einheit im Nordwesten des rheinhessischen Wein-Dreiecks geschaffen. Allein in Bingen bewirtschaften mehr als 70 Winzer eine 531 Hektar große Fläche. Damit wird dort mehr Wein angebaut als in den kleineren deutschen Anbaugebieten.

Geographische Lage Der Namensgeber Bingen liegt exponiert im Norden, im Süden reicht der Bereich bis vor die Tore von Alzey, im Osten bis Wörrstadt an der A63, im Westen bis nahe an Bad Kreuznach.

Klima Klimatisch zählt Rheinhessen ganz generell mit seinen rund 500 mm Niederschlägen pro Jahr eher zu den trockenen Regionen in Deutschland.

Böden Löss, Mergel, Rotliegendes, Kalksteine, Vulkangestein, Quarzit, Braunerde

Rebfläche 8.707 ha, davon 70 % Weißwein

Rebsorten Riesling, Müller-Thurgau, Dornfelder, Silvaner, Spätburgunder

Geschichte Vor mehr als 2.000 Jahren kamen die Römer an den Rhein und betrieben Weinbau. Im Jahr 1490 wurde der Riesling („rüssling") in einer Wormser Urkunde erstmals erwähnt. Markante Zäsur für Rheinhessen war das Jahr 1797, in dem die Franzosen die Region im Rheinknie als Département Mont-Tonnèrre ihrem Staat eingliederten. 1816 gilt als das Geburtsjahr Rheinhessens.

Besonderheiten In Bingen stoßen die Anbaugebiete Rheinhessen, Nahe, Rheingau und Mittelrhein aneinander. Bingen ist aber auch Hauptwirkungsort der Kirchenlehrerin Hildegard von Bingen (1098–1179) gewesen.

WEINGÜTER

1
WEINGUT ADAM
🍇
Am Weiher 18
55288 Partenheim

2
ADAMSWEIN
🍇🍇🍇
Altegasse 28
55218 Ingelheim

3
WEINGUT BEISER
🍇🍇🍇
Außerhalb 1
55578 Vendersheim

4
WEINGUT BERNHARD
🍇🍇
Klostergasse 3
55578 Wolfsheim

5
J. BETTENHEIMER
🍇🍇🍇
Stiegelgasse 32
55218 Ingelheim

6
WEINGUT BISCHEL
🍇🍇🍇
Sonnenhof 15
55437 Appenheim

7
WEINGUT EBERLE-RUNKEL
🍇🍇
Niedergasse 25
55437 Appenheim

8
WEINGUT ESPENHOF
🍇🍇🍇
Hauptstraße 81
55237 Flonheim-Uffhofen

9
WEINGUT FINKENAUER
🍇🍇🍇
Außerhalb 7
55270 Bubenheim

10
WEINGUT FRANZ
🍇🍇
Hauptstraße 3
55437 Appenheim

11
WEINGUT FRITZSCH & SOHN
🍇🍇
Schmittstraße 16
55576 Sprendlingen

12
WEINGUT GRES
🍇🍇🍇
Ingelheimer Straße 6
55437 Appenheim

13
WEINGUT GUTGALLÉ RHEINHESSEN
🍇🍇
Langgasse 69
55237 Flonheim

14
WEINGUT HAUCK
🍇🍇
Albiger Straße 15
55234 Bermersheim vor der Höhe

15
WEINGUT HEMMES
🍇🍇
Grabenstraße 13 und 34
55411 Bingen am Rhein

16
WEINGUT HESSERT
🍇🍇
Weinbergstraße 2
55457 Horrweiler

17
WEINGUT HOFMANN
🍇🍇🍇
Vor dem Klopp 4
55437 Appenheim

18
WEINGUT HOTHUM
🍇🍇
Germaniastraße 46
55459 Aspisheim

WEINGÜTER

19
WEINGUT HUFF-DOLL
Weedstraße 6
55457 Horrweiler

20
WEINGUT JÄGER
Rheinstraße 17
55437 Ockenheim

21
WEINGUT JOHANNINGER
Hauptstraße 4–6
55546 Biebelsheim

22
WEINGUT KNEWITZ
Rheinblick 13
55437 Appenheim

23
WEINGUT KRÄMER
Untere Pforte 19
55578 Gau-Weinheim

24
J. NEUS
Bahnhofstraße 96
55218 Ingelheim

25
NEVERLAND VINEYARDS
Ausserhalb 2
55578 Vendersheim

26
WEINGUT PAUSER
Im Baumfeld 40
55237 Flonheim

27
WEINGUT RIFFEL
Mühlweg 14a
55411 Bingen-Büdesheim

28
WEINGUT SCHEFFER
Leimengasse 7
55576 Zotzenheim

29
WEINGUT SEYBERTH
Sandgasse 8
55599 Siefersheim

30
WEINGUT SOMMER
Mühlweg 19
55599 Siefersheim

31
WINZERSEKT SPRENDLINGEN
Michel-Mort-Straße 3–5
55576 Sprendlingen

32
WEINGUT STEITZ
Mörsfelder Straße 3
55599 Stein-Bockenheim

33
WEINGUT WAGNER STEMPEL
Wöllsteiner Straße 10
55599 Siefersheim

34
WEINGUT WASEM
Edelgasse 5
55218 Ingelheim

35
SCHLOSS WESTERHAUS
Westerhaus
55218 Ingelheim

36
PETER & JULIAN WOLF
Brunnenstraße 2
55599 Eckelsheim

Weingut Adam

Neueinsteiger

Am Weiher 18,
55288 Partenheim
T +49 (0) 6732 1289
weingut-adam.de

Inhaber Thomas Adam
Rebfläche 20 ha
Gründung 2008
Verkaufszeiten
nach Vereinbarung

Stets im Einklang mit der Natur zu bleiben, so lautet das Credo von Thomas Adam, der das Weingut in Partenheim in vierter Generation leitet. Seine Weinberge, die vorwiegend mit Riesling und Silvaner bestockt sind, liegen in den beiden Partenheimer Lagen St. Georgen und Steinberg, der an den Saulheimer Schlossberg anschließt. Adam hat den 20 Hektar großen Betrieb in den vergangenen Jahren komplett neu ausgerichtet, im Zuge einer Flurbereinigung wurden Weinberge gerodet, in neue Flurstücke eingeteilt und anschließend mit neuen Weinstöcken bepflanzt. Nach wie vor setzt Thomas Adam für die Arbeiten im Weinberg und der selektiven Ernte auf Handarbeit, ab dem Jahrgang 2020 sind alle Weine vegan produziert.

♥ **2018** Partenheim Am Himmelberg Riesling „S GG" 
35€ · 13,5%
Die Tropifrutti-Alternative für den erwachsenen Genießer, wenn Schmökern sein darf, und damit ein Bruder im Geiste eines Sauvignon Blanc.

2019 Partenheimer Steinberg Sauvignon Blanc Kabinett trocken
8,87€ · 13%

2018 Partenheim St. Georgen Caberent Mitos „GG"
25€ · 14%

2018 Partenheimer Steinberg Würzer „Blut Mond" Eiswein 
60€ · 6%
Im Schein des Blutmondes geernteter Eiswein, klar wie Quellwasser, kristallin mit ungemein sanfter wie finessenreicher Fruchtsüße, ohne jegliche Schwere mit zurückhaltender Säure, ideal als Solist.

AdamsWein

Altegasse 28,
55218 Ingelheim
T +49 (0) 6132 7908 00
www.adamswein.de

Inhaber Simone Adams
Rebfläche 10 ha
Produktion 45.000 Flaschen
Verkaufszeiten
nach Vereinbarung

Simone Adams hat klare Visionen und scheint nur sehr ungern Kompromisse einzugehen. Nur konsequent, dass sie inzwischen komplett auf Biodynamie setzt, alle Weine komplett spontan vergärt und auch keine Schönungsmittel oder Filtration einsetzt. In ihrem Keller wird der Wein nur noch bei der Abfüllung gepumpt, alle anderen Schritte passieren über Falldruck. Dadurch gewinnen die Weine der passionierten Jägerin, die ihre Produkte nach Kalibern einteilt, an Präzision und Kante. Bei ihren Rotweinen, vor allem dem Spätburgunder (Adams liebt im Allgemeinen besonders die Burgundersorten), setzt sie schon seit einiger Zeit auf die Vergärung mit Rappen, inzwischen sogar bei den „kleinen" Kalibern. Außerdem bleiben bei ihr alle Weine ein Jahr lang auf der Feinhefe liegen, geschwefelt wird nur minimal. Diese unbeirrte Hinwendung zum eigenen Stil, dieses Offenlegen der eigenen Philosophie ist bemerkenswert und vor allem eines: für jeden Weintrinker interessant, der sich auch mit den Hintergründen des Weinmachens beschäftigt. Die Adams-Weine strahlen eine große Eigenständigkeit und Selbstbewusstsein aus. Simone Adams sagt: „Als Winzerin will ich Volltreffer erzielen. Im Zentrum meiner Überlegungen steht immer die Eleganz, das Pure, die Finesse." Und wir freuen uns unbändig über so viel Leidenschaft und Hinwendung.

2019 Chardonnay „Kaliber 25" 

24€ · 13%

Diese Flasche ist schnell leer. Dicht und komplex strukturiert ist in jedem Schluck etwas Neues zu entdecken: hier Apfelschale, da Würzenoten und Vanille, und dann noch etwas Salzigkeit und zartes Holz. Einfach schön – zum Abend mit (Wein-)Freunden.

2019 Grauburgunder „Kaliber 19" ♦♦
14€ · 12,5%
Die Maischestandzeit, das legt die Farbe nahe, hat ihm die Basis gegeben, um nun gemeinsam mit animierender Säure ein unkompliziertes Trinkvergnügen zu bereiten.

2019 Weißburgunder „Kaliber 9" ♦♦
9,50€ · 12,5%

2018 Spätburgunder „Auf dem Haun" ♦♦♦
29€ · 13%
Klar und zugänglich mit viel frischer Kirsche und straffer Säure.

2018 Spätburgunder „Kaliber 12" ♦♦♦
12€ · 13%
Frischherber Auftritt im Gaumen mit Tanninen, die zupacken, und einer strikten Ablehnung süßlicher Frucht. Profitiert von kräftig gewürzten Speisen.

2018 Spätburgunder „Kaliber 28" ♦♦♦
19€ · 13%
Kalter Rauch, Salz, Umami – elegant mit kräuteriger Note, gelungene Kühle zieht sich durch von Nase bis Mund.

2018 Spätburgunder „Kaliber 48" ♦♦♦♦
39€ · 13%
Eleganter Leisetreter: fester, straffer Wein – insgesamt dezent und zurückhaltend mit Cassisnoten, feiner Rauchigkeit und erfrischender Säure. Jung – muss sich noch öffnen.

2020 Spätburgunder „Kaliber 11" ♦
11€ · 11,5%

Weingut Beiser

Neueinsteiger

Außerhalb 1,
55578 Vendersheim
T +49 (0) 6732 8732
www.weingut-beiser.de

Inhaber Christiane Beiser
Betriebsleiter Simon Beiser
Kellermeister Simon Beiser

Vendersheim ist ein kleiner verträumter Ort inmitten des nördlichen Rheinhessischen Hügellandes. Wenn auch noch etwas entfernt von südlichen Gefilden, sind die Reben hier ebenfalls von der Sonne verwöhnt, stehen in Reih und Glied auf fruchtbaren Böden und bringen vollreife und gesunde Trauben hervor. Ideale Voraussetzungen für einen Winzer, der sich unbedingte Qualität auf die Fahne geschrieben hat und sein Handwerk nicht nur versteht, sondern in Weinberg und Keller optimal zum Einsatz bringt. Simon Beiser ist eben ein leidenschaftlicher Weinmacher, der mit vorausschauender Arbeit im Weinberg für beste Traubenqualität sorgt, aus denen er behutsam im Keller Weine produziert, die weit über die Grenzen des kleinen Orts bekannt und beliebt sind. Unterstützt wird er dabei generationenübergreifend von der ganzen Familie.

Verbände Maxime Herkunft Rheinhessen
Rebfläche 39 ha
Produktion 120.000 Flaschen
Verkaufszeiten
Mo–Sa 10–12 Uhr
und 13–19 Uhr
So 11–13 Uhr
Feiertage nach Vereinbarung

2018 Binger Schlossberg Schwätzerchen Riesling „Quarzit, aus der Steillage"
18€ · 13%
Gewinnt dank typischer Rieslingfrucht an Fahrt im Glas und erfreut mit guter Länge und Salzigkeit.

2018 Sauvignon Blanc „Muschelkalk"
8,40€ · 13%
Rauchig, elegant und leise mineralisch.

2018 Bingener Schlossberg Schwätzerchen Silvaner „Quarzit"
18€ · 13,5%
Ein korpulenter und dichter Silvaner mit kräftigen kräuterigen Noten. Die perfekte Begleitung für eine Quiche mit Birne und Gorgonzola.

2019 Sauvignon Blanc „Muschelkalk"
8,60€ · 13%
Ein Lachstatar ist ein prototypischer Begleiter für so einen Sauvignon Blanc, der mit grasigen und Noten von grüner Mango zu gewinnen weiß.

2019 Sprendlinger Grauburgunder „Tonmergel"
7,80€ · 13%

2019 Vendersheimer Riesling „Muschelkalk"
7,80€ · 13%
Tolles Spiel mit gelber Frucht, Floralität, Salz und Süße. Viel Spannung hintenraus, ein Wein, der zupackt und so schnell nicht loslässt.

2019 Wallertheimer Sauvignon Blanc „Muschelkalk"
8,40€ · 13%
Bei dieser guten Struktur braucht es zum Grillen keine Beilagen mehr.

2016 Sprendlinger Honigberg Spätburgunder „Kalkstein"
14€ · 13,5%
Herrlich harmonischer Spätburgunder mit viel Charakter durch gute Reife gepaart mit feiner Süße und einem Körnchen Salz, ein Sonntagswein!

2017 Spätburgunder „Sprendlinger Kalkmergel"
8,40€ · 14%
Solokünstler, braucht als Begleitung nur nette Freunde. Fleischig mit gutem Zug, festen Tanninen und rauchigen Kirsch-Speck-Aromen.

♥ **2018** Vendersheimer Frühburgunder „vom Tonmergel"
18,20€ · 14,5%
Hocharomatisch, schöne Reife, allerdings mit Biss und gutem Grip, ideal zu Wildgeflügel.

2018 Vendersheimer Merlot „Kalkmergel"
8,40€ · 14,5%
Feine Kräuternoten, sehr saftig mit feinem Gerbstoffgerüst, gute Länge, auf geht es zur Grill-Party.

Weingut Bernhard

Klostergasse 3,
55578 Wolfsheim
T +49 (0) 6701 3578
www.weingut-bernhard.de

Inhaber Jörg & Martina Bernhard
Verbände Ecovin, Generation Riesling
Rebfläche 25 ha
Produktion 150.000 Flaschen
Verkaufszeiten nach Vereinbarung

Im Wolfsheimer Weingut sind zwei Generationen am Ruder, aber sie denken und lenken in die gleiche Richtung. Jörg Bernhard und seine Tochter Martina bringen eine intakte Natur, Wissbegierde, Nachhaltigkeit, Neugier, Tradition und Zukunft erstaunlich gut unter einen Hut und sind auf dem direkten Weg, ihren konventionellen Betrieb in ein hundertprozentiges Ökoweingut zu verwandeln. Längst werden die Weinberge biodynamisch bewirtschaftet, seit 2020 ist der 25 Hektar große Betrieb biozertifiziert. Im Keller setzen Vater und Tochter ausschließlich auf die spontane Gärung, der anschließende Ausbau und die Reifung erfolgen auch bei den Weißweinen fast ausschließlich in Holzfässern.

2018 Götzenborn Chardonnay
18€ · 13%
Eine kraftvolle burgundisch anmutende Interpretation dieser edlen Rebsorten mit ausgeprägten Haselnussnoten im Vordergrund, ein hervorragender Essensbegleiter, vor allem bei Pasteten und Terrinen.

2018 Osterberg Riesling
18€ · 12,5%
Fest gebauter kraftvoller Wein mit etwas Speck auf den Hüften, ohne jedoch plump zu wirken. Vielmehr tanzt dieser sehr harmonisch auf der Zunge.

♥ **2018** St. Kathrin Silvaner ●●●
18€ · 12,5%
Ein Aromenpaket mit Noten von Nelke, Vanille, Quitte und Apfel. Am Gaumen dann richtig dicker Schmelz und cremige Buttrigkeit.

2019 St. Johann Scheurebe ●
11€ · 12,5%

2019 Wolfsheim Grauburgunder ●●
11€ · 13%
Verhehlt geradezu seine Rebsorte und gäbe bald einen guten Weißburgunder ab. Eleganz und zurückhaltende Säure sind die zwei tragenden Säulen.

2019 Wolfsheim Riesling ●●
11€ · 12%
Der Ungestüme: noch jugendlicher Wein, vielschichtig, mit breitem Kreuz, aber wild. Viel Weinbergspfirsich und Zitrus. Braucht noch Zeit.

J. Bettenheimer

Stiegelgasse 32,
55218 Ingelheim
T +49 (0) 6132 3041
www.bettenheimer.de

Inhaber Jens Bettenheimer
Verbände Maxime Herkunft Rheinhessen
Rebfläche 16 ha
Produktion 120.000 Flaschen
Verkaufszeiten nach Vereinbarung

Jens Bettenheimer macht keinen Hehl daraus, dass er in seinem Betrieb Unikate von unverwechselbarer Art und Charakter produzieren möchte. Eine Herausforderung, der sich der Winzer jedes Jahr stellt und die er akribisch und mit einer gesunden Portion Ehrgeiz umsetzt. Bettenheimers Weine haben denn auch Ecken und Kanten, sind von ihrem Terroir geprägt, mal mineralisch tiefgründig, mal spritzig erfrischend und jugendlich. Wenn es der Jahrgang und die Stilistik erfordern, legt er die Moste in traditionelle Stückfässer, aber auch die modernen Edelstahltanks haben ihren Platz in Jens Bettenheims Wein-Philosophie. Dazu gehört auch die lockere Präsentation seiner Weine auf zahlreichen Events im Weingut oder die Degustation im Gutsausschank zu herzhaften Gerichten aus der ambitionierten Regionalküche.

♥ **2018** Ingelheimer Schloßberg Frühburgunder ●●●●
16,90€ · 13,5%
Beeindruckender, feinwürziger Rotwein mit insgesamt sanftem und dennoch gehaltvollem Auftritt, unterstrichen von einem sensiblen Holzeinsatz.

2018 Ingelheimer Täuscherspfad Spätburgunder ●●●●
22,90€ · 12,5%
Schmeichelnd und charmant im Auftakt, am Gaumen mit Noten von Veilchen und Walnuss. Fast schon umarmende Weichheit, die einlullt und für Entspannung sorgt.

2019 Appenheimer Hundertgulden Riesling Beerenauslese 
22,90€ · 6,5%
Die Riesling-Essenz: purer Pfirsichsaft, cremig und reif mit exotischen Anklängen. Dickflüssig und erfrischend. Verführerisch süß. Zur Pfirsich-Tarte-Tatin.

Weingut Bischel

Sonnenhof 15,
55437 Appenheim
T +49 (0) 6725 2683
www.weingut-bischel.de

Inhaber Familie Runkel
Betriebsleiter Christian & Matthias Runkel
Verbände VDP
Rebfläche 20 ha
Produktion 150.000 Flaschen
Verkaufszeiten
Mo–Sa 9–18 Uhr
und nach Vereinbarung

Mit einem großen Aufwand an Handarbeit sind die Brüder Matthias und Christian Runkel in ihrem Weingut unterwegs. Das gilt vor allem für die Weinberge, die sie naturnah und umweltschonend bearbeiten, um nachhaltig gesunde Trauben ernten zu können. Diese werden im Keller ganz konventionell und ohne moderne ökologischen Verfahren zu Most weiterverarbeitet, und zu Wein vinifiziert. Traditionelles und klassisches Winzerhandwerk ist dabei Trumpf, die entstehenden Weine haben ausreichend Zeit, ihre Balance auch ohne große Eingriffe und Zusätze zu finden. Was die angebauten Rebsorten betrifft, setzen die Runkels auf den bewährten Riesling und Burgundersorten.

2019 Appenheim Riesling 1. Lage
16,50€ · 13%
Ein eigenständiger Typ, der würzige und pikante Noten an den Gaumen bringt und dabei immer zugänglich bleibt.

2019 Appenheimer Hundertgulden Riesling GG
28€ · 13%
Zarter, filigranes Wesen. Pfirsich in der Nase, helles Gelb in der Farbe. Derzeit noch verhalten, zeigt aber Potenzial, das sich in mehr Eleganz entwickeln wird.

2019 Bingen Riesling 1. Lage
16,50€ · 13%
Ein wilder Typ, der kaum zu bändigen ist. Für Leute, die schon alles kennen und sich beim Thema Riesling noch einmal überraschen lassen wollen.

2019 Binger Scharlachberg Riesling GG
30€ · 13%
Brillante Zurückhaltung. Honig und Minze treffen einander in der Nase, am Gaumen dann fast pudriger Schmelz. In seiner Eleganz sehr eigenständig, bleibt leise und ist sehr bei sich.

2019 Chardonnay „Réserve"
22€ · 13,5%
Ein sanfter Riese, der neben salziger Mineralik und Noten von Feuerstein auch dezent vegetabile Noten mitbringt und lang am Gaumen bleibt.

2019 Gau-Algesheim Riesling „Terra Fusca"
13,90€ · 12,5%
Säure wie eine sorgsam geschärfte Klinge, deren Schnitte sachte sind und dennoch durchdringen. Pampelmuse und Quitten dominieren das Frucht-Geschehen im Mund.

2019 Siefersheimer Heerkretz Riesling GG
28€ · 13%
Riesling auf der Lauer: feste Struktur und Kräuterkern mit Aromen von Apfel, Birne und Quitte. Dazu Schärfe: weißer Pfeffer und Chili. Etwas Feuersteinreduktivität. Zu Sushi oder hellem Fisch.

2017 Appenheim Spätburgunder 1. Lage
25€ · 13,5%
Ein Spätburgunder, der mit seiner süß-sauren Art und der leichten Reife perfekt zum Hirsch mit Preiselbeeren und Rotkohl gereicht werden kann.

2019 Binger Scharlachberg Riesling
19,90€ · 7%
Finessenreicher Riesling mit durch stramme, aber dennoch harmonisch eingebundene Säure gezügelte Süße. Ideal zur Honigmelone an einem Sommertag im Garten.

Weingut Eberle-Runkel

Niedergasse 25,
55437 Appenheim
T +49 (0) 6725 2810
www.weingut-eberle-runkel.de

Mit der neuen Vinothek hat das Appenheimer Weingut einen gemütlichen Raum geschaffen, in dem in familiärer Atmosphäre in aller Ruhe probiert werden kann und der auch für moderierte Weinproben mit bis zu 14 Personen zu Verfügung steht. Betriebsleiter und Kellermeister Stefan Runkel weiß einiges über seine Weine zu erzählen, die auf rund 14 Hektar Rebfläche im rheinhessischen Hügelland wachsen. In den Sommermonaten lockt die weit über die Ortsgrenze bekannte und beliebte Straußwirtschaft mit herzhafter Küche und den dazu bestens passenden gutseigenen Gewächsen ins Weingut.

Inhaber Michael Runkel
Betriebsleiter Stefan Runkel
Kellermeister Stefan Runkel
Rebfläche 14 ha
Produktion 40.000 Flaschen
Verkaufszeiten
Fr 14–18 Uhr
Sa 10–17 Uhr
und nach Vereinbarung

2019 Appenheimer Hundertgulden Riesling
9,50€ · 13%
Komplexer Riesling mit Kraft und Saft.

2019 Appenheimer Silvaner
7,20€ · 13%
Dicht und fest mit Feuersteinnase, cremig und duftig nach Apfel und Kräutern. Schöne Würze und Säurespiel. Teilt man mit Freunden.

2019 Nieder-Hilbersheimer Honigberg Riesling
9,50€ · 13%
Quittig am Gaumen, ziert sich derzeit ein wenig, aber wenn man ihm etwas Zeit gibt, belohnt er das mit Eleganz.

Weingut Espenhof

Hauptstraße 81,
55237 Flonheim-Uffhofen
T +49 (0) 6734 94040
www.espenhof.de

Inhaber Wilfried & Nico Espenschied
Betriebsleiter
Nico Espenschied
Kellermeister
Nico Espenschied
Verbände Maxime Herkunft Rheinhessen, Generation Riesling
Rebfläche 30 ha
Produktion 220.000 Flaschen
Gründung 1655
Verkaufszeiten
Mo-Sa 8–18 Uhr
So 9–11 Uhr
und nach Vereinbarung

Der Espenhof ist nicht einfach nur ein Weingut, sondern vielmehr ein kleines Genusszentrum, zu dem auch eine gemütliche Gastwirtschaft und ein stimmungsvolles Landhotel gehören. Alles an einem Platz, der ideale Ort für eine ausgiebige Landpartie. Nico Espenschied ist der Macher hinter den Kulissen, ein junger engagierter Winzer und Gastgeber, der bei der Qualität seiner Weine keine Kompromisse macht und sein Konzept „Minimal Winemaking" nennt. Dabei verzichtet Espenschied auf sämtliche Behandlungsmittel, setzt vorwiegend auf spontane Gärung der Weine, die frei sind von jeglicher önologischer Manipulation wie Säurekorrektur oder Anreicherung. Ein strammes Konzept, das Nico Espenschied für seine Trauben aus rund 30 Hektar Anbaufläche konsequent anwendet und damit schmeckbaren, nachhaltigen Erfolg hat.

2019 Manzoni Bianco „Herz+Hand"
15€ · 13,2%
Feinduftiger, eher diskreter Weißwein mit gutem Zug und Grip, ein idealer Solist für den Samstagnachmittag oder zu feinen Antipasti.

2020 Grauburgunder „Herz+Hand"
10€ · 3,1%
Mit minimaler Technik im Keller wurden die Trauben alter Reben vom Vulkangestein zu einem quirligen Spaß mit Noten von grünen und reifen Birnen vinifiziert.

2020 Grüner Veltliner „Veltenbummler“
12,50€ · 13%
Die Spontangärung von ganzen Beeren umstreicht das aromatische Veltliner-„Pfefferl“ mit einem straffen Gerbstoffgerüst. Absolut gelungen und ein feiner Begleiter von italienischen Vorspeisenklassikern wie Vitello tonnato.

2017 Scheurebe „Weiße Brause“ brut nature
15€ · 10,7%
Gerne mehr von dieser „weißen Brause“ mit dieser sympathisch ungestümen Art! Absolut puristisch, ein ganz idealer Auftritt für die exotische Scheurebe.

Weingut Finkenauer Neueinsteiger

Außerhalb 7,
55270 Bubenheim
T +49 152 2868 9220
www.finkenauer.de

Inhaber Yvonne Finkenauer
Rebfläche 15 ha
Produktion 200.000 Flaschen
Gründung 1974
Verkaufszeiten nach Vereinbarung

Dass ihre Weine Ecken und Kanten haben, ist für die ambitionierte Winzerin Yvonne Finkenauer selbstverständlich und gewollt. In Weinberg und Keller unterstützt von ihrem Vater Wilfried und einem engagierten Team, hat sich die Selfmade-Winzerin vor allem in der jungen Weinszene einen guten Namen gemacht. Und das zu Recht, denn ihre vorwiegend weißen Gewächse aus exponierten, mineralhaltigen Lagen rund um Budenheim und Bingen, die Finkenauer gerne als Alltagsrebellen bezeichnet, garantieren erfrischendes und knackiges Trinkvergnügen. Rund 15 Hektar stehen im Anbau, mehr Fläche soll es vorerst auch nicht mehr werden, die möglichst umweltverträglich und schonend bearbeitet werden. Auch im Keller steht die Natürlichkeit an erster Stelle, schließlich tragen Finkenauers Weine ihre Handschrift.

2019 Bubenheimer Honigberg Chardonnay „Meilenstein“ 
18,20€ · 13,4%
Das breite Aromenspektrum mit Noten von Erdnuss, Malz und Rauch wirkt kraftvoll und fast deftig. Ein Wein mit Finesse und Anspruch, der im Gedächtnis bleibt.

♥ **2019** Bubenheimer Kallenberg Sauvignon Blanc „Meilenstein“
18,20€ · 13,6%
Dieser Meilenstein bringt nicht nur Schmelz und Länge an den Gaumen, er bleibt bei all seiner Kraft auch ein spielerischer Begleiter im Sommer, zum Beispiel zur Ceviche vom Bachsaibling.

2019 Bubenheimer Kallenberg Weißburgunder „Meilenstein“
18,20€ · 13,6%
Sanftsaftiger Weißburgunder mit Steinobst und reifen Äpfeln. Feine Cremigkeit auf breiten Schultern. Passt gut zu gebratenem Fisch und weißem, festem Fleisch.

2019 Schwabenheimer Schloßberg Riesling „Meilenstein"

18,20€ · 13,1%

Mit seiner schlanken, floralen Note und der zarten Süße bleibt dieser Wein leicht unterm Radar. Wer ein bisschen Zeit mitbringt und den Wein auf sich wirken lässt, wird auf jeden Fall belohnt werden.

Weingut Franz

Hauptstraße 3,
55437 Appenheim
T +49 (0) 6725 96060
www.weingut-franz.de

Inhaber Heinz & Christopher Franz
Kellermeister Christopher Franz
Verbände Appenheimer Hundertguldenwinzer, Maxime Herkunft Rheinhessen
Rebfläche 6,5 ha
Produktion 50.000 Flaschen
Verkaufszeiten
Mo–Sa 9–18 Uhr
So, Feiertag 10–14 Uhr
und nach Vereinbarung

Die Weinbergslage „Appenheimer Hundertgulden" ist seine bekannteste, Christopher Franz erntet dort in aller Regel die aromatischen und vollreifen Trauben, aus denen er komplexe weiße und rote Weine keltert. Nur rund 6,5 Hektar umfasst der Familienbetrieb, der in den letzten Jahren immer wieder mit guten und sehr guten Weinqualitäten von sich reden machte und der sicher noch Luft nach oben hat. Heinz Franz ist mit seiner ganzen Erfahrung noch im familiären Weinbaugeschehen aktiv und unterstützt seinen Sohn Christopher, wo er kann. Zum freundlichen Betrieb gehört eine stilvolle, modern ausgestattete Vinothek, in der alle Weine zur Verkostung bereitstehen und in der man mit jedem probierten Wein alles über die Arbeit von Vater und Sohn im Weniger und Keller erfährt.

2019 Appenheim Weißburgunder

8,90€ · 13%

Gewinnt seine kräftige Struktur durchs Holz und verträgt spielend die Begleitung eines mediterranen Carpaccios mit Cedri-Zitronen.

2019 Appenheimer Hundertgulden Riesling

15,50€ · 12,5%

Zu diesem Wein wünschen wir uns viele Gäste und einen großen Topf mit feinen Hechtklößen. Feiner Schmelz und eleganter Abgang begeistern auf ganzer Linie.

2019 Appenheimer Riesling „Kalkstein"

8,90€ · 12,5%

Riesling wie ein klarer, plätschernder Bergbach: sanft-samtig am Gaumen mit feiner Cremigkeit. Aromen von Pfirsich, reifem Apfel und Mandarine. Etwas traditionell mit guter Dichte und feiner Würze. Passt zu hellem Fleisch und zu Hummer mit Buttersauce.

2016 Appenheim Frühburgunder

15,50€ · 13,5%

Feine Kirschfrucht als Auftakt, gefolgt von gutem Grip am Gaumen, perfekt zu Saltimbocca.

Weingut Fritzsch & Sohn

Neueinsteiger

Schmittstraße 16,
55576 Sprendlingen
T 0049 (0) 6701 2007 902
weingut-fritzsch.de

Inhaber Thomas Fritzsch
Rebfläche 20 ha
Produktion 60.000 Flaschen
Verkaufszeiten
Mo–Fr nach Vereinbarung
Sa 9–15 Uhr

Die große Sortenvielfalt ist einer der Pluspunkte des Familienbetriebes in Sprendlingen. Unterteilt in vier Kategorien – Exklusive Weine, Prestige-Weine, Klassische und Traditionelle Weine – werden die Gewächse in unterschiedlichen Qualitätsstufen aus neuen und alteingesessene Rebsorten vinifiziert, die geschmacklich alle ihr typisches Sortenaroma zeigen. Seit 2021 liegt dafür die Verantwortung bei Thomas Fritzsch, der den Betrieb von seinem Vater Norbert übernommen hat und nun für die gesamte Bewirtschaftung zuständig ist. Rund 20 Hektar Rebfläche stehen im Ertrag, verteilt über Lagen mit unterschiedlichen Bodenstrukturen, von Muschelkalk, Sandstein bis Löss und Tonmergel, rund um Sprendlingen.

2020 Grauburgunder
5,60€ · 13%

2020 Riesling
5,60€ · 12%
Viel Spaß im Glas: sehr präsenter Riesling mit reifem Apfel, Apfelschale, reifer Grapefruit, Birne, und Pfirsich. Hell, fleischig, saftig und animierend. Passt zu geräucherter Forelle oder Ceviche.

2020 Weißburgunder
5,60€ · 12,5%

2020 Wißberg Chardonnay
6,40€ · 12%
Eine lässige Aprikosennote zu Beginn bestimmt den Charakter und verleiht ihm jene Leichtigkeit, die den Alltag versüßen kann.

2020 Wißberg Muskateller
6,40€ · 13%

2020 Wißberg Riesling
6,30€ · 12,5%
Mango, Birne und Melone schmeicheln der Nase. Ein vielseitig einsetzbarer Allrounder, der sowohl zu kräuterigen Fischgerichten als auch zum Saltimbocca funktioniert.

Weingut Gres

Ingelheimer Straße 6,
55437 Appenheim
T +49 (0) 6725 3310
www.weingut-gres.de

Inhaber Klaus Gres
Verbände Maxime Herkunft Rheinhessen, Hundertguldenwinzer
Rebfläche 16,5 ha
Produktion 100.000 Flaschen
Gründung 1546
Verkaufszeiten
Mo–Fr 9–12 Uhr und 14–18 Uhr
Sa 9–17 Uhr
und nach Vereinbarung

Interessanterweise reichen die Wurzeln der Familie bis nach Frankreich zurück, über das Burgund und das Elsass landete man schließlich im rheinhessischen Hügelland. Das liegt schon lange zurück, heute bewirtschaftet Familie Gres rund 16,5 Hektar, verteilt über fünf Gemeinden rund um Appenheim. Geblieben aus der französischen Familiengeschichte ist die Vorliebe für Burgundersorten, mit deren Weinen der Betrieb in jüngster Vergangenheit nationale und internationale Auszeichnungen erringen konnte. Doch auch mit den Rieslingen ist man gut aufgestellt, Klaus Gres bringt regelmäßig charaktervolle und nachhaltige Weine auf die Flaschen, die vorzugsweise im Edelstahl ausgebaut werden. Mehr Platz geschaffen hat man im Holzfasskeller, wo die Rotweine schlummern und nach abgeschlossener Gärung teilweise im Barriquefass ihren letzten Schliff bekommen.

2019 Appenheimer Hundertgulden Riesling GG
18,70€ · 12%
Sensibler Kuschelriesling: sehr warm und weich – wie eine Ananascreme auf Karamellknusper. Schöner Säurenerv und Filigranität. Passt zu Coq au vin oder feiner Kalbspastete.

2019 Appenheimer Riesling „Von der Koralle"
8,30€ · 12,5%
Macht Lust auf den nächsten Schluck! Duftige zugängliche Nase mit exotischen Früchten, Apfel und Pfirsich. Viel Saft. Animierend – mit feiner Salznote am Gaumen.

2019 Niersteiner Riesling „Hipping" GG
18,70€ · 13%
Der Eigenwillige: sanfter-cremiger Riesling mit Kraft. Zeigt Aromen von reifen Äpfeln, Stachelbeere und Apfelschale. Leicht balsamisch mit Tanningrip und Struktur.

2019 Sauvignon Blanc
7,60€ · 13%
Top Einstiegs-Sauvignon als perfekter Allrounder.

2019 Sauvignon Blanc „Daubhaus"
11,80€ · 13,5%
Anspruchsvolle Sauvignon-Interpretation mit feinwürzig eleganter Aromatik nach klassischem Loire-Vorbild.

2020 Sauvignon Blanc
7,50€ · 12%
Brennnessel, grüne Paprika, getrocknetes Heu, feine Rauchnote, Limette und Stachelbeere. Passt zu asiatischen Gerichten etwa mit Ingwer und Garnelen.

2018 Cuvée „Gres Nummer I"
11,80€ · 13,5%
Perfekt balanciert komponierte Rotwein-Cuvée mit guter Länge, ideal zum Kalbskotelett mit Pfifferlingen.

2018 Chardonnay extra brut
25,80€ · 12%
Stoffig, cremig, noble Eleganz bei zugleich zupackender, enorm animierender Art. Ideal als Festtags-Auftakt, oder auch zu einem ganzen Menü mit Austern und Meeresfrüchten.

2018 Chardonnay „Blanc de Blanc" brut nature
26,80€ · 12%
Ungemein eleganter Chardonnay-Sekt der besten Machart mit Blick in die Champagne, das hat mit der klassisch deutschen Sekt-Auffassung nichts mehr Hut.

Weingut Gutgallé Rheinhessen

Langgasse 69,
55237 Flonheim
T +49 (0) 6734 8961
www.gutgalle.de

Inhaber Klaus Gallé
Betriebsleiter Klaus Gallé
Kellermeister Klaus & Jonathan Gallé
Verbände Generation Riesling, Silvaner Forum, Wine in Moderation
Rebfläche 13 ha
Produktion 60.000 Flaschen
Gründung 1995
Verkaufszeiten nach Vereinbarung

Ein eigenes Weingut zu besitzen und seine Zeit in Weinberg und Keller zu verbringen, davon träumen viele Menschen. Klaus und Ortrud Gallé haben sich diesen Wunsch erfüllt und 1995 den Traum vom eigenen Weingut in Flonheim Wirklichkeit werden lassen. Mittlerweile ist auch Sohn Jonathan in den Betrieb eingestiegen und hat, das ist das Privileg der Jugend, frischen Schwung ins elterliche Gut gebracht. Seit dem Jahr 2020 ist der rund 13 Hektar große Betrieb in der Umstellung auf ökologischen Weinbau, was der ganzen Familie besonders am Herzen liegt. Zu den charaktervollen Weinen mit dem auffälligen Etikett, das ein farbiger Kreis schmückt, gesellen sich auch Sekte, die etwas von der schäumenden Lebensfreude ins Glas bringen, die die Familie auf ihrem Weingut vorlebt.

2019 Chardonnay
6,95€ · 12,5%

2019 Riesling „Wöllsteiner"
8,50€ · 13%
Feines Aromenspiel von Pfirsich, Mandarine und Zitrone.

2019 Sauvignon Blanc „Identität"
8,50€ · 13%

2019 Uffhofener La Roche Riesling
13€ · 13%
Floral-würziges Aromenspektrum mit Noten von Fenchel, Aprikose und Vanille. Ein würziger Spaß für lange Abende, denn bei einem Glas wird es nicht bleiben.

2013 Flonheimer Rotenpfad Portugieser
21€ · 13,5%
Kraftvoll saftiger Rotwein mit gutem Holzeinsatz und harmonischer Reife, ideal zu Schmorgerichten oder Peking-Ente.

2016 Uffhofener La Roche Spätburgunder
24€ · 13,5%
2018 Spätburgunder
7€ · 13%
2019 Cuvée „Furioso Identität"
9,50€ · 13%
2017 Grauburgunder „Champion" brut
13,50€ · 12%

Weingut Hauck

Albiger Straße 15,
55234 Bermersheim
vor der Höhe
T +49 (0) 6731 1272
www.weingut-hauck.de

Inhaber Jana & Heinz Günter & Heike Hauck
Rebfläche 30 ha
Verkaufszeiten
Mo–Sa 9–17 Uhr
und nach Vereinbarung

Erst vor rund 20 Jahren haben sich Heike und Heinz Günter Hauck entschlossen, aus dem gemischten Landwirtschaftsbetrieb ein Weingut zu machen und sich voll und ganz auf die Reben zu konzentrieren. Eine mutige Entscheidung, die einiges an Kraft gekostet hat, aber nie bereut wurde. Heute bewirtschaften die Haucks rund 30 Hektar Rebfläche und haben aus den kalkreichen Böden ein interessantes Weinportfolio zu bieten, bei dem die Burgundersorten die Hauptrolle spielen. Mit viel Fingerspitzengefühl agiert Heinz Günter Hauck im Keller, ein Großteil der Weißweine wird im Edelstahl ausgebaut, während die Rotweine nach der Gärung im Barrique schlummern. Mit Jana Hauck ist die nächste Generation in den Familienbetrieb eingestiegen und es ist sicher, dass die Weine nach und nach ihre Handschrift tragen werden.

2019 Auxerrois
8€ · 12,5%
2019 Bermersheimer Klosterberg Riesling „Alte Reben" Spätlese trocken
8€ · 12,5%
2020 Bermersheimer Hildegardisberg Grauburgunder Spätlese trocken
8,50€ · 14,5%
2020 Bermersheimer Hildegardisberg Weißburgunder Spätlese trocken
8,50€ · 14,5%
Dieser saftige Weißburgunder mit Noten von Pfirsich und Melone ruft geradezu nach würziger Begleitung, die gerne auch ein wenig Schärfe mitbringen darf.
2020 Silvaner „Hildegard"
6,80€ · 12,5%
2018 Bermersheimer Klosterberg Spätburgunder „976"
17,50€ · 14%
Schmeichler auf der Zunge, der mit guten Manieren gefallen will. Das ist willkommen, da es nicht ins Belanglose abrutscht. Zu eleganten Wildgerichten mit Rosenkohl, der die sachten Gerbstoffe aufnimmt.

2016 Pinot brut 
11,50€ · 13%
Reife weinige Nase, weiße Schokolade, Orangenconfit, expressive Melonenfrucht. Die geschmeidige Säure fördert den Trinkfluss und passt hervorragend zur kräftigen Perlage.

Weingut Hemmes

Neueinsteiger

Grabenstraße 13 und 34,
55411 Bingen am Rhein
T +49 (0) 6721 12420
www.hemmeswein.de

Inhaber Frank Hemmes
Betriebsleiter Frank & Felix Hemmes
Kellermeister Felix Hemmes
Verbände Generation Riesling
Rebfläche 20 ha
Produktion 140.000 Flaschen
Gründung 1970
Verkaufszeiten
Mo, Mi–Fr 10–12 Uhr
und 14–18 Uhr
Di 10–12 Uhr
Sa 10–16 Uhr

Rund 50 Jahre ist es her, dass sich Familie Hemmes von dem klassischen landwirtschaftlichen Mischbetrieb verabschiedete und voll und ganz auf den Weinbau setzte. Damals nicht ohne Risiko, doch der Mut hat sich gelohnt und man schaut heute auf ein gut aufgestelltes Weingut, das zu den verlässlichen Adressen des Anbaugebiets zählt. Frank Hemmes und seine Frau Tanja sind vor rund 20 Jahren in den Betrieb eingestiegen, mittlerweile ist auch Sohn Felix mit an Bord. Mit einer naturnahen Bewirtschaftung der Weinberge, die rund um Bingen liegen, kann der Familienbetrieb schon länger punkten, nach wie vor dominiert hier auch die aufwendige und kostenintensive Handarbeit das Geschehen. Mit dem Jahrgang 2015 hat man sich wieder dem Spätburgunder genähert, der bis dahin aus dem Portfolio verschwunden war und heute das rote Aushängeschild ist.

2019 Chardonnay „Halbstück"
12€ · 12,5%
Ein Chardonnay mit Eleganz und Anspruch, ohne überkandidelt zu wirken. Dazu eine hochwertige Brotzeit mit Sauerteig-Brot, gesalzener Butter und Speck.

2019 Eisel Riesling „Isell"
7,50€ · 12,5%

2019 Scharlachberg Binger Riesling
12€ · 13%
Der perfekte Pastawein für (fast) jeden Tag. Ein bodenständiger und treuer Begleiter, der einen festen Platz in Ihrem Keller bekommen wird.

2020 Scheurebe
7,50€ · 12,5%

2018 Kirchberg Spätburgunder
16€ · 13,5%
Ein kraftvoll feinwürziger, noch vom Ausbau im neuen Barrique geprägter Wein, der noch etwas Zeit im Keller verbringen sollte, dann belohnen Struktur, Säure und Tannine den geduldigen Genießer.

2019 Spätburgunder
7€ · 12%

2020 Spätburgunder „Blanc de Noir"
6€ · 12,5%

2015 Riesling extra brut
15€ · 12,5%
Deutscher Sektstil, Pfirsich, Apfel, üppige Perlage, Karamell, Fruchtreife, Volumen.

2019 Scharlachberg Riesling Beerenauslese
30€ · 7%
Mandarine und Aprikose, dabei herbal und weißpfeffrig, mit viel Süße unterwegs. Passt zu Crêpes Suzette.

Weingut Hessert

Weinbergstraße 2,
55457 Horrweiler
T +49 (0) 6727 469
www.weingut-hessert.de

Inhaber Christian & Corinna Hessert
Betriebsleiter Christian Hessert
Kellermeister Christian Hessert
Rebfläche 32 ha
Verkaufszeiten nach Vereinbarung

Es sind gerade mal knapp 50 Jahre vergangen, seit Helmut und Gertrud Hessert 1972 in Horrweiler im Westen von Rheinhessen ihr Weingut gründeten. Heute sind Sohn Christian und seine Frau Corinna für den 32 Hektar großen Betrieb verantwortlich und die beiden führen fort, was vor 50 Jahren begann. Umweltschonendes Arbeiten im Weinberg gehört ebenso zur ihrer Philosophie wie die behutsame Vinifizierung der Weine, um die beste Qualität auf die Flaschen zu bringen. Neben der Umstellung auf Guts-, Orts- und Lagenwein im aktuellen Jahrgang und Investitionen in moderne Technik wurden auch Logo und Etiketten überarbeitet, um dem Betrieb ein zeitgemäßes Gesicht zu geben. Viel Neues, doch geblieben ist die Herzlichkeit, mit der Gäste zur erlebenswerten Weinprobe im Hause Hessert empfangen werden.

2018 Horrweiler Chardonnay
8€ · 14%
Kraftvoller Auftritt und eine harmonische Struktur zeichnen diesen guten Essensbegleiter aus. Besonders fein zu Pilzgerichten.

2018 Horrweiler Goldberg Grauburgunder ♦♦♦
11,50€ · 13,5%
Ein fast burgundisch wirkender Grauburgunder, der mit Noten von Toast und grüner Nuss und leiser Bitterkeit ein absolut typischer Vertreter seiner Rebsorte ist und richtig viel Wucht mitbringt.

2019 Horrweiler Gewürztraminer Spätlese ♦
5,20€ · 10%

2019 Horrweiler Riesling ♦
6,70€ · 13%

2018 Horrweiler Spätburgunder ♦♦
8€ · 15%
Ein eher wilder Spätburgunder-Typ mit Noten von Vanille, Gewürznelke und sogar Speck. Das ist was für anspruchsvolle Gäste und bei diesem Preis auch für richtig große Feste.

Weingut Hofmann

Vor dem Klopp 4,
55437 Appenheim
T +49 (0) 6725 3000 63
www.schiefer-trifft-muschelkalk.de

Inhaber Carolin & Jürgen Hofmann
Betriebsleiter Jürgen Hofmann
Kellermeister Alex Luff
Verbände Maxime Herkunft Rheinhessen
Rebfläche 24 ha
Produktion 260.000 Flaschen
Verkaufszeiten nach Vereinbarung

Aus zwei mach eins, dachten sich Carolin und Jürgen Hofmann, heirateten im Juni 2006 und legten die beiden elterlichen Weingüter zusammen. Eigentlich keine große Sache, nur dass die Betriebe in unterschiedlichen Regionen lagen. Eine Herausforderung, doch die beiden engagierten Winzer spannten erfolgreich den Bogen zwischen Saar und Rheinhessen. Heute steht in Appenheim der moderne Neubau des gemeinsamen Weingutes mit Keller, Flaschenlage und einer sehenswerten Vinothek im Bauhausstil. Was aus rheinhessischen Böden rund um Appenheim hier in die Flaschen kommt, ist mit Können und Geschick vinifiziert. Jürgen Hofmann und sein Kellermeister Alex Luff arbeiten immer mit dem Ziel, vom unkomplizierten Einstiegswein bis zum komplexen Premiumgewächs Spitzenqualität zu produzieren.

2017 Gau-Algesheimer Laurenzikapelle Sauvignon Blanc „Lieblingsei" ♦♦♦
22,50€ · 13%
Ein eigenwilliger Sauvignon Blanc, perfekt für alle, die diese Rebsorte mal ganz anders erleben möchten!

2018 Gau-Algesheimer Laurenzikapelle Sauvignon Blanc ♦♦
22,50€ · 13%

2019 Appenheim Eselspfad Weißburgunder ♦♦♦
23€ · 13%
Ungeschminkte Schönheit: ein spannender Wein, mit viel Frische und gelber Frucht. Ein Hauch Pfeffer und Paprika. Dazu eine interessante Säurelinie – aber knochentrocken.

2019 Appenheim Hundertgulden Riesling
23€ · 12,5%
Riesling auf Burgundisch. Fest, straff und eigenständig mit etwas Feuersteinaromatik. Dabei sehr zitrisch und grünapfelig. Knochentrocken und dennoch mit Fruchtintensität. Ein Abendwein, der beschäftigt, passt zu Pastrami, Sardinen und guter Butter.

2019 Gau-Algesheimer Goldberg Riesling
23€ · 12,5%
Trendsetter: Zeigt die Vielfalt, die in Riesling steckt. Dicht gewoben, mit Substanz und Salzigkeit wird dieser Riesling zum Strukturwein. Viel Apfel, aber auch etwas Karamell am Gaumen, schmelzig mit etwas Rauch und gutem Druck. Kann eine große Anhängerschaft beglücken.

2019 Gau-Algesheimer St. Laurenzikapelle Sauvignon Blanc „MG Maischegärung"
23€ · 13%

2019 Nierstein Ölberg Riesling
23€ · 12,5%
Ein muskulöser Bursche mit viel Kraft und jugendlicher Rustikalität. Solist, der den ganzen Abend lang beschäftigen kann und als Begleitung zum Käse sehr zufrieden ist.

2019 Riesling „vom Muschelkalk"
11,50€ · 12,5%

2019 Sauvignon Blanc
10,80€ · 12,5%

2020 Riesling
8,80€ · 12,5%

2020 Sauvignon Blanc ⁂⁂
11,50€ · 12,5%

2020 Scheurebe ⁂
8,80€ · 12%

2020 Weißburgunder ⁂⁂
8,80€ · 12,5%

Weingut Hothum

Neueinsteiger

Germaniastraße 46,
55459 Aspisheim
T +49 (0) 6727 8696
www.hothum.com

Inhaber Christoph Hothum
Verbände Ecovin, Maxime Herkunft Rheinhessen
Rebfläche 20 ha
Produktion 100.000 Flaschen
Verkaufszeiten nach Vereinbarung

Rund 20 Hektar der Rebfläche gehören dem 1950 gegründeten Weingut Hothum, verteilt über die Orte Aspisheim, Appenheim, Bingen, Büdesheim, Grolsheim, Horrweiler und Welgesheim. Eine große Lagenvielfalt mit unterschiedlichen Bodenstrukturen, die am Anfang eines umfangreichen und attraktiven Weinangebotes steht, das von Rieslingen und Burgundersorten geprägt ist. Gearbeitet wird in den Weinbergen naturnah, auch im Keller legt man besonderen Wert auf sachten, aber nachhaltigen Aktionismus. Mit dem Jahrgang 2018 wurde der Auftritt des Weinguts komplett überarbeitet und den Flaschen ein neues, modernes, zeitloses und minimalistisches Design verpasst.

2017 Binger Schloßberg Schwätzerchen Riesling ⁂⁂⁂
12,50€ · 12,5%
Struktur trifft Reife. Mit seiner festen Struktur und feinen Bitternoten weckt dieser Riesling Interesse. Aromen von getrockneter Apfelschale, etwas grünem Tee, Karamell und Kräutern fügen sich passend ein. Geht gut etwa zu Schnecken in Knoblauch.

♥ **2019** Aspisheimer Chardonnay ⁂⁂
8,90€ · 13%
Dieser frische und leise pfeffrige Chardonnay sorgt mit seiner Leichtigkeit für unkomplizierten Trinkfluss und macht Lust auf mehr.

2019 Aspisheimer Riesling „vom Kalkstein" ⁂⁂
7,20€ · 12,5%
Pirouetten-Riesling: Dreht am Gaumen von Frische zu Exotik. Zitrus-Pfirsich-Mango-Fruchtnase, schöne Riesling-typische Säure. Feine kalkige Mineralität. Passt zu Feldsalat mit Kartoffeldressing.

2019 Sauvignon Blanc ⁂⁂
7,90€ · 12,5%
Bringt von allem das Wesentliche für Mund und Nase mit. Schmeichelt sich dabei weder ein, noch versteckt er sich.

2020 Aspisheimer Sauvignon Blanc
7,90€ · 12,5%
Schnittiger Typ: viel Exotik mit cremiger Maracuja und Mango. Breit aufgestellt mit klassischer Sauvignon-Blanc-Stilistik. Fein mineralisch mit Feuersteinanklängen. Passt zu scharfen Calamari, aber auch zur deftigen Brotzeit.

2018 Cuvée „Aspisheimer Faulenzer"
8,50€ · 13%

Weingut Huff-Doll

Weedstraße 6,
55457 Horrweiler
T +49 (0) 6727 343
www.huff-doll.de

Inhaber Bettina & Ulrich Doll
Kellermeister Ulrich Doll
Verbände Silvaner Forum, Maxime Herkunft Rheinhessen
Rebfläche 12 ha
Produktion 60.000 Flaschen
Gründung 1848
Verkaufszeiten
Mo–Sa nach Vereinbarung

Im Weingut von Ulrich und Bettina Doll hat sich einiges getan. Mit dem Jahrgang 2019 hat das sympathische Winzerpaar seine Weine erstmals in Guts-, Orts- und Lagenweine eingeteilt, um in einer vereinfachten Zuordnung das Profil ihres Betriebes zu schärfen. Dazu wurden einige Gewächse aus dem Sortiment gestrichen, zukünftig konzentriert man sich auf die Produktion von trockenen Weinen. Rund zwölf Hektar stehen dafür im Anbau, vorwiegend bestockt mit klassischen Rebsorten. Während die Gutsweine in ihrer Sortentypizität frisch und klar ausgebaut werden, gönnt man den Ortsweinen lange Maischstandzeiten und Hefelager, um Tiefe und Komplexität zu erreichen. Die trockenen Lagenweine sind teils spontan vergoren und verfügen über ausreichendes Reifepotenzial.

2018 Chardonnay
19,90€ · 14%
Ausgeglichen, schlank, filigran und mit feiner Säure austariert, lädt er zum Nachschenken ein, denn er macht nicht satt, sondern belebt.

2019 Horrweiler Gewürzgärtchen Riesling
12,90€ · 13%
Ein feiner Riesling der mit seinen zarten Blütennoten und dem harmonischen Fruchtsüßespiel seiner Lage alle Ehre macht.

2019 Riesling

9,50€ · 13%

Intensive Säure, dadurch sehr frisch. Wer es zitrisch mag, hat Spaß mit diesem Riesling.

2020 Cabernet Blanc

9,50€ · 12%

2020 Silvaner

6,90€ · 12,5%

Pure Trinkfreude für jeden Tag. Ein moderner Silvaner mit dezenter Fruchtsüße und guter Balance am Gaumen.

2018 Horrweiler Gewürzgärtchen Spätburgunder

19,90€ · 15,5%

Fruchtiger Typ, der Säure und Frische spielerisch einsetzt und mit Leichtigkeit auch bei denen punkten kann, die deutsche Rotweine nicht so in ihrem Fokus haben.

Weingut Jäger

Neueinsteiger

Rheinstraße 17,
55437 Ockenheim
T +49 (0) 6725 2330
www.jaegerwein.de

Inhaber Armin & Diana Jäger
Rebfläche 15 ha
Produktion 80.000 Flaschen
Verkaufszeiten
Mo–Fr 10–12 Uhr
und 13–16 Uhr

Alles aus einer Hand, im Weingut der Geschwister Armin und Diana Jäger kommen sogar die Reben aus eigener Produktion und werden seit zwei Generationen im Betrieb als Pfropfreben aus eigenen Unterlagen und Edelreiser veredelt. Das gibt den eigenen Weinbergen natürlich eine ganz andere Bedeutung, die sich auf unterschiedlichen Böden befinden. Manchmal bestimmen Kalk und Mergel mit Tonanteilen den Untergrund, aber auch Löss und Sand beeinflussen den Charakter und letztendlich den Geschmack der Jäger-Weine. Die werden vorwiegend aus klassischen Rebsorten und einigen Neuzüchtungen gekeltert und zum Großteil trocken ausgebaut. Für Übernachtungen auf dem Weingut steht eine gemütliche Ferienwohnung zu Verfügung.

2019 Ockenheimer Hockenmühle Riesling 

12,50€ · 13%

Im Auftakt gelbe Nektarine, am Gaumen dann leicht cremige Textur und eine dezente Bitternote im Abgang. Perfekter Begleiter zur unkomplizierten Pasta mit Freunden.

2019 Ockenheimer Schönhölle Chardonnay Spätlese trocken 

8,50€ · 13,5%

Als Erwachsener mit Freunden eine Party mit bunten Hüten und lustigen Spielchen feiern – dieser Wein begleitet das kongenial mit schöner Frucht und munterer Säure.

2020 Ockenheimer Hockenmühle Weißburgunder
5,50€ · 14%
Ein absoluter Partywein, der gute Stimmung in die große Runde bringt und den Alleinunterhalter ersetzen kann.

2016 Cuvée „Werkstück"
8€ · 12%

2017 Cabernet Sauvignon
5,90€ · 13%

2018 Neronet
5,50€ · 13%
Dicht und dunkel, fast undurchdringlich, zum Barbecue.

Weingut Johanninger
Hauptstraße 4–6,
55546 Biebelsheim
T +49 (0) 6701 8321
www.johanninger.de

Spätburgunder „Blanc de Noirs" brut nature
29,50€ · 12,5%

Weingut Knewitz

Rheinblick 13,
55437 Appenheim
T +49 (0) 6725 2949
www.weingut-knewitz.de

Inhaber Familie Knewitz
Betriebsleiter Björn & Tobias Knewitz
Kellermeister Björn & Tobias Knewitz
Verbände Maxime Herkunft Rheinhessen
Rebfläche 25 ha
Produktion 150.000 Flaschen
Verkaufszeiten nach Vereinbarung

Die Weine von Björn und Tobias Knewitz sind alles, aber nicht zurückhaltend. Schon in den einfachen Qualitäten bringen die Rieslinge einen eigenen Charakter und viel Esprit mit, die Lagenweine der Brüder zeigen klare Kante und sprühen geradezu vor Expressivität und Individualität. Das Lagenportfolio der Familie Knewitz kann sich sehen lassen: Neben der absoluten Renommee-Lage Hundertgulden bei Appenheim finden sich auch Rieslinge vom eher kargen Steinacker bei Nieder-Hilbersheim und vom Goldberg etwas weiter nördlich im Sortiment. 2009 trat Tobias Knewitz, damals 18-jährig, in die Fußstapfen seines Vaters und sorgte für frischen Wind im Betrieb. Inzwischen werden insgesamt 25 Hektar Rebfläche im kalkhaltigen Mainzer Becken mit klarem Fokus auf den Riesling bewirtschaftet. Auch Vater Gerold Knewitz, Winzer seit 1971, steht den Brüdern mit seiner jahrelangen Erfahrung mit Rat und Tat zur Seite.

2019 Appenheim Riesling
14€ · 12,5%
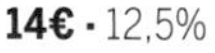
Riesling is alive and it smells funny – für die neugierigen Geister unter den Genießern, die nicht nur Bestätigung, sondern auch Herausforderung lieben.

2019 Chardonnay „Holzfass"
14€ · 13%
Hier fliegen die Gedanken an die Côte de Beaune. Eine elegant dezente Frucht gepaart mit feiner Holzwürze sowie eine große Saftigkeit zeichnen diesen guten Essensbegleiter aus. Ideal dazu ein Poulet de Bresse.

2019 Goldberg Riesling
22€ · 12,5%
Schaffen Sie Platz im Keller und im Kühlschrank. Denn er schmeckt jetzt und er wird in ein paar in ein paar Jahren schmecken mit seiner schönen Salzigkeit, leicht verspielten Frucht und guter Länge.

2019 Hundertgulden Riesling
29€ · 12,5%
Intensives Strohgelb fürs Auge, Noten von Marille und Apfel für die Nase und eine feine Säure für den Mund, in dem er jetzt schon verweilen mag, obwohl er noch nicht sein volles Potenzial entwickelt hat.

2019 Nieder-Hilbersheim Riesling
14€ · 12,5%
Cassisblatt trifft Chinaböller. Ein Riesling für Menschen, die dem Wein gerne Zeit widmen und sich vom Wort „anstrengend" angezogen fühlen. Spannend!

2019 Riesling
8,90€ · 12,5%
Feuerstein, Kräuter und Speck in der Nase, kräftig gebaut mit viel Rückgrat im Abgang. Dazu unbedingt etwas Orientalisches, zum Beispiel Couscous mit Hühnchen, reichen.

2019 Steinacker Riesling
29€ · 12,5%
Achtung, explosiv. Von Feuerstein bis Maracuja ist hier alles dabei. Dieser Wein kommt mit Vollausstattung – aber ohne Handbremse. Ganz viel Freude für Menschen, die ihre Weine laut mögen.

2019 Steinacker Riesling Auslese
20€ · 7%
Ein Riesling, der schon zum Sonntagsbrunch auf den Tisch kann. Leicht und einnehmend. Die wunderschöne Süße wird von animierender Säure getragen. Viel Maracuja, Aprikose und Limette im Glas. Dicht verwoben, balanciert und am Punkt. Passt zu Rhabarber-Baiser und Aprikosen-Marmeladen-Brötchen.

Weingut Krämer

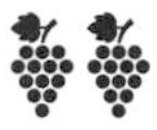

Untere Pforte 19,
55578 Gau-Weinheim
T +49 (0) 6732 8460
www.kraemer-straight.de

Inhaber Tobias & Hans-Bernhard Krämer
Betriebsleiter Tobias Krämer
Verbände Generation Riesling
Rebfläche 19 ha
Produktion 80.000 Flaschen
Verkaufszeiten nach Vereinbarung

Tobias Krämer darf ohne Zweifel zu den besonderen Talenten der rheinhessischen Winzerszene gezählt werden. Mit der Übernahme des elterlichen Betriebes in Gau-Weinheim hat der ambitionierte Jungwinzer die Stilistik der Weine verfeinert und vor allem das Terroir mehr und mehr herausgearbeitet. Für Krämer ist das nicht nur eine heimatliche Verpflichtung, sondern vielmehr ein qualitatives Alleinstellungsmerkmal, das in Zukunft seine Weine noch stärker charakterisieren soll. Spürbare Frische bei einer gewissen Kühle und vor allem Nachhaltigkeit sind denn auch die Merkmale, die Tobias Krämer in seine Weine legt, die zu einem Großteil aus der Lage Wißberg kommen, deren Böden vom Kalkstein geprägt sind.

2018 Kaisergarten Chardonnay
21,50€ · 13,5%
In der Nase Ananas, Mango, Wachs und Holz. Ein Chardonnay, der die Tür eintritt, bevor er anklopft. Präsent und fordernd, anspruchsvoll und individuell.

2019 Chardonnay „Straight"
8,90€ · 12,5%
Harmonisch in der Nase, frisch, mit gut ausbalancierter Säure – sticht heraus und passt zu mariniertem Spargelsalat oder Roastbeef vom Kalb mit Sabayon.

2019 Gau-Weinheimer Riesling
12,40€ · 12%
Ein karger Vertreter, der sachte zwischen Noten von Zitrusfrüchten und Birnen pendelt und seinen Abgang mit phenolischer Bitterkeit ziert.

2019 La Roche Riesling
16,50€ · 12,5%
Riesling für Fortgeschrittene: präzise und schlank mit Quitte, Apfel und viel Grapefruit und Zitrus. Strukturierter Herkunftswein mit Mineralik. Passt zu Carbonara mit Zitronenzeste, aber auch zu Aal oder gegrilltem Schweinebauch.

♥ **2019** Riesling „Straight"
7,90€ · 12,5%
Spaßriesling für Einsteiger: saftig-kreidig-mineralischer Stil mit etwas Rauchigkeit. Sanfte, animierende Struktur. Kräuterwiese mit Zitronencreme.

2018 Cuvée „Red Stuff"
8,90€ · 14%
Schöne Dichte mit warmem Herz und süßem Kern, feines Tannin, top Preis-Leistungs-Verhältnis.

J. Neus

Bahnhofstraße 96,
55218 Ingelheim
T +49 (0) 6132 73003
www.weingut-neus.de

Inhaber Familie Schmitz
Betriebsleiter Lewis Schmitt
Kellermeister Toni Frank
Verbände VDP
Rebfläche 12 ha
Produktion 50.000 Flaschen
Gründung 1881
Verkaufszeiten
nach Vereinbarung

Lewis Schmitt und sein Kellermeister Toni Frank sind ein eingespieltes Team, das den historischen Gutshof Jahr für Jahr zu einer verlässlichen Adresse für empfehlenswerte Weine macht. Im größten Gewölbekeller Rheinhessens reifen die Gewächse teils noch in Fässern, die mehr als 100 Jahre alt sind. Neue Gebinde aus heimischer Eiche sind dazugekommen und spannen den Bogen zwischen alt und neu. Ohnehin spielt Zeit eine wichtige Rolle im rund zwölf Hektar großen Betrieb, denn die Weine aus Ingelheimer Lagen haben allesamt Entwicklungspotenzial und präsentieren sich auch nach einigen Jahren noch in guter Form. Vor allem sind es die roten und weißen Burgunder, die Lewis Schmitt und Toni Frank immer wieder bestens gelingen und die das Weingut über die Grenzen Rheinhessens hinaus bekannt gemacht haben.

2019 Chardonnay 
10€ · 12,5%
Dieser Wein ist wie ein lauter und beliebter Partygast. In der großen Runde kann er besonders gut überzeugen mit seiner Mischung aus pikanter Würze und straffer Säure.

♥ **2018** Ingelheimer Spätburgunder „Alte Reben" 1. Lage 
30€ · 12,5%
Wild Thing: sehr eigensinniger Charakterwein mit klarer Stilistik. Feine, rauchig-feuersteinige Reduktion trifft auf dichte Frucht – Brombeere, Kirsche, Erdbeere. Feine Tannine und Säurezug. Passt zu geräuchertem oder geschmortem Fleisch.

2018 Pares Spätburgunder GG 
55€ · 13%
Ein Pinot, der auf dem Drahtseil tänzelt: Himbeere fordert Johannisbeere auf – dazu ein Hauch Silvesterböller. Sehr eigensinnig, fein und leicht. Saftig und elegant am Gaumen. Passt zu Seezunge und Frischkäse.

2018 Spätburgunder „Muschelkalk" 
10€ · 12,5%
Verweigert sich vehement klassischer Zuordnung in der Nase und bittet darum, sorgsam betrachtet zu werden. Kühlen, dann läuft das runder als ein Formel-1-Motor.

Neverland Vineyards

Ausserhalb 2,
55578 Vendersheim
T +49 (0) 6732 6006 767
www.neverland-vineyards.com

Inhaber Marcel & Sebastian Class
Betriebsleiter Sebastian Class
Kellermeister Marcel Class
Rebfläche 15 ha
Produktion 40.000 Flaschen
Verkaufszeiten nach Vereinbarung

2013 erfüllten sich die Brüder Sebastian und Marcel Class ihren Weintraum, als sie das Weingut vom Vater übernahmen. „Neverland" war geboren. Für die Brüder die perfekte Allegorie auf ihre Weine – nämlich als eine fantastische Reise, die man erlebt, wenn man sie probiert. Diese Verspieltheit beim Thema mag nicht jeden überzeugen, eine moderne und junge Herangehensweise an das Thema ist sie allemal und damit bestimmt eine Möglichkeit, auch jüngere und urbanere Käuferschichten für rheinhessischen Wein zu begeistern. Schon die Weinnamen wie Eden (für einen Sauvignon Blanc aus dem 300-Liter-Holzfass mit sehr sanfter Toastung) oder Femme fatale (für einen feinherben Riesling) lassen Bilder im Kopf entstehen und machen neugierig. Die Brüder testen gerne Grenzen aus und gehen auch Experimente ein, vergessen dabei jedoch ihre Wurzeln nicht. Die Weine werden ökologisch erzeugt und sollen trotz aller Modernität authentische Botschafter ihrer Region bleiben. Beim Rebsortenspiegel liegt der Fokus auf Burgunder- und Bukett-Rebsorten, so zum Beispiel bei der Cuveé „GOT – Good Old Times", die aus Huxelrebe, Scheurebe, Bacchus und Traminer komponiert wird. Dass bei diesem Wein Huxel, Scheu und Bacchus intensiv miteinander flirten und der Traminer dazu noch Liebespfeile abschießt, ist die extrem sympathische Weinbeschreibung aus der Feder der Winzer.

2016 Vendersheim Chardonnay „Hidden Vineyard – Reserve Bio"
51€ · 13,5%
Die Säure führt und begleitet Aromen von Orangenschale, kaltem Tee und einem Hauch Wermut. Für die Entdecker unter den Genießern.

2016 Vendersheim Silvaner „Reserve Bio“
41€ · 13,5%

2016 Wolfsheim Chardonnay „Apocalypse Now! Reserve Bio“
43€ · 13,5%
Rauchig, würzig, dicht und ausgewogen mit Noten von Salznougat. Dabei gelingt es dem Wein, nicht mit Opulenz zu erschlagen.

2018 Vendersheim Cuvée „GOT Good Old Times Bio“
11€ · 13%

♥ **2018** Vendersheim Cuvée „Unartig Prestige BIO“
48€ · 13,5%

2018 Vendersheim Grauburgunder „Class A vom Kalkmergel Bio“
9,90€ · 13%

2019 Sauvignon Blanc Auslese
17€ · 10%

2019 Vendersheim Chardonnay „Neverland Blanc Bio“
25€ · 12,5%
Frische Limette und schmelzige Vanille bringen dezente süß-saure Aromen an den Gaumen. Ein freudiger Chardonnay, der auch Einsteiger vom Thema überzeugen kann.

2019 Vendersheim Cuvée „GOT Good Old Times Bio“
11€ · 13%

2019 Vendersheim Sauvignon Blanc „Eden“
25€ · 12,5%
In „Eden“ finden wir Pampelmusen, Dill und Orangenöl, dazu auch noch weiße Blüten. Facettenreich und überbordend mit fast samtig wirkendem Schmelz.

2019 Vendersheim Sauvignon Blanc „Jurassic Sands“
14€ · 12,5%

2019 Wolfsheim Grauburgunder „Class A vom Kalkriff Bio**“
25€ · 13,5%
Eleganz ist sein Name, dezent heißt nicht nichtssagend, zurückhaltend nicht langweilig – wer hineinschmeckt, wird belohnt.

2019 Wolfsheim Grauburgunder „Class A vom Kalkriff Bio“
15€ · 13,5%

2019 Vendersheim Cuvée „Harakiri SF 10“
14€ · 13%

Weingut Pauser

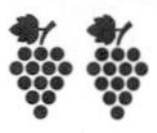

Im Baumfeld 40,
55237 Flonheim
T +49 (0) 6734 8764
www.weingut-pauser.de

Inhaber Familie Pauser
Betriebsleiter Friedrich Pauser & Eva Pauser-Brand
Kellermeister Friedrich Pauser & Eva Pauser-Brand
Verbände Generation Riesling, Vinissima, Slow Food, Great Wine Capitals, Ausgezeichnete Vinotheken – Deutsches Weininstitut
Rebfläche 33 ha
Produktion 200.000 Flaschen
Verkaufszeiten
Mo–Sa 9–12 Uhr und 13–18 Uhr und nach Vereinbarung

Dass Weinbau ein übergreifendes Generationenprojekt ist, in dem Zusammenhalt und Teamwork zählen, beweist Familie Pauser par excellence. Drei Generationen leben im Flonheimer Betrieb unter einem Dach, unterstützt wird die Familie in der Weinbergsarbeit von langjährigen Mitarbeitern. Im Keller sind Vater und Tochter am Werk und verwandeln die Trauben aus den 33 Hektar Rebfläche mit Geduld und Können in bemerkenswerte Weine. Probiert werden können die Pauser-Gewächse in der schicken gutseigenen Vinothek, immer begleitet von unterhaltsamen Geschichten rund die Familie und ihre Arbeit. Denn die Begeisterung für den Wein ist in allen Pauser-Generationen spürbar und letztendlich auch in den jährlichen vinologischen Resultaten der gemeinsamen Arbeit in Weinberg und Keller.

2019 Flonheimer Geisterberg Chardonnay „Sirius – Sur lie"
8,50€ · 13,5%

♥ **2019** Flonheimer Geisterberg Grauburgunder „Sirius – Sur lie"
8,50€ · 13,5%
Grauburgunder für Neue-Welt-Fans: reife Birne, sanfte Würze, Moos und Karamell.

2019 Flonheimer Geisterberg Sauvignon Blanc
8,50€ · 13%

2019 Flonheimer Geisterberg Sauvignon Blanc „Sirius – Sur lie"
8,50€ · 13%
Bremsen, bitte. Nicht nur begeistert und überschwänglich angesichts der Trinkfreude nachschenken. Nein, auch mal innehalten und abwarten, denn er legt im Glas zu.

2019 Flonheimer Klostergarten Riesling „Sirius – Sur lie" 🍇🍇
8,50€ · 12,5%
Beim Riesling-TÜV: Frucht, Check, Säure, Check, Länge, Check. Hier ist die Plakette für Genuss. Gute Fahrt!

2019 Weißburgunder „Wega" 🍇🍇
6,50€ · 13,5%

2015 Flonheimer Binger-Berg Cabernet Sauvignon „Sirius" 🍇
11,80€ · 13,5%

2018 Spätburgunder „Wega" 🍇🍇
6,70€ · 13,5%

2020 Cuvée „Chilig" 🍇🍇
6,10€ · 12,5%

Weingut Riffel

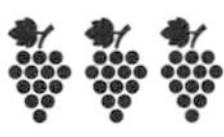

Mühlweg 14a,
55411 Bingen-Büdesheim
T +49 (0) 6721 9946 90
www.weingut-riffel.de

Inhaber Carolin & Erik Riffel
Betriebsleiter Carolin & Erik Riffel
Kellermeister Erik Riffel
Verbände Maxime Herkunft Rheinhessen, Ecovin
Rebfläche 18 ha
Produktion 120.000 Flaschen
Gründung 1992
Verkaufszeiten
Mo–Fr 10–12 Uhr
und 14–18 Uhr
Sa 10–16 Uhr

Lebendige Weine mit natürlichem und einzigartigem Charakter zu erzeugen, und das auf höchstem Niveau, ist die oberste Prämisse von Erik und Carolin Riffel. Die beiden Wein-Enthusiasten sehen darin nicht nur ihre weinbauliche Verantwortung, sondern auch ihre Passion. Erik ist schon 1991 ins elterliche Weingut eingestiegen, mit seiner Frau Carolin hat er den Betrieb im Jahre 2005 komplett übernommen. Die naturnahe Arbeit in den Weinbergen und der ökologische An- und Ausbau der Weine waren ein Meilenstein hin zur heutigen biodynamischen Bewirtschaftung des 18 Hektar großen Betriebes. Zu diesem gehören einige der traditionsreichsten rheinhessischen Lagen am Binger Rochusberg, geprägt von Quarzitböden, die mineralisch geprägte Weine hervorbringen. Im Jahre 2018 wurde der Betrieb mit dem Deutschen Weingutspreis ausgezeichnet.

2019 Binger Kirchberg Riesling 🍇🍇🍇
25€ · 13%
Der Asket: schlank und straff, mineralisch und strukturiert mit viel Kräutern und Limette. Probiert sich noch aus. Braucht Luft und Zeit.

2019 Binger Osterberg Riesling 🍇🍇🍇
25€ · 13%
Ungestümer Riesling: komplex, fest und viel los am Gaumen. Viel Steinobst mit Aprikose und Pfirsich unter dünner Karamellschicht.

2019 Binger Scharlachberg Riesling 🍇🍇🍇🍇
27€ · 13%
Silvester-Riesling: viel Feuerwerk in der Luft – vom Rauch bis hin zu üppiger, exotischer, reifer Frucht, wie Mango, Aprikose und Pfirsich. Ausdrucksstark, präsent und vielschichtig. Feine Mineralik und gute Länge.

2019 Binger Scharlachberg Riesling „105°" Auslese ♣♣♣
19€ · 8%
Zeitlos schöner Verführer. Am Gaumen klitzeklar und fein mit viel Pfirsich, etwas Minze und balsamischen Noten. Spannende Würze und balanciertes Süße-Säure-Spiel. Macht Spaß.

2019 Chardonnay „Réserve" ♣♣♣
25€ · 13%
Geradezu barocke Opulenz mit Noten von Mango und Grapefruit. Eine echte Diva ist dieser Wein – mit noch junger Karriere und vielversprechender Zukunft.

2019 Gewürztraminer „Orange – Naked" ♣♣♣
15,90€ · 13%
Diese Rebsorte ist prädestiniert für Orange, der „Naked" von Riffel ist ein grandioses Beispiel hierfür, mit viel Zug und Grip. Gekrönt von exotischer Aromatik wie auf einem Gewürzbasar ist dies ein umwerfender Auftakt in einen genussvollen Abend.

2019 Sauvignon Blanc „Réserve" ♣♣
25€ · 13%
Ein dezent aromatischer Sauvignon Blanc, dessen eigenständige Art so besonders attraktiv erscheint.

2019 Pet Nat trocken ♣♣♣
18,90€ · 12%
Ein echter Charakter: In der Nase kraftvoll, am Gaumen Zitronen-Frische gepaart mit Basilikum und im Finale feine Gerbstoffe.

Pinot & Chardonnay brut ♣♣♣
15,90€ · 12%
Straffe Säure, Orangenzesten, feine Bitternoten, die Perlage ist hervorragend gebunden. Feine Silhouette, balanciert Fruchtaromen, Spannung und hat einen sehr exotischen Nachhall.

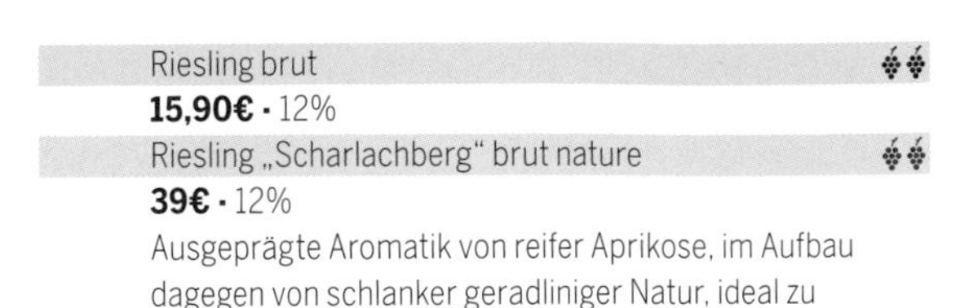

Riesling brut
15,90€ · 12%

Riesling „Scharlachberg“ brut nature
39€ · 12%
Ausgeprägte Aromatik von reifer Aprikose, im Aufbau dagegen von schlanker geradliniger Natur, ideal zu ungesüßten Dessert, die auf natürlicher Fruchtsüße aufbauen.

Weingut Scheffer

Neueinsteiger

Leimengasse 7,
55576 Zotzenheim
T +49 (0) 6701 7427
www.weingutscheffer.de

Inhaber Christoph Scheffer
Verbände keine
Rebfläche 14,5 ha
Produktion 128.000 Flaschen
Gründung 1772
Verkaufszeiten
Mo–Fr 9–18 Uhr
Sa 9–12 Uhr

Das Weingut von Christoph Scheffer überzeugt seit vielen Jahren mit der kontinuierlichen und verlässlichen Qualität seiner Weine. Die wachsen rund um das kleine Winzerdorf zwischen Bingen und Bad Kreuznach an den Hängen der Napoleonshöhe und des sogenannten Weißen Berges. Vorwiegend sind es klassische Rebsorten, allen voran weiße und rote Burgunder und Rieslinge, die Christoph Scheffer auf rund 14,5 Hektar kultiviert. Naturnaher Weinbau ist ihm dabei ebenso wichtig wie die schonende Verarbeitung der Trauben zu Mosten, die er sorgsam und akribisch zu herzhaften und süffigen Weinen ausbaut.

2019 Cuvée „Kraftprotz“
8,30€ · 13,5%

2020 Cuvée „Luftikuss“
5€ · 11%

2020 Riesling
5,20€ · 12,5%
Aromatischer, zugänglicher Riesling. Pfirsich, Aprikose und spannungsvolle Säure – macht wach. Schöne Steinigkeit. Ein Hauch von Haselnuss und Kräutern. Passt zur Vesperplatte und zur Leberwurst.

2020 Weißburgunder „S-Optimum“
6,30€ · 13%
Noten von Heu, Gras und Kamille und dazu spritzige Limette. Der perfekte Apéro fürs Sommerfest.

2020 Spätburgunder „S-Optimum“
6,50€ · 13%
Ein zimtwürziger und brombeeriger Spätburgunder, der fast als Beaujolais durchgehen könnte. Für heiße Tage und große Runden.

2020 Muskateller
6,20€ · 9,5%

Weingut Seyberth
Sandgasse 8,
55599 Siefersheim
T +49 (0) 6703 705
www.weingut-seyberth.de

2016 Silvaner brut nature
17€ · 12%
Was für ein Duft! Wie eine mit Lardo umwickelte Aprikose.

2018 Spätburgunder „Blanc de Noir"
13€ · 11,6%
Jahrmarkt-Feeling pur mit gebrannter Mandel und Zuckerwatte.

Weingut Sommer

Mühlweg 19,
55599 Siefersheim
T +49 (0) 6703 3977
www.weingut-sommer.com

Inhaber Heinz-Willi & Erik Sommer
Kellermeister Erik Sommer
Verbände Kontrollverein Karlsruhe
Rebfläche 16 ha
Produktion 70.000 Flaschen
Gründung 1972
Verkaufszeiten Mo–Sa 11.30–13 Uhr

Mit vier Hektar Rebfläche hat alles angefangen, Willi und Helga Sommer bauten 1972 ihr Weingut am Ortsrand von Siefersheim und stiegen erst im Jahre 1987 ins Flaschenweingeschäft ein. Daraus geworden ist ein stolzer Betrieb mit heute rund 16 Hektar Rebfläche, die Sohn Erik Sommer und seine Frau Sandra bewirtschaften. Mit Leidenschaft kultivierten die beiden Rieslinge und weiße und rote Burgunder, ihre besten Weinberge liegen im Heerkretz und Höllberg. Seit dem Jahrgang 2008 werden die Rebhänge der Sommers biologisch bewirtschaftet, auch im Keller achtet Erik Sommer auf eine nachhaltige und schonende Verarbeitung der Moste zu Wein. Dicht in der Struktur und mit mineralischen Akzenten versehen, gelingen ihm klare und präzise Weine, die immer auch ein Stück Heimat in sich tragen.

2019 Sauvignon Blanc
7,50€ · 12,5%
Kein Softie, feine Bitternote. Pikant und herb.

2020 Cuvée „Steinwunder"
14,50€ · 14%
Feine Weißwein-Cuvée mit harmonischem Holzeinsatz zu feinen Antipasti von Meeresfrüchten mit grünem Olivenöl.

2020 Sauvignon Blanc
7,50€ · 12%
Macht glücklich. Stachelbeere und Limette, fein rauchig mit einer Idee Frankreich. Will man weitertrinken.

♥ **2020** Siefersheimer Heerkretz Riesling „Max"
8,50€ · 13%
Ein schöner Auftakt mit floralen Noten und dezenten Honigaromen, am Gaumen harmonisch fest mit anregendem Finale.

Winzersekt Sprendlingen

Neueinsteiger

Michel-Mort-Straße 3–5,
55576 Sprendlingen
T +49 (0) 6701 9320 12
www.winzersekt.com

Verbände Verband Deutscher Sektkellereien, Verband Traditioneller Sektmacher
Verkaufszeiten nach Vereinbarung

Winzersekte haben schon seit Jahren Konjunktur, da ist das attraktive und umfangreiche Angebot der Erzeugergemeinschaft in Sprendlingen eine wahre Fundgrube für Freunde der schäumenden Weine. Am Anfang steht die selektive Auswahl der besten und aromaintensivsten Trauben, die für den Stil des Sektes stehen und aus denen die Grundweine gekeltert werden. Produziert nach der bewährten Methode der traditionellen Flaschengärung, reifen die Weine mindestens neun Monate auf der Hefe, bevor sie degorgiert werden. Typisch für die Sekte der Erzeugergemeinschaft ist der feine Mousseux, der die Rebsorten unterstreicht, aus denen der prickelnde Wein produziert wurde. Jeder Sekt ist dazu ein individuelles Meisterstück des Winzers, dessen Handschrift sich im Trinkvergnügen widerspiegelt.

2014 Riesling „1816" brut nature 
20,16€ · 12,5%
Waldmeister in der Nase, am Gaumen dann kompakt und gleichzeitig fein. Spielt seine Dramaturgie souverän.

2018 Pinot Noir „Pinot Noir Rosé" brut 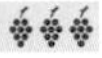
12,10€ · 12,5%
Feingliedrig und zart mit Noten von Wassermelone und rosa Blüten.

2019 Muskateller extra brut 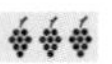
10,40€ · 11,5%
Wunderbares Spiel von Süße und Säure, dabei klar wie ein Bergsee. Zur kräftigen Brotzeit der perfekte Partner.

2019 Muskateller halbtrocken 
10,40€ · 11,5%
Blumige Süße für Naschkatzen. „Einstiegsdroge" für Schaumwein-Neulinge.

Weingut Steitz

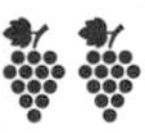

Mörsfelder Straße 3,
55599 Stein-Bockenheim
T +49 (0) 6703 8352 870
www.weingut-steitz.de

Inhaber Familie Steitz
Betriebsleiter Christian Steitz
Kellermeister Christian Steitz

Wie bringt man Weine, deren Trauben auf Vulkangestein gewachsen sind, am Gaumen zum Glänzen? Christian Seitz hat sich diese Frage unzählige Male gestellt und nach und nach eine Lösung gefunden. Immer wichtiger wurde für ihn der Einsatz von Holzfässern, ein wichtiges Instrument, um seinen Rieslingen und Burgundersorten jene Strahlkraft zu erhalten, die sie aus den mineralreichen Böden mitbekommen haben. Um diesen Weg, der elegante, mineralische und puristische Weine mit viel Charakter hervorbringt, konsequent weiterzugehen, will Seitz verstärkt in Holzfässer investieren. Geplant ist außerdem der vollständige Umbau des bestehenden Kellers, dazu wird es einen Erweiterungsbau geben, um der Weiterentwicklung des Weinguts mehr Raum zu geben.

Verbände Maxime Herkunft Rheinhessen
Rebfläche 13 ha
Produktion 120.000 Flaschen
Verkaufszeiten
nach Vereinbarung

2018 Auxerrois „Orange“
14€ · 12,5%

2019 Grauburgunder
7,80€ · 12%

2019 Neu-Bamberg Heerkretz Riesling
19€ · 11,5%
Leichte Noten von Speck und Rauch schleichen sich in die Nase, am Gaumen dann die pure Saftigkeit. Dennoch elegant und nicht vordergründig.

♥ **2019** Neu-Bamberg Riesling
12€ · 11,5%
Tänzerisch, elegant und würzig, tolle Mischung aus Schmelz, Salzigkeit und Dichte. Das ist Easy Drinking für anspruchsvolle Riesling-Fans.

2019 Riesling
7,80€ · 11,5%
Zieht mit seiner Säure gleichmäßig und druckvoll alles an feiner Aromatik mit, was er an zarten Blütennoten in die Wiege gelegt bekommen hat. Unkompliziert mit Niveau.

2019 Sauvignon Blanc
8,50€ · 12,4%

2019 Stein-Bockenheim Weißburgunder
12€ · 13%
Schlank gebauter Weißburgunder mit großer Klarheit und Präzision. Ein frischer Begleiter zu sommerlichen Salaten mit gerösteten Walnüssen.

2017 Fürfeld Eichelberg Spätburgunder
20€ · 13,5%
Noten von Zimt, Cassisblättern und Zigarrentabak umschmeicheln die Nase. Dann mit kühlem Charme am Gaumen, offen und zugänglich gebaut.

2019 Spätburgunder „Rosé Eins“
14€ · 12,5%

Weingut Wagner Stempel

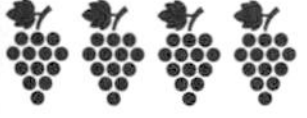

Wöllsteiner Straße 10,
55599 Siefersheim
T +49 (0) 6703 9603 30
www.wagner-stempel.de

Inhaber Daniel Wagner
Verbände VDP, Maxime Herkunft Rheinhessen
Rebfläche 20 ha
Produktion 160.000 Flaschen
Gründung 1845
Verkaufszeiten
Mo–Fr 9–12 Uhr und 13–17 Uhr
Sa 10–15 Uhr
nach Voranmeldung

Dass die Weine von Daniel Wagner mittlerweile in rund 30 Länder exportiert werden, macht den Siefersheimer Familienbetrieb zu einem Botschafter deutscher Winzerkunst par excellence. Hinter dem Erfolg des Weinguts, das 1845 gegründet wurde, steckt ein engagiertes Team rund um Cathrin und Daniel Wagner, die das traditionelle Gut in achter Generation führen. Grundlage der weißen und roten Weine sind exponierte Lagen im westlichsten Winkel des rheinhessischen Anbaugebiets, Rebhänge, die auf mineralreichen Böden und Vulkangestein stehen. Daniel Wagner setzt in Weinberg und Keller auf das klassische Handwerk in moderner Interpretation, die Bewirtschaftung der rund zwanzig Hektar erfolgt seit mehr als einem Jahrzehnt ökologisch.

2019 Heerkretz Riesling GG 
39€ · 13%
Der feinsinnige Perfektionist: Elegante Zurückhaltung paart sich mit Komplexität und unaufdringlicher Präsenz. Kernige Struktur in sanfter Hülle mit viel Steinfrucht, reifer Aprikose und Pfirsich und feiner Mineralität. Eine solche Flasche teilt man nur mit seinen besten Freunden.

2019 Höllberg Riesling GG 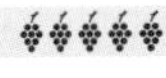
31€ · 13%
Höchste Eleganz auf Samtpfoten. Dieser Wein drängt sich nicht in den Vordergrund, weiß er doch ganz genau um seine Größe. Majestätisch in seiner Ruhe mit immensem Potenzial.

2019 Riesling 
9,70€ · 12%
Sehr pikanter Auftakt mit Noten von Streichholz und Gras, dann sogar leicht wachsige Noten. Sehr eigenständiger und selbstbewusster Vertreter seiner Kategorie.

2019 Riesling „Fürfeld Melaphyr" 1. Lage ♣♣♣♣
18€ · 12%
Sympathischer Charakter-Kopf: viel Feuerstein und straffe Säure – perfekt strukturiert und balanciert. Dazu filigrane Aromen von Limette und etwas Aprikose – guter Grip. Sehr eigenständig, fegt einen weg. Passt zu Wolfsbarsch in der Salzkruste.

2019 Riesling „Siefersheim Porphyr" 1. Lage ♣♣♣♣
18€ · 12,5%
Kompromissloser Riesling, der sowohl Freaks als auch klassische Weingenießer anspricht. Dicht, fest und breitschultrig. Sehr vielschichtig mit feiner Mineralik und packender Säure. Großer Wein mit Herkunft. Am besten weglegen.

2019 Sauvignon Blanc ♣♣
13,50€ · 12%

2019 Sauvignon Blanc „Reserve" ♣♣♣
19€ · 12,5%
Laut und offen wirkt dieser Sauvignon aus Akazienbarriques, verliert dabei seine Spannung nie und begeistert mit komplexer Aromatik. Der kann sogar zum Zwiebelrostbraten gereicht werden.

2019 Scharlachberg Riesling GG ♣♣♣♣
37€ · 13%
Molliger Typ mit warmer Aromatik von Honig über Pflaume bis hin zu floralen Noten. Sehr konzentriert und wuchtig mit deutlicher Süße im Abgang und viel Zeit für die Zukunft.

2018 Merlot „Reserve" ♣♣♣♣
24€ · 13,5%
Ein wirklich großer Merlot mit ungemein viel Entwicklungspotenzial. Fantastische Balance zwischen Tiefe, Dichte, Gerbstoffe und Säure, zum Niederknien oder noch besser zum Rehrücken mit Steinpilzen.

2018 Spätburgunder „Reserve" ♣♣♣♣
24€ · 13%
Marzipan und Schokolade im Bukett, saftige Kirschfrucht am Gaumen. Dazu gebratene Steinpilze.

2018 Spätburgunder „Siefersheim" 1. Lage ♣♣♣
18€ · 13%
Mit schroffen Tanninen und gutem Gerbgerüst bereitet er sich auf eine Wartezeit im Keller vor. Dann aber sollte mehr zutage treten, als er derzeit verrät.

Weingut Wasem
Edelgasse 5,
55218 Ingelheim
T +49 (0) 6132 2220
www.weingut-wasem.de

2018 Riesling brut
9,50€ · 12%
Leise und fein, aber niemals banal. Bratapfel trifft Tarte Tatin.

Schloss Westerhaus

Westerhaus,
55218 Ingelheim
T +49 (0) 6130 6674
www.schloss-westerhaus.de

Inhaber Graf & Gräfin von Schönburg
Betriebsleiter Johannes Graf von Schönburg
Verbände VDP
Rebfläche 17 ha
Produktion 100.000 Flaschen
Gründung 1900
Verkaufszeiten
Di–Fr 14–18 Uhr
Sa 11–16 Uhr
und nach Vereinbarung

Familie Opel hat nicht nur in der Automobilbranche Akzente gesetzt, seit dem Jahr 1900 widmet man sich auch dem Weinbau auf Schloss Westerhaus in der Nähe von Ingelheim, das auf einem Kalkfelsen am südlichen Ende des Westerbergs steht. Direkt unterhalb des Schlosses beginnen die Weinberge, in denen seit dem Jahre 2014 nach ökologischen Richtlinien naturnah und umweltschonend gearbeitet wird. Der Rebsortenspiegel wird zu zwei Dritteln von weißen und roten Burgundern angeführt, dazu steht ein Drittel klassischer Riesling im Ertrag. Ziel von Betriebsleiter Johannes Graf von Schönburg ist die Präsenz des Spiegelbildes von Rebsorte und Herkunft im individuellen Geschmack des Weines, unterlegt mit finessenreichen mineralischen Nuancen.

2018 Spätburgunder „Holzfass"
9,50€ · 12,5%

2019 Cuvée „Monopol"
19€ · 13%
Sehr harmonisch und burgundisch anmutende Weißwein-Kompostion, ideal zu Fischgerichten wie Saibling auf Grenobler Art.

2019 Ingelheim Chardonnay „86" 1. Lage
19€ · 13%
Ein Mund voll Wein: Feuerstein mit frischer Birne und Pomelo. Ewas weißpfeffrig. Schöne Struktur und Spannung. Passt zu Saltimbocca alla romana.

2018 Ingelheim Frühburgunder
17€ · 13%
Ingelheim ist der Hotspot für Frühburgunder in Rheinhessen, eine zauberhafte Rarität mit ganz eigener Würzigkeit und viel Substanz.

♥ **2018** Ingelheim Spätburgunder 1. Lage
19€ · 13%
In seiner Jugend noch kantige Persönlichkeit mit schönen Anlagen, die sich entwickeln dürfen und werden. Dazu gerne Beef Brisket, das zur Fülle, Würzigkeit und Kraft passt.

2018 Ingelheimer Schloss Westerhaus Spätburgunder GG
28€ · 13%
Dieser Wein lässt sich in keine Schublade stecken. Aromen von Tannennadel, Zimt und Himbeere spielen wild am Gaumen und hinterlassen bleibenden Eindruck.

2015 Monopol Pinot Brut
38€ · 12,5%
Kraftvoller Sekt aus der Monopol-Lage am Schloss mit viel Substanz und feinem Rückgrat, ein perfekter Begleiter zu Sashimi und Sushi.

2016 Spätburgunder „Pinot Blanc de Noirs" brut
14€ · 12%

Peter & Julian Wolf

Neueinsteiger

Brunnenstraße 2,
55599 Eckelsheim
T +49 (0) 6703 1346
www.weingut-peter-wolf.de

Kellermeister Julian Wolf
Rebfläche 20 ha
Gründung 1852
Verkaufszeiten
nach Vereinbarung

Was sieben Generationen an Arbeit, Schweiß, Ideen, Innovationen und auch Herzblut in das 1852 gegründete Weingut eingebracht haben, wird heute von Ulla und Peter Wolf weitergeführt. Viele Geschichten gäbe es aus dieser langen Weingut-Ära zu erzählen, Höhen und Tiefen hat der Betrieb erlebt, aber niemals haben seine Protagonisten ihre Bestimmung und Zielsetzung aus den Augen verloren, mit Leidenschaft gute und sehr gute Weine zu produzieren. Julian Wolf ist seit zehn Jahren mit an Bord, verantwortet den Keller und arbeitet mit seinen Eltern im wahrsten Sinne des Wortes Hand in Hand an diesem Vermächtnis, das auch Auftrag ist und gleichzeitig die Zukunft aufzeigt. Wer den sympathischen Familienbetrieb besuchen und das ganze Weinsortiment vor Ort probieren möchte, kann das ohne Reue tun, denn das Weingut hält gemütliche Gästezimmer bereit.

2019 Eckelsheimer Sonnenköpfchen Silvaner „J-Linie"
7,80€ · 13%
Mit Noten von Kümmel und frischen Kräutern. Mit seiner geradlinigen Saftigkeit und dem kräftigen Körper ist dieser Silvaner der perfekte Spargelwein.

2019 Gumbsheimer Schlosshölle Riesling „J-Linie"
7,60€ · 13%
Nektarine und grüner Apfel im Auftakt, dann leise Nuancen von Mandel. Der perfekte Apéro an warmen Tagen auf der Terrasse.

2019 Wöllsteiner Äffchen Grauburgunder „J-Linie"
8,10€ · 13,5%
Ernster, fester Kern in einer buttrig-cremigen Hülle. In der Nase viel Apfel und Birne. Unterhaltsamer Abendbegleiter – gehört zum perfekten Dinner.

2019 Wöllsteiner Äffchen Rosa Chardonnay „J-Linie"
10,20€ · 14%

DIE TIPPS DER WINZER

Wo gibt es den besten Backesbroode, den feinsten Kartoffelauflauf (Backesgrumbeere) oder einen Dibbehas? Wo den besten Blick in die Weinberge, wo das schönste Hotel? Wo kann ich Weine verkosten, regionale Produkte einkaufen? Wer, wenn nicht der Winzer vor Ort kennt sich bestens in seiner Region aus? Darum haben wir Winzer und ihre Familien nach **ihren persönlichen Tipps** gefragt.

P.S. Prüfen Sie bitte vor Ihrem Besuch, ob alle Lokale und Geschäfte wieder geöffnet haben und welche aktuellen Öffnungszeiten gelten.

Essen

HUNDERTGULDENMÜHLE

Mühle 2, 55437 Appenheim
T + 49 (0) 6725 9990 210
www.100guldenmuehle.de

Einfach nur ein lauschiger Platz, egal, ob im Sommer oder Winter. Man kann dort auch noch gut essen und dabei weit in die Weinberge blicken. Eva Eppard und ihr Team begrüßen die Gäste mit großer Gastfreundschaft und feinsten Speisen. Rinderragout, Ochsenbacke und Zander mit Frühlingsgemüse sind Beispiele für kreative und bodenständige Küche. Die Mühle ist auch Station der „Hiwweltour Bismarckturm".

Empfohlen von
Tobias Knewitz

NICKL'S SPEISEKAMMER

Hauptstraße 4,
55546 Biebelsheim
T + 49 (0) 6701 4289 823
www.nickls-speisekammer.de

Die Speisekammer im Weingut Johanninger ist Restaurant und Event-Location, bietet Kochkurse und Catering sowie Produkte für zu Hause an: Ingwer-Sauce, Tomaten-Salsa oder fränkisches Blaukraut. Natürlich gibt es feinstes Essen auch vor Ort. Monika und Frank Nickl legen Wert auf regionale Produkte und haben Hausmacher-Terrine vom Schwein, Medaillon vom Seeteufel oder Lammhaxe mit Laugenknödeln auf der Karte.

Empfohlen von
der Redaktion

BOOTSHAUS IM PAPA RHEIN HOTEL

16 | 20

Hafenstraße 47a,
55411 Bingen am Rhein
T + 49 (0) 6721 35010
www.paparheinhotel.de/gastro

Kleine kulinarische Kunstwerke landen hier auf dem Teller des Gastes. Der Künstler am Herd ist kein geringerer als Nils Henkel, mehrfach hochdekorierter Koch, der jetzt in diesem Hotelrestaurant am Rhein angelegt hat und mit seiner „Pure nature Küche" begeistert. Dabei soll alles lässig (man duzt sich) und mit der Bistro-Küche nicht abgehoben sein. Die Karte kommt mit Segler-Snack und Bootshaus-Salat maritim daher, bei „Popeye" wird der Spinat mit Trüffel gepimpt, aus dem Kapitel „Kutter" stammen Makrele, Rotbarsch, Wildgarnelen oder Kabeljau. Es gibt Fleisch, aber Fisch und Gemüse spielen Hauptrollen im Bootshaus.

Empfohlen von
Johannes Landgraf

GENIESSEREI ALTE WACHE

Speisemarkt 3, 55411 Bingen
T + 49 (0) 6721 9872 80
www.geniesserei-altewache.de

Mitten in der Fußgängerzone wird hier allerfeinste, kreative Gourmetküche in modernisiertem Ambiente serviert. Das Team um Geschäftsführer Minh Dat Truong und Küchenchef Chris Schuppert hat sich dem Gedanken von Slow Food verschrieben und serviert dazu ein Menü aus Bouillabaisse, Wildkräutersalat, Sauerbraten vom rheinhessischen Weiderind und Schokocreme. Dann gibt es ein fleischfreies Hildegard-von-Bingen-Menü, Fischgerichte oder ein Welterbe-Menü. Außergewöhnlich auch die Weinkarte, die lebensnah zur wichtigsten Frage informiert: Welcher Wein passt zu welchem Essen?

Empfohlen von
Erik und Carolin Riffel

KONDITOREI CAFÉ RÖTHGEN

Kapuzinerstraße 28,
55411 Bingen
T + 49 (0) 6721 14639
www.cafe-roethgen.de

Hmmh. Binger Stadtmäuse aus Marzipan und Schokolade! Baumkuchen, überzogen mit Zartbitterschokolade! Frankfurter Kranz und Trüffelpralinen mit Rum-, Riesling- oder Ingwergeschmack: Nix wie hin möchte man da nach Bingen und eins nach dem anderen in dieser Handwerkskonditorei probieren. Die Konditorei wurde 1931 gegründet und wird aktuell in dritter Generation von Familie Röthgen geführt.

Empfohlen von
Frank Hemmes

RESTAURANT BURG KLOPP

Burg Klopp 1, 55411 Bingen
T + 49 (0) 6721 15644
www.restaurantburgklopp.de

Der Blick aus diesem Restaurant reicht weit über das Rhein-Nahetal und ist einer der Höhepunkte. Die Burg wurde 1240 erbaut und gilt als Wahrzeichen von Bingen, in dem man sogar im Burgsaal große und kleinere Feste feiern kann. Die Kräutersuppe ist Hildegard von Bingen gewidmet, es gibt Lammkeule, Wildragout in Spätburgundersauce, Gemüse-Lasagne oder Kohlroulade vom Wild: Die Karte ist vielfältig, dazu werden vornehmlich Weine aus der Region eingeschenkt.

Empfohlen von
Frank Hemmes

KULTURHOF ECKELSHEIM

Kirchstraße 5,
55599 Eckelsheim
T + 49 (0) 6703 3014 58
www.kulturhof-eckelsheim.de

In einer alten Hofreite entstand durch das Engagement von 30 motivierten Bürgern ein neues Gesamtensemble, das sich zum einen der Kunst und Kultur, zum anderen der Kulinarik widmet. Die Gerichte von Alex Greiner sind bodenständig, regional, mediterran, es gibt Rheinhessen-Tapas, französische Fischsuppe, Wolfsbarsch oder Lamm. Die Kräuter wachsen im eigenen Bauerngarten, die Weine in der Region.

Empfohlen von
Peter und Julian Wolf

DOHLMÜHLE

An der Dohlmühle 1,
55237 Flonheim
T + 49 (0) 6734 9410 10
www.dohlmuehle.de

Die Kalbsleber kommt in einer Sauce aus Himbeergeist und Dornfelder auf den Tisch, die Lammhüfte in einer aus Spätburgunder: Daran erkennt man schnell, dass in diesem Haus der Wein eine große Rolle spielt. Drei Generationen der Familie Stütz kümmern sich um das 30 Hektar große Weingut, das Restaurant mit seiner regionalen Karte und das kleine Hotel mit seinen sechs Zimmern.

Empfohlen von
Redaktion

WEINRESTAURANT ESPENHOF

Hauptstraße 76, 55237 Flonheim
T + 49 (0) 6734 9627 30
www.espenhof.de

Hier ist schon die achte Generation am Start: Weingut, Landhotel mit 20 gemütlichen Zimmern, das Restaurant namens „Weinwirtschaft“ – alles unter einem Dach der Familie Espenschied. Küchenchef ist Tobias Datow, der seine Gäste mit Saumagen, argentinischem Rumpsteak, Duo vom Hirsch oder Fischgrillteller begeistert. Dazu gibt es „hausgemachte“ Weine.

Empfohlen von
der Redaktion

ZUM GOLDENEN ENGEL

Marktplatz 3, 55237 Flonheim
T + 49 (0) 6734 9139 30
www.zum-goldenen-engel.com

Im historischen Örtchen Flonheim wird rheinland-pfälzische Küche an ebenso historischem Platz serviert: Klaus und Sabine Meyer bewirten seit zehn Jahren ihre Gäste in der ehemaligen Poststation der Thurn und Taxis. Ihr Motto: verfeinerte, bodenständige Küche. Das kann krosser Pulpo mit Kartoffelragout sein, Rinderroulade oder Kalbsgeschnetzeltes. Die Weinkarte umfasst mehr als 100 Positionen – nicht nur, aber schwerpunktmäßig mit Tropfen aus der Region.

Empfohlen von
Nora Breyer

WEINHAUS ANDREAS ENGEL

Alzeyer Straße 7,
55459 Grolsheim
T + 49 (0) 6727 357
www.weinhaus-engel.de

Weinstube, Gewölbekeller und ein gemütlicher Innenhof laden ein, eine schöne Zeit bei gepflegtem Essen und einem Glas Wein zu verbringen. „Mediterranes Ambiente bei rheinhessischem Stil" beschreiben die Gastgeber die Atmosphäre, die sie mit dem Mix aus Landhausstil und moderner Architektur vermitteln wollen. Die Karte ist vielfältig, bietet zwischen überbackenem Ziegenkäse, großen Salaten, Schweinemedaillons nach Winzer Art oder Rumpsteak für jeden etwas.

Empfohlen von
Norbert und Thomas Fritzsch

FETZER'S RESTAURANT LINDENHOF

Gaulsheimer Straße 14+19,
55218 Ingelheim am Rhein
T + 49 (0) 6725 2920
www.landhotel-fetzer.de/restaurant-lindenhof

Ein Familienbetrieb in dritter Generation: Im Restaurant Lindenhof, das zum Landhotel der Familie Fetzer gehört, kommt Wild aus dem Hunsrück, Spargel in allen Variationen oder Cordon bleu vom Milchkalb auf den Tisch. Restaurant und Hotel mit seinen gemütlichen Zimmern sind im Landhausstil eingerichtet.

Empfohlen von
Tobias Knewitz

GOURMETRESTAURANT UND LANDGASTHAUS DIRK MAUS

17 | 20

Sandhof 7,
55262 Ingelheim-Heidesheim
T + 49 (0) 6132 4368 333
www.dirk-maus.de

Ein Koch, zwei Restaurants: Seit knapp zehn Jahren ist der historische Sandhof im Ingelheimer Ortsteil Heidesheim das Domizil des hochdekorierten Kochs Dirk Maus. Der historische Kern des Hauses geht auf den Wirtschaftshof des Zisterzienserklosters Eberbach aus dem 12. Jahrhundert zurück. Maus hat das Ensemble liebevoll und aufwendig saniert und für seine kulinarischen Ambitionen umgebaut. So bietet er im Spitzenrestaurant feinste Gourmetküche, im Landgasthaus geht es etwas legerer zu, die Küche bewegt sich gleichwohl auf hohem Niveau. Es gibt immer wieder Lob für den tollen Service. Noch eine Besonderheit: Immer wieder mittwochs wird ein Rheinhessen-Menü serviert zum Preis von 32,50 Euro. Zum Sandhof gehört auch eine Scheune, die als Event-Location genutzt werden kann.

Empfohlen von
Klaus Gres

WINZERKELLER INGELHEIM

Binger Straße 16,
55218 Ingelheim
T + 49 (0) 6132 9999 160
www.winzerkelleringelheim.de

Der Ingelheimer Winzerkeller gilt als das Herzstück für genussvolle Weinerlebnisse in der Rotweinstadt Ingelheim. 25 Winzer präsentieren sich und ihre Weine in der Vinothek, im Restaurant werden hochwertige Gerichte oder kleine Snacks zum Wein serviert und die Tourist-Info liefert gute Tipps.

Empfohlen von
Arndt F. Werner

WEEDENHOF

Mainzer Straße 6,
55270 Jugenheim
T + 49 (0) 6310 9413 37
www.weedenhof.de

Viel Holz, rustikales Fachwerk und warme mediterrane Farben prägen dieses Restaurant und Hotel. Das Team um Michael Knöll kocht bodenständig und regional mit mediterranen Einflüssen. Zum Beispiel: Tafelspitzsalat mit grünem Spargel, Lammhüfte mit Kräutern der Provence oder Rotbarsch mit Paprika-Pesto. Übernachtungsgästen stehen gemütliche Zimmer jeweils mit Balkon zur Verfügung.

Empfohlen von
der Redaktion

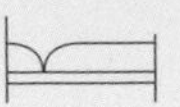

Schlafen

ZUM GLÄSERNEN TRINKHORN
Kegelbahnstraße 3,
55286 Wörrstadt-Rommersheim
T + 49 (0) 6732 6005 809
www.zum-trinkhorn.de
Das Entrecôte „Orange-Rub" gart sous-vide, zum Kalbsschnitzel gibt es Bratkartoffeln und der Heilbutt unter der Kräuterkruste kommt mit Tomatenrisotto auf den Teller: Die regelmäßig wechselnde Speisekarte von Markus Lettau und seinem Team klingt nicht abgehoben, abwechslungsreich und nicht zwingend fleischlastig. Der Restaurantname basiert übrigens auf dem Fund eines keltischen Trinkgefäßes, das im Landesmuseum in Mainz ausgestellt ist. Wer eine Erinnerung mitnehmen will, kann dies mit den hausgemachten Dips, Dressing, Fonds oder kleinen Gerichten im Glas tun.
Empfohlen von
der Redaktion

GÄSTEHAUS SCHMITT
Hintergasse 5,
55437 Appenheim
T +49 (0) 6725 1051
www.winzerhof-schmitt.de
Umgeben von Weinreben und Obstbäumen, mitten in der kleinen Weinbaugemeinde Appenheim, lässt es sich hier gemütlich mit Familienanschluss übernachten. Im Gästehaus, einem früheren Getreidelager, stehen sieben Zimmer zur Verfügung, die mit drei Sternen klassifiziert sind. Frühstück wird im Wintergarten serviert, im Innenhof kann man lauschig sitzen und sein Glas Wein trinken.
Empfohlen von
Tobias Knewitz

PAPA RHEIN HOTEL
Hafenstraße 47a,
55411 Bingen
T +49 (0) 6721 35010
www.paparheinhotel.de
Eingebettet in das „Kulturufer Bingen" präsentiert sich das Hotel der Familie Bolland in absolut direkter Rheinnähe. Aus dem Haus blickt man auf Weinberge, den Rhein und die Landschaft der Rheinauen bis zum Binger Mäuseturm. Der Baukörper des Hotels besteht aus Naturholz, drinnen herrscht eine lässige Atmosphäre. Das hoteleigene Restaurant Bootshaus hat dreiseitigen Rheinblick.
Empfohlen von
Johannes Becker-Landgrafl

WINZERHOTEL AM LA ROCHE
Hohlstraße 8,
55237 Flonheim
T +49 (0) 6734 2610 619
www.winzerhotel-la-roche.de
Zwölf gemütliche, helle Landhauszimmer inmitten der Weinberge und der berühmten Weinbergslage von Flonheim erwarten den Gast in dem Haus, das zum Weingut der Familie Trautheim gehört. Es gibt ein Credo im Haus: Jegliches Essen ist pflanzlich. Das fängt beim Frühstück an und reicht bis ins Restaurant, in dem es vegane Döner, Bowls, Burger und Tapas gibt.
Empfohlen von
der Redaktion

HOTEL GARNI AM HELJERHAISJE
Appenheimer Straße 36,
55435 Gau-Algesheim
T +49 (0) 6725 3060
www.hotel-heljerhaisje.de
Nicht weit vom Rhein liegt dieses familiengeführte Hotel mit seinen 23 gemütlich eingerichteten Zimmern sowie sechs Ferienwohnungen mit direktem Gartenzugang. Vom Hotel aus kann man Ausflüge nach Mainz, Wiesbaden oder Bingen unternehmen, Weingüter in der Region besuchen, einen Ausflug zum Naturschutzgebiet Gau-Algesheimer Kopf machen oder den Wein-Lehrpfad abwandern.
Empfohlen von
Tobias Knewitz

Einkaufen

WEINHOTEL WASEM
Stiegelgasse 70,
55218 Ingelheim
T +49 (0) 6132 43370
www.wasem.de
Seit 1726 baut Familie Wasem hier schon Wein an und das Weingut wurde nach und nach um Restaurant, Vinothek und Hotel erweitert. Den Grundstein für den Betrieb in der heutigen modernen Form legte 1912 Julius Wasem. Das Kloster Engelthal wurde mehrfach für Architektur, Konzept und Unternehmensphilosophie ausgezeichnet.
In der Klostergastronomie im Kreuzgewölbe wird regionale Küche serviert. Das Hotel liegt nur wenige Meter entfernt im Ortskern von Ingelheim.
Empfohlen von
der Redaktion

STEITZ BED & BREAKFAST
Mörsfelder Straße 3,
55599 Stein-Bockenheim
T +49 (0) 6703 8352 870
www.weingut-steitz.de/steitz-bed-and-breakfast
Erst den Wein verkosten, dann in aller Ruhe auf dem Weingut übernachten: Das geht auf dem Weingut Steitz, das in seinem Bed-and-Breakfast-Hotel fünf stylisch eingerichtete Deluxe-Zimmer mit viel Ambiente anbietet.
Empfohlen von
der Redaktion

HOFLADEN HEMMES
Ockenheimer Straße 69,
55435 Gau-Algesheim
T +49 (0) 6725 4924
www.hemmes.de
Auf 50 Hektar betreibt Familie Hemmes Landwirtschaft, seit den 1970er-Jahren werden die Produkte selbst vermarktet. So wird Obst und Gemüse angebaut, aber auch Wein. Obstbrände und Liköre gehören genauso zum Sortiment wie Hausmacher-Wurst, Bauernkäse, Bauernbrot, Honig, Eier, Nudeln, Getreideprodukte, Essig und Öle sowie italienische Spezialitäten.
Empfohlen von
der Redaktion

BIO-SCHWEINOTHEK
Wallertheimer Str. 5,
55599 Gau-Bickelheim
T +49 (0) 6701 2008 83
www.bio-schweinothek.de
Auch wenn das Schwein im Geschäftsnamen steht – das Sortiment in diesem Hofladen ist groß. Neben dem frischen Fleisch von den Bunten Bentheimer Freilandschweinen gibt es Bioland-Rind und Geflügel, Eier sowie Obst und Gemüse. Außerdem wird in der Hofladen-Küche gekocht: Es gibt Frühstück, mittags etwas Deftiges und nachmittags Kaffee und Kuchen.
Empfohlen von
Hanneke Schönhals

NINA'S PRALINEN-MANUFAKTUR
Schulstraße 11,
55270 Schwabenheim an der Selz
T +49 (0) 6130 9407 76
www.ninas-pralinenmanufaktur.de
Osterhasen und Weihnachtsmänner aus Schokolade gehören zum süßen Standard-Programm bei Konditormeisterin Nina Klos. Sie bietet aber außerhalb der jeweiligen Saison noch mehr „Hohlkörper", wie es formell heißt, an: Katze, Eichhörnchen oder Igel Mecki aus Schokolade schmecken und machen auch optisch viel Spaß. Ansonsten gehören Bio-Pralinen und viele verschiedene Schokoladentafeln zum Sortiment in dieser Manufaktur.
Empfohlen von
der Redaktion

HOFLADEN SCHUMANN
Finkenbachstraße 4,
55234 Wendelsheim
T +49 (0) 6734 514
www.schumann-wendelsheim.de
Ein Natur-Eldorado für Kinder aller Altersgruppen: Auf diesem Erlebnisbauernhof lernen sie, wie eine Kartoffel wächst, wie man Gemüse aussät, warum ein Huhn jeden Tag ein Ei legt oder wie ein Husumer Protestschwein aussieht. Und dass man daraus Wurst machen kann, die dann direkt im Hofladen verkauft wird. Galloway-Rinder leben ebenfalls auf dem Hof – auch ihr Fleisch wird direkt verkauft. Bratwurst, Eier, Obst, Gemüse, Nudeln, Honig, Fruchtaufstriche sowie Weine und Säfte aus eigener Herstellung komplettieren das Sortiment des Ladens.
Empfohlen von
der Redaktion

Empfehlenswerte Metzgereien

Landmetzgerei Droboschke
Bingen-Dromersheim,
(Rheinhessenstraße 50)
www.landmetzgerei-dobroschke.de

Landmetzgerei Matthias Hellmeister
55435 Gau-Algesheim,
(Herrbornstraße 18)
www.landmetzgerei.hellmeister.de

Metzgerei auf dem Eichenhof
Wörrstadt-Rommersheim,
(Eichenhof)
www.der-eichenhof.com/metzgerei

Vinothek

Viele Winzer in Rheinhessen öffnen die ganze Woche über Tor und Tür, um ihre Weine in hauseigenen Vinotheken verkosten zu lassen. Ein Besuch (nach dem Blick auf die Internetseite oder einem kurzen Anruf) lohnt in jedem der Weinorte. Weitere Infos zu Vinotheken auch auf der Internetseite www.rheinhessen.de/ausgezeichnete-vinotheken.de

INGELHEIMER VINOTHEK IM WINZERKELLER
Binger Straße 16, 55218 Ingelheim
T +49 (0) 6132 6599132
www.ingelheimer-winzerkeller.de
25 Winzer und eine Brennerei haben sich zusammengeschlossen und stellen hier ihre Weine und Spirituosen aus. 72 verschiedene Flaschenweine können verkostet werden.
Empfohlen von
Arndt F. Werner

2 NIERSTEIN

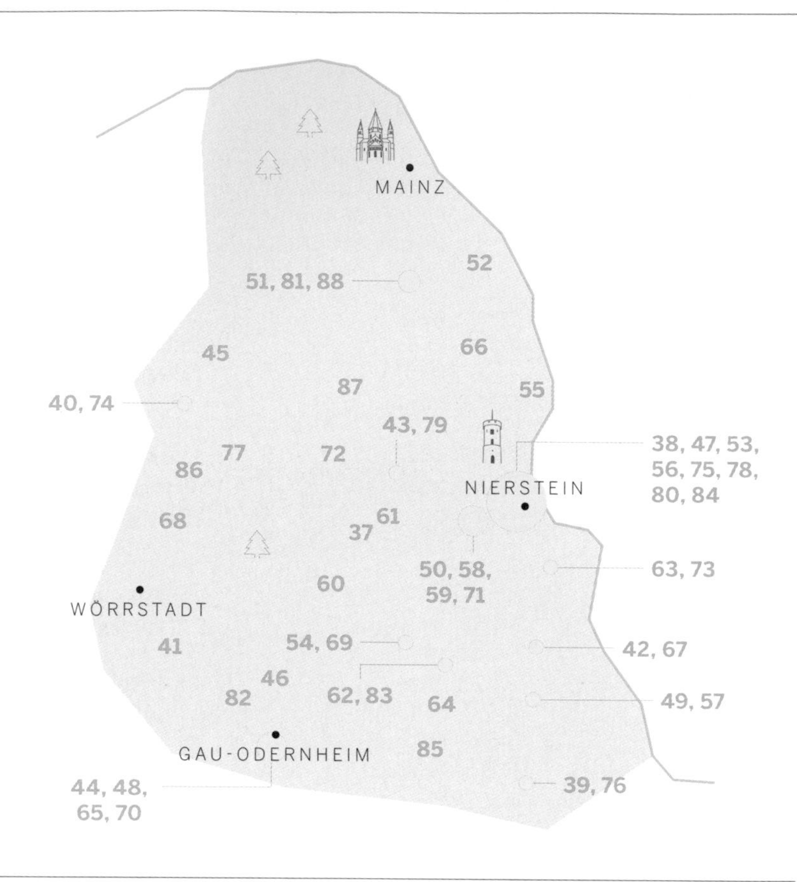

Der Bereich Nierstein ist durch seine bunte Rebsortenverteilung gekennzeichnet. Die Stadt Nierstein ist Riesling-Hotspot am weltberühmten Roten Hang und Sitz vieler renommierter Weingüter. Hier befindet sich auch die „Niersteiner Glöck", die älteste urkundlich erwähnte Weinbergslage in Deutschland.

Geografische Lage Dies ist der östliche Teil des rheinhessischen Wein-Dreiecks. Den Umriss bilden die Städte Mainz im Norden, über Nierstein im Osten entlang des Rheins bis Mettenheim im Süden und im Westen bis Saulheim an der A 63.
Klima Eingerahmt vom Nordpfälzer Bergland, Hunsrück, Taunus und Odenwald herrscht hier ein warmes, trockenes Weinbauklima.
Böden Löss, Mergel, Rotliegendes, Kalksteine, Vulkangestein, Quarzit, Braunerde
Rebfläche 10.264 ha, davon 74 % Weißwein
Rebsorten Riesling, Müller-Thurgau, Dornfelder, Grauburgunder, Silvaner

Geschichte Das fruchtbare Land am Rheinbogen bei Mainz ist uraltes Siedlungsland. Im Mittelalter waren die zahlreichen Klöster die Motoren der Weinkultur. 1895 gründete Ernst Ludwig Großherzog von Hessen eine Wein- und Obstbauschule und 1900 die Weinbaudomäne in Oppenheim, um Impulse zur Qualitätssteigerung zu geben.
Besonderheit Der Rote Hang ist hier die absolute Besonderheit. Das 280 Millionen Jahre alte Gestein zieht sich über 30 Kilometer und kommt in Nierstein zu Tage.

WEINGÜTER

37
ABTHOF
Bahnhofstraße 27
55278 Hahnheim

38
ST. ANTONY
Wilhelmstraße 4
55283 Nierstein

39
WEINGUT BALZHÄUSER
Mittelgasse 25
67577 Alsheim

40
BECK HEDESHEIMER HOF
Schildweg 2
55271 Stadecken-Elsheim

41
WEINGUT BECKER
Außerhalb 12
55288 Spiesheim

42
BRÜDER DR. BECKER
Mainzer Straße 3–7
55278 Ludwigshöhe

43
TOBIAS BECKER

Endbergshohl
55278 Mommenheim

44
WEINGUT BECKER LANDGRAF

Im Felsenkeller 1
55239 Gau-Odernheim

45
WEINGUT BRAUNEWELL

Am Römerberg 34
55270 Essenheim

46
ERNST BRETZ

Langgasse 35
55234 Bechtolsheim

47
LISA BUNN

Mainzer Straße 86
55283 Nierstein

48
WEINGUT BÜSSER-PAUKNER

Mainzer Straße 50
55239 Gau-Odernheim

49
DOMHOF
Bleichstraße 14
67583 Guntersblum

50
EIMERMANN DOMTALHOF
Hauptstraße 116 und 134
55283 Nierstein

51
FLEISCHER – WEINGUT DER STADT MAINZ
Rheinhessenstraße 103
55129 Mainz-Hechtsheim

52
FLIK SEKTMANUFAKTUR
Marienhofstraße 1
55130 Mainz

53
WEINGUT GEHRING

Außerhalb 17
55283 Nierstein

54
ECKEHART GRÖHL

Uelversheimer Straße 4
55278 Weinolsheim

WEINGÜTER

55
WEINGUT GUNDERLOCH
Carl-Gunderloch-Platz 1
55299 Nackenheim

56
LOUIS GUNTRUM

Rheinallee 62
55283 Nierstein

57
WEINGUT HIESTAND

Nordhöferstraße 19
67583 Guntersblum

58
FRITZ EKKEHARD HUFF
Hauptstraße 90
55283 Nierstein-Schwabsburg

59
GEORG GUSTAV HUFF
Woogstraße 1
55283 Nierstein-Schwabsburg

60
WEINGUT JUNG

Alzeyer Straße 4
55278 Undenheim

61
KAPELLENHOF – ÖKONOMIERAT SCHÄTZEL ERBEN

Kapellenstraße 18
55278 Selzen

62
WEINGUT KISSINGER

Außerhalb 13
55278 Uelversheim

63
BÜRGERMEISTER CARL KOCH

Wormser Straße 62
55276 Oppenheim

64
WEINGUT KREBS-GRODE
Hauptstraße 16
55278 Eimsheim

65
KRUG'SCHER HOF

Am grünen Weg 15
55239 Gau-Odernheim

66
WEINGUT KÜHLING-GILLOT

Ölmühlstraße 25
55294 Bodenheim

67
WEINGUT LAMBERTH
Kirchstraße 20
55278 Ludwigshöhe

68
WEINGUT LANDGRAF
Außerhalb 9
55291 Saulheim

69
WEINGUT MANZ

Lettengasse 6
55278 Weinolsheim

70
WEINGUT MEISER

Alzeyer Straße 131
55239 Gau-Köngernheim

71
WEINGUT MÜLLER SCHWABSBURG
Hauptstraße 96
55283 Schwabsburg

72
WEINGUT MÜNZENBERGER
Lindenplatz 9
55270 Zornheim

WEINGÜTER

73
STAATLICHE WEINBAUDOMÄNE OPPENHEIM
Wormser Straße 162
55276 Oppenheim

74
POSTHOF DOLL & GÖTH
Kreuznacher Straße 2
55271 Stadecken-Elsheim

75
WEINGUT RADDECK
Am Hummertal 100
55283 Nierstein

76
RAPPENHOF
Bachstraße 47
67577 Alsheim

77
ROLLANDERHOF
Rollanderhof
55291 Saulheim

78
WEINGUT SCHÄTZEL
Oberdorfstraße 34
55283 Nierstein

79
BÜRGERMEISTER ADAM SCHMITT
Gaustraße 19
55278 Mommenheim

80
GEORG ALBRECHT SCHNEIDER

Wilhelmstraße 6
55283 Nierstein

81
MIRJAM SCHNEIDER

Klein-Winternheimer-Weg 6
55129 Mainz-Hechtsheim

82
WEINGUT SCHÖNHALS

Hauptstraße 23
55234 Biebelnheim

83
WEINGUT STALLMANN-HIESTAND
Eisgasse 15
55278 Uelversheim

84
WEINGUT STRUB

Rheinstraße 42
55283 Nierstein

85
THEOS WEIN UND GUT
Hauptstraße 13
67587 Wintersheim

86
WEINGUT THÖRLE
Am Norenberg 0
55291 Saulheim

87
EVA VOLLMER WEINE
Nieder-Olmer-Straße 65
55129 Mainz-Ebersheim

88
WEINGUT ZEHE-CLAUSS
Rheinhessenstraße 109
55129 Mainz

Abthof

Bahnhofstraße 27,
55278 Hahnheim
T +49 (0) 6737 380
www.weingut-abthof.de

Inhaber Herbert & Martin Koch
Kellermeister Martin Koch
Verbände Generation Riesling
Rebfläche 17 ha
Produktion 50.000 Flaschen
Verkaufszeiten
Mo–Do 8–12 Uhr und 13–17 Uhr
Fr 8–12 Uhr
und nach Vereinbarung

Familie Koch hat eine lange Weinbautradition, die weit über 100 Jahre zurückreicht. Stillstand kennt man hier nicht, die junge Generation ist gut ausgebildet und ambitioniert, um das aufstrebende Familienweingut immer ein kleines Stück weiter in die Spitzengruppe der rheinhessischen Betriebe zu schieben. Klassische Rebsorten bilden das stabile Fundament des Wein-Portfolios, dazu kultiviert man auch wenig bekannte Exoten wie Souvignier Gris, Muscaris und Monarch. Das Ziel der Vinifizierung, für die Martin Koch zuständig ist, liegt in dem nachhaltigen Bewahren der aromatischen Facetten, die das Terroir in all seinen unterschiedlichen Merkmalen ermöglicht. Klimafreundliche Weine lautet denn auch das Motto des Familienbetriebes.

2019 Gelber Orleans
9,50€ · 13%

2019 Muscaris „Auftakt"
7,50€ · 12,5%

2019 Zornheimer Souvignier Gris „Auftakt"
7,50€ · 13%

2018 Monarch „Auftakt"
9€ · 14,5%

St. Antony

Wilhelmstraße 4,
55283 Nierstein
T +49 (0) 6133 5091 10
www.st-antony.de

Inhaber Familie Meyer & Dirk Würtz
Betriebsleiter Sebastian Strub
Kellermeister Sebastian Strub
Verbände VDP
Rebfläche 60 ha
Produktion 250.000 Flaschen
Gründung 1920
Verkaufszeiten
Mo–Fr 8–12 Uhr und 13–17 Uhr
Sa 11–17 Uhr
So, Feiertag 12–18 Uhr

Die erste Eisenhütte im Ruhrgebiet, die nach dem Schutzheiligen St. Antony benannt wurde, stand Pate für den Namen des Weingutes in Nierstein, das lange Zeit der Gute-Hoffnungs-Hütte gehörte und erst seit rund 100 Jahren Weine produziert. Aushängeschild des staatlichen Betriebes, rund 60 Hektar stehen unter Reben, sind die steilen Parzellen im Niersteiner Roten Hang. Hier wachsen die Trauben für die feinwürzigen mineralisch geprägten Weine, für die Kellermeister Sebastian Strub zuständig ist und die seit dem Jahrgang 2018 Demeter zertifiziert sind. Neben klassischen Rieslingen werden auch Burgundersorten kultiviert. Probieren kann man alle Gewächse in der ansprechend gestalteten neuen Vinothek im Gutshaus.

2019 Riesling „Rotschiefer"
9,80€ · 12%
Bei aller Cremigkeit und trotz seines fast üppigen Charakters dennoch kein Schmeichler, sondern mit gerade noch just jener Säure, die ihn wachhält.

2020 Chardonnay
8,50€ · 11,5%
Bringt Schwung mit, bringt Cremigkeit mit. Die stellen wir Fischgerichten zur Seite, wie Waller, aber auch Salaten mit Ziegenkäse.

2020 Weißburgunder ♦♦
8,50€ · 11,5%
Dieser Wein begleitet entspannt den Sonntagnachmittag.

2018 Blaufränkisch ♦♦
13,50€ · 12,5%
Komplexe Würze gepaart mit feiner Reife ergibt einen geradezu idealen Weggefährten für ein feines Rehragout.

2018 Pinot Noir „Paterberg" GG ♦♦♦♦
38€ · 13%
Reservierte Noblesse: feingliedriger Duft nach Kirsche und Marzipan, elegant-zurückhaltend, aber dicht am Gaumen, seidige Tannine.

2020 Paterberg Cuvée „Rosé" ♦♦
7,50€ · 12%
Feinwürzige, keineswegs kitschige Frucht, sehr lebendig am Gaumen unterstrichen durch etwas Kohlensäure.

Weingut Balzhäuser

Mittelgasse 25, 67577 Alsheim
T +49 (0) 6249 9451 30
www.balzhaeuser.de

Inhaber
Johannes Balzhäuser
Rebfläche 10 ha
Produktion 70.000 Flaschen
Gründung 1732
Verkaufszeiten
nach Vereinbarung

Johannes Balzhäuser wollte schon immer Winzer werden, was nicht sonderlich verwundert, wenn man auf einem Weingut aufwächst und sich der familiären Tradition verpflichtet fühlt. Die reicht immerhin acht Generationen zurück, Johannes Salzhäuser führt sie als neunter Winzer mit viel Herzblut und Leidenschaft fort. Der junge Winzer, der zuvor Weinbauerfahrungen an der luxemburgischen Mosel und in Australien sammeln konnte, schätzt an seinem Beruf nicht nur die Vielseitigkeit der Arbeit in Weinberg und Keller, sondern vor allem die Gestaltungsmöglichkeiten beim geschmacklichen Ausbau der Weine. Ob Gutswein als Einstieg, Ortswein als Gewächs mit klarer Herkunft oder der Lagenwein aus besten Parzellen, natürlich aus handverlesenen Trauben produziert: Die Qualität seiner Weine, die mit modern puristischen Etiketten ausgestattet sind, muss Johannes Balzhäuser nicht erklären, sie gefallen einfach.

2019 Alsheim Chardonnay ♦♦
11,50€ · 13,5%
Balance und Ruhe machen diesen Chardonnay sehr stimmig. Dieser Wein muss nicht unbedingt im Mittelpunkt stehen und passt toll zu deftigen Vorspeisen.

2020 Chardonnay
8,50€ · 12,5%
Salzigkeit, die nicht zu fordernd ist, gepaart mit Fruchtsüße und hinreichender Säure macht ihn zu einem spannungsreichen Speisebegleiter, Wildlachs empfiehlt sich.

2020 Riesling
8,50€ · 12%
Fruchtbömbchen: viel Zug mit Aprikose, Pfirsich, Litschi und Zitrone, sehr präzise, guter Trinkfluss.

2018 Cuvée „Shiraz-Cabernet"
15€ · 13%

Beck Hedesheimer Hof

Schildweg 2,
55271 Stadecken-Elsheim
T +49 (0) 6136 2487
www.hedesheimer-hof.de

Inhaber Michael Beck
Rebfläche 29,5 ha
Produktion 200.000 Flaschen
Gründung 1974
Verkaufszeiten
Mi–Fr 14–19 Uhr
Sa 9–16 Uhr
und nach Vereinbarung

Dichte, körperreiche und fruchtbetonte Weine haben die Becks in ihrem Weingut jede Menge zu bieten. Vorwiegend gewachsen auf mineralreichen Mergelböden, werden die Weine je nach Sorte und Lage individuell ausgebaut, die weißen im Edelstahl, die roten im traditionellen Holzfass. Keine Hexerei, aber grundsolides Handwerk gepaart mit viel Intuition, Erfahrung und Leidenschaft, um das Beste aus den Trauben herauszuholen. Michael Beck führt in diesem Sinne das Familiengut, Sohn Christoph tritt als Jungwinzer in seine Fußstapfen, bringt neue Impulse in den Betrieb und unterstützt den Vater schon jetzt, wo er kann. Neben dem guten umfangreichen Weinsortiment bietet Familie Beck im Hedesheimer Hof auch Übernachtungsmöglichkeiten in gemütlichen Gästezimmern.

2017 Stadecker Spitzberg Auxerrois
15,50€ · 13%

2018 Stadecker Lenchen Grauburgunder „Reserve"
25,50€ · 14,5%
Dieser lachsfarbene Grauburgunder ist etwas für diejenigen, die sich überraschen lassen wollen. Mit seinen Noten von Rumrosinen, Wintergewürzen und der Sherry-artigen Würze sehr spannend und vielschichtig.

2019 Riesling „Stadecken-Elsheimer Terra Fusca³"
7,50€ · 12%
Hoch drei steht für drei Lagen des Bodentyps. Gemeinsam erzeugen die Trauben einen Riesling mit feiner Säure und Noten von Pfirsich und Apfel.

2019 Silvaner „Stadecker Reserve" 🍇🍇🍇
21,50€ · 14%
Silvaner für Chardonnay-Fans: Cremig-seidiger Silvaner mit schönem Säurezug, eleganter Holzwürze und Karamellbonbon. Passt etwa zu gebratenem Kalbsbries.

2019 Stadecker Horn Riesling 🍇🍇
13,50€ · 12,5%
Ungemein geradliniger Riesling mit kraftvoll zitrischen Noten bei sehr guter Länge und Straffheit am Gaumen, macht Appetit auf mehr.

2019 Stadecker Horn Weißburgunder 🍇🍇
11,50€ · 13,5%

2019 Stadecker Lenchen Grauburgunder 🍇
11,50€ · 13,5%

Cuvée „Mussmernethun" 🍇🍇
29,90€ · 11,5%
Ausdrucksstarke wie eigenwillige Komposition mit gutem Zug und festem Grip. Ein ganz eigener Charakter, gut vorstellbar zu Steinpilz-Risotto.

Muskateller „Schunnbesser" 🍇
14,50€ · 12%

2017 Elsheimer Bockstein „Blauer Spätburgunder" 🍇🍇
13,50€ · 13%
Saftig-himbeeriger Wein mit feiner Steinigkeit, animierender Säure und feinen Marzipannoten.

Riesling brut 🍇🍇
11,50€ · 12%
Elegant und prägnant, duftig und verführerisch feinperlig.

Weißburgunder „Karl" brut nature 🍇🍇🍇
17,50€ · 12,5%
Herbstnachmittagssekt: frische, lebendige, animierende Säure, die die Molligkeit des Sektes wegspült und ungeahnte Straffheit bringt.

Weingut Becker
Außerhalb 12, 55288 Spiesheim
T +49 (0) 6732 1460
www.weingut-becker.com

2019 Sauvignon Blanc 🍇
8€ · 12%

Brüder Dr. Becker

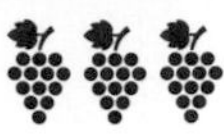

Mainzer Straße 3–7,
55278 Ludwigshöhe
T +49 (0) 6249 8430
www.brueder-dr-becker.de

Inhaber Lotte Pfeffer-Müller
Betriebsleiter Hans Müller & Lotte Pfeffer-Müller
Kellermeister Hans Müller & Kerstin Krämer-Antony
Verbände VDP, Ecovin, Demeter
Rebfläche 11 ha
Produktion 80.000 Flaschen
Verkaufszeiten
nach Vereinbarung
Jeden 1. Samstag im Monat offene Weinprobe

Familie Becker ist schon seit mehr als 150 Jahren im Weingeschäft, den Grundstein des erfolgreichen Betriebes südlich von Oppenheim legte der Namensgeber Dr. Johann Becker. Frauen spielten in dem Familiengut schon immer eine große Rolle, seit Jahren leitet Lotte Pfeffer-Müller mit ihrem Mann Hans Müller den rund elf Hektar großen Betrieb, unterstützt wird das Winzerpaar von Kellermeisterin Kerstin Krämer-Antony. Ökologische Bewirtschaftung ist hier schon seit Ende der 1970er-Jahre Standard, seit dem Jahrgang 2008 wird das Gut biodynamisch geführt und ist Mitglied im Demeter-Verband. Lotte Pfeffer-Müller setzt im Ausbau ihrer Weine vor allem auf trockene Qualitäten, die Gewächse brauchen immer etwas Zeit, um ihre ganze Strahlkraft und Größe zu entfalten.

2019 Dienheim Riesling
14,50€ · 13,5%
Spannender Riesling: sanft mit feiner Struktur und dem typischen Grip. Reife, exotische Früchte von Apfel bis Guave. Passt zu einer gehobenen Brotzeit.

2019 Falkenberg Riesling GG
26€ · 13,5%
Konzentration auf die Zukunft, denn die gehört ihm, wenngleich mehr Zug durch Säure nicht fehl am Platz gewesen wäre.

2019 Tafelstein Riesling GG
26€ · 13,5%
Weder in Nase noch Mund drängt sich der Tafelstein auf, sondern bleibt dezent bis zurückhaltend und erfordert Aufmerksamkeit beim Genuss, gewinnt im Glas mit der Zeit.

Tobias Becker

Endbergshohl,
55278 Mommenheim
T +49 (0) 6138 1742
www.becker-weine.com

Inhaber Rainer & Tobias Becker
Betriebsleiter Tobias Becker
Kellermeister Tobias Becker

Tobias Becker hat seine Winzerlehre in renommierten rheinhessischen Betrieben absolviert, seinen ersten eigenen Jahrgang hat er im Jahre 2009 auf die Flaschen gebracht. Seitdem hat sich das Weingut, das 1954 in Mommenheim aus der Taufe gehoben wurde, stetig weiterentwickelt und ist seit vielen Jahren eine verlässliche Adresse für Qualitätsweine. Denn Tobias Beckers Weine sind sehr klar und sortentypisch ausgebaut, dennoch ist jedes Gewächse von individuellem Charakter und trägt die Handschrift des erfahrenen Kellermeisters. Im November 2019 ist der komplette Betrieb umgesiedelt und befindet sich nun inmitten der Mommenheimer Weinberge. Für die Zukunft sind dazu Gästezimmer, eine Gastronomie und eine neue Vinothek geplant.

Verbände Rheinhessenwein, Generation Riesling, Vinissima
Rebfläche 20 ha
Produktion 70.000 Flaschen
Gründung 1954
Verkaufszeiten
Mo–Fr 9–11 Uhr und 14–18 Uhr
Sa–So und Feiertag nach Vereinbarung

2018 Selzener Osterberg Riesling ♣♣♣
12€ · 13%
Frisch, fromm, fröhlich, frei – schließt Freundschaft schon in jungen Jahren dank eines kühlen Charakters mit viel Zug.

2020 Gewürztraminer ♣
7€ · 10%

2020 Grauburgunder ♣♣
7€ · 13%
Mundfüllende Säure, die den Gaumen weiterbelebt, auch lange, nachdem die Primäraromen sich verzogen haben und Kräuternoten ihren Auftritt haben.

2020 Grüner Veltliner ♣
7,50€ · 12,5%

2020 Lörzweiler Weißburgunder ♣♣
9,50€ · 13%

2020 Mommenheimer Chardonnay ♣♣
9,50€ · 13,5%
Vernehmlich phenolische Bitterkeit im Abgang, dem ein zarter Auftakt aus Physalis und Steinobst vorausgeht. Gelungen von Holznoten unterlegt.

2020 Sauvignon Blanc ♣♣
7,50€ · 12%

2020 Scheurebe ♣
7,50€ · 13%

2020 Weißburgunder ♣♣
7€ · 13%

2018 Gewürztraminer Beerenauslese ♣♣♣
18€ · 7,5%
Kraftvoll saftige Beerenauslese zum Blauschimmelkäse oder zur Tarte Tatin.

Weingut Becker Landgraf

Im Felsenkeller 1,
55239 Gau-Odernheim
T +49 (0) 6733 7449
www.weingut-beckerlandgraf.de

Inhaber Julia & Johannes Landgraf
Verbände Maxime Herkunft Rheinhessen, Fair´n Green
Rebfläche 17 ha
Produktion 150.000 Flaschen
Gründung 2006
Verkaufszeiten nach Vereinbarung

Mit erfrischend dynamischer Energie und viel Herzblut engagieren sich Johannes und Julia Landgraf in ihrem Betrieb für einen naturnahen Weinbau. Dabei geht es ihnen vor allem um die Balance zwischen Klima, Boden und Rebe. Unterstützt werden sie in ihrer Arbeit von einem jungen, gut ausgebildeten Team. Auf 17 Hektar stehen die Reben, die sorgsam und schonend das Jahr über gepflegt werden, bevor die gesunden und vollreifen Trauben zu Most gekeltert werden. Bei der Produktion ihrer Weine verzichten die Landgrafs im Keller auf sämtliche Behandlungsmittel, lassen die Weine mit wilden Hefen vergären und gönnen ihnen ein langes Hefelager. Das Resultat sind Gewächse, die in sich ruhen und ihre Sortentypizität geschmacklich elegant und nachhaltig ausspielen.

2019 Herrgottspfad Riesling
20€ · 12,5%
Wie von Rubens gemalt: opulent, cremig und exotisch mit viel Würze. Eine Vanillecreme mit Mango-Schaum. Ein Riesling im Brokatmantel.

2019 Weißburgunder „Muschelkalk"
22€ · 12,5%
Kraftvoll mit einem Korb reifer gelber Früchte. Viel Substanz.

2018 Herrgottspfad Spätburgunder
36€ · 13%
Ausdrucksstarker, keineswegs opulenter, eher straff bebauter Spätburgunder mit viel Rasse und Klasse, Noten von Blutorange, perfekt zu gebratener Ente.

2013 Blanc et noir brut nature
20€ · 12%
Apfelschale, getrocknete Zitronenzeste, sehr frisch, deutscher Champagnertyp, Sauerteigbrot, braucht viel Luft, voluminös.

Weingut Braunewell

Am Römerberg 34,
55270 Essenheim
T +49 (0) 6136 9999 100
www.weingut-braunewell.de

Inhaber Familie Braunewell
Betriebsleiter Axel Braunewell
Kellermeister
Christian Braunewell
Verbände Maxime Herkunft Rheinhessen, Fair'n Green, Sektmacher
Rebfläche 28 ha
Produktion 250.000 Flaschen
Gründung 1655
Verkaufszeiten
Mo-Do 13.30–19 Uhr
Fr 10–12 Uhr und 13.30–19 Uhr
Sa 10–17 Uhr

Teamgeist steht in der Familie Braunewell ganz oben und wird mit Leidenschaft gelebt. Denn im Weingut packen alle mit an und bringen sich in den 28 Hektar großen Betrieb ein, der bis ins Jahr 1655 in seiner Weinbauhistorie zurückblicken kann. Fast drei Jahre lang wurde auf dem Weingut geplant, renoviert und gebaut, das gesamte Anwesen modernisiert und erweitert. Heute bietet der neue Keller ausreichend Platz für den Rotweinausbau, der Kellermeister Christian Braunewell besonders am Herzen liegt und den er aus dem Effeff beherrscht. Doch das Prunkstück des Weinguts ist die neue Vinothek geworden, in deren schickem Ambiente alle Weine und die bemerkenswerten Sekte des Betriebs verkostet werden können.

2019 Essenheim Riesling „Kalkstein"
12€ · 13%
Wandelt trittsicher in den Pfaden überbrachter Rieslingtradition und bringt Reifepotenzial mit. Lädt zu einem Gericht mit Kalbsbries ein.

2019 Klopp Grauburgunder
25€ · 13,5%
Bringt alles an Kernigkeit und erdiger Wucht mit, um einer in Salz gegarten Rote Bete die Stirn zu bieten.

2019 Sauvignon Blanc
8,50€ · 11%
Noble Zurückhaltung in der Aromatik, dann prägnante Würze am Gaumen machen diesen feinen Wein zum idealen Begleiter von Vorspeisen aus der Mittelmeer-Küche.

2019 Sauvignon Blanc „Réserve"
15€ · 14%
In all seiner stachelbeerigen exotischen Typizität gut gemacht, mit hinreichend phenolischen Tönen und Säure für ein anhaltendes Lächeln im Gesicht.

♥ **2019** Teufelspfad Riesling
19€ · 12,5%
Ungemein kraftvoller, dabei keineswegs breitschultrig wirkender Riesling mit feinstem Süße-Säure-Spiel, dazu Tafelspitz, ein Gedicht!

2015 Cuvée „François Grande Réserve"
40€ · 15%
Nomen est omen, diese ungemein dichte wie tiefgründig komponierte Cuvée folgt dem französischen Vorbild und besteht aus den klassischen Rotwein-Sorten unseres Nachbarlandes. Ein Festtagswein für die große Tafel.

2018	Teufelspfad Spätburgunder	4 Trauben
	25€ · 13,5% Ein sehr kräftiger Typ mit Noten von rohem Speck, Backpflaume und Leder. Dazu reichen wir ein Pastrami-Sandwich mit Süßkartoffel-Pommes und freuen uns des Lebens.	
2019	Cuvée „Braunewell | Dinter der Rosé“	2 Trauben
	25€ · 13,5%	
2013	Chardonnay „Grande Année“ brut nature	4 Trauben
	35€ · 12,5% Reife Birne, cremig, süßliches Holz, viel Grip und Mineralität, erfrischende Säure.	
2014	Pinot Prestige brut nature	3 Trauben
	25€ · 12,5% Ausflug zum Konditor: Biskuit mit Mandelcreme, duftig, gelber Apfel, weinig, feine Perlage.	
2016	Pinot Noir „Die Rosé Perle“ extra brut	4 Trauben
	39€ · 12,5% Ein zarter und eleganter Rosé, der den Namen „Perle“ mehr als verdient hat. Muss erschlossen werden und begeistert dann mit seinem Glanz.	
2017	Chardonnay „Blanc de Blancs“ brut nature	4 Trauben
	19€ · 12,5% Knackig, saftig und schlank. Dann die Überraschung: Eine pikante Schärfe am Gaumen verspricht den perfekten Einstieg in einen langen Abend.	

Ernst Bretz

Langgasse 35,
55234 Bechtolsheim
T +49 (0) 6733 356
www.weingutbretz.de

Inhaber Horst Bretz
Betriebsleiter Horst Bretz
Kellermeister Horst & Harald Bretz
Verbände LWK, DLG
Rebfläche 40 ha
Produktion 400.000 Flaschen
Gründung 1721
Verkaufszeiten
Mo–Fr 8–12 Uhr und 13–18 Uhr
Sa 10–17 Uhr

40 Hektar Rebfläche sind selbst für rheinhessische Verhältnisse viel, vor allem, wenn sie von einer einzigen Familie bewirtschaftet werden. 300 Jahre alt wird das Weingut Bretz, geführt von Horst, Heike und Harald, in diesem Jahr – und pünktlich zum runden Geburtstag ist nun auch Tochter Victoria nach ihrem Studium in Geisenheim vollends im elterlichen Weingut integriert. Die Weinberge der Familie liegen auf und rund um den Bechtolsheimer Petersberg mit lehm- und lösshaltigen Böden und werden nicht nur in Deutschland, sondern auch auf internationalem Parkett wie den USA, China und Japan vermarktet. Wo das Lagenportfolio sich auf die eine Großlage beschränkt, ist das Rebsortenportfolio der Familie umso umfangreicher: Seien es Sauvignon, Chardonnay, Weiß- und Spätburgunder, St. Laurent oder Scheurebe, bei Bretz ist für jeden Geschmack (und jeden Geldbeutel) etwas dabei.

2018 Bechtolsheimer Petersberg Chardonnay
12,30€ · 13%

2019 Bechtolsheimer Petersberg Chardonnay
10,80€ · 13%

2019 Bechtolsheimer Petersberg Riesling
11,80€ · 12,5%
Riesling für jetzt und heute, der nun getrunken werden möchte und das mit kräftiger Statur und dem ganzen Rieslingpaket belohnt.

2019 Bechtolsheimer Petersberg Riesling „B Linie"
15,70€ · 12,5%
Soft, fruchtbetont und zugänglich: Mit diesem Riesling kann man auch in einer größeren Gruppe nichts falsch machen. Passt zu Kalbspaillard mit Rosmarinkartoffeln.

2019 Bechtolsheimer Petersberg Sauvignon Blanc
9,70€ · 12%

2019 Bechtolsheimer Petersberg Weißburgunder
10,50€ · 13%

2020 Bechtolsheimer Petersberg Sauvignon Blanc
9,70€ · 12%

2020 Bechtolsheimer Petersberg Silvaner
8,30€ · 12,5%

2016 Bechtolsheimer Petersberg Cuvée
18,30€ · 14%

2016 Bechtolsheimer Petersberg St. Laurent QbA im Barrique
17,10€ · 13,5%

2016 Rheinhessen Spätburgunder
18,60€ · 13%

2018 Bechtolsheimer Petersberg Spätburgunder „B Linie“
17,50€ · 13%
Schöne Würze und Saftigkeit, von der momentan noch das Holz ein wenig ablenkt und sich somit für ein paar Jahre Entspannung im Keller eignet.

♥ **2018** Rheinhessen Scheurebe Trockenbeerenauslese
42,50€ · 8%
Dichter, stoffiger und dennoch feinduftiger Süßwein mit Pfirsichnoten, im Grunde aber wie ein ganzer Obstgarten, ideal zu warmem Apfelkuchen, am besten als Tarte Tatin.

Lisa Bunn

Mainzer Straße 86,
55283 Nierstein
T +49 (0) 6133 59290
www.lisa-bunn.de

Inhaber Lisa Bunn & Bastian Strebel
Verbände Roter Hang, Generation Riesling, Maxime Herkunft Rheinhessen
Rebfläche 21 ha
Produktion 90.000 Flaschen

Dass Lisa Bunn und Bastian Strebel ein beeindruckend diverses Lagen- und Rebsortenportfolio anbieten können, verdanken sie ihren Eltern. 2013 vereinigten beide die elterlichen Betriebe zu einem gemeinsamen Weingut und verfügen so inzwischen über 21 Hektar Rebfläche, die sich vom Nierstein bis nach Wintersheim erstreckt. Das Lagenportfolio kann sich wirklich sehen lassen: seien es Orbel, Hipping, Ölberg oder Fraugarten. Bei den Rebsorten liegt der Fokus der beiden klar auf Riesling und Burgundersorten. Aber auch Sauvignon aller Couleur – frisch und straff aus dem Stahltank oder exotisch-würzig aus dem Holz – findet sich im Portfolio, ebenso Merlot und Chardonnay. Trotz des vielfältigen Portfolios zeigen die Weine eine klare Handschrift, was auch daran liegen dürfte, dass man oft auf Spontanvergärung, langen Hefekontakt und Holzausbau setzt. Eine strikte Aufgabenteilung gibt es im Keller übrigens nicht, beide zeichnen gemeinsam für die Charakteristik ihrer Weine und die jeweiligen Ausbaumethoden verantwortlich.

Gründung 2013
Verkaufszeiten
Di–Fr 13–17 Uhr
Sa 11–16 Uhr

2017 Tafelstein Dienheim Chardonnay „Reserve" 🍇🍇🍇
17€ · 13%
Karamell, Nussnoten, Toast – ein Assortiment an Aromen.

2018 Hipping Riesling 🍇🍇🍇
20€ · 13%
Geraderaus, unkompliziert mit einer feinen Bitterkeit von Grapefruit. Verbleibt schlank im Charakter mit kreidigen Anklängen.

2018 Oelberg Riesling 🍇🍇
16,50€ · 12,5%

2018 Orbel Riesling 🍇🍇🍇
16€ · 12,6%
Holz ist hier kein Wert, sondern eine Hilfe, geschmeidig genutzt für das große Ganze. Nach gefälligem Auftakt ist er im Nachhall dann mit Druck und Salzigkeit da.

2019 Nierstein Riesling „vom Rotliegenden“
10,90€ · 13%

2019 Sauvignon Blanc
9,50€ · 11,5%

2019 Sauvignon Blanc „Fumé“
18,50€ · 11%
Facettenreich und vielschichtig, laut und wild. Wird dabei nie ordinär oder anstrengend. Dazu gerne Saltimbocca mit Salbei und Speck.

2019 Wintersheim Riesling
8,90€ · 13%

2017 Merlot „Reserve“
20€ · 14%
Ungemein harmonischer Wein mit beeindruckender Finesse, hier weiß jemand ganz genau, was er bzw. sie macht, Kompliment!

2017 Spätburgunder „Reserve“
25€ · 13,5%
Hier trifft Eleganz auf Tiefgang und Kraft auf Zurückhaltung. Ein echter Solist, der schon Lust auf das zweite Glas macht, wenn man erst einen Schluck getrunken hat.

2018 Nierstein Saint Laurent „vom Rotliegenden“
14,50€ · 13,5%
Enorm entspannt wirkender Rotwein mit großer Harmonie, ideal für das vertraute Gespräch in der Familie, fein auch zu Wildgeflügel.

2018 Pinot Noir
9,90€ · 13,5%
Auf der Sonnenseite der Kirsche. Pfeffert am Gaumen um Aufmerksamkeit und empfiehlt sich so als Sparringspartner eines Vespertellers.

2018 Wintersheim Spätburgunder
15,50€ · 13%
Fest konturierter Spätburgunder mit großer Zukunft, durchaus jetzt schon zu kraftvollen Geflügelgerichten wie Perlhuhn mit Salbei oder Peking-Ente zu empfehlen.

2018 Riesling „Fraugarten“ brut
16€ · 12,5%
Ganz fein verwoben, elegant und sehr zart mit verführerisch weicher Perlage.

2019 Pinot Reserve brut
18,50€ · 12,5%
Champagnerfeeling: Jeder Schluck verlangt den nächsten, straff, saftig, grün und eigensinnig ...

Weingut Büsser-Paukner

Mainzer Straße 50,
55239 Gau-Odernheim
T +49 (0) 6733 6001
www.ae-wein.de

Inhaber Eva & Andreas Paukner
Rebfläche 6 ha
Produktion 35.000 Flaschen
Gründung 2014
Verkaufszeiten nach Vereinbarung

In Gau-Odernheim im Herzen Rheinhessen gelegen, bewirtschaftet der vor rund 100 Jahren gegründete Familienbetrieb nur rund sechs Hektar Weinbaufläche. Seit dem Jahre 2014 haben hier Eva und Andreas Pauker das Ruder in der Hand, das ambitionierte Winzerpaar hat sich mit konstant verlässlich guten Kollektionen längst einen Namen im Anbaugebiet und darüber hinaus gemacht. Dahinter stecken viel Herzblut, fundiertes Können und eine gehörige Portion Erfahrung, die die beiden weitgereisten Winzer in Europa und Übersee erworben haben. Schmecken und am Gaumen erleben kann man ihre weltoffene Idee von Wein in der schicken modern gestalteten Vinothek, die auch für private Veranstaltungen gebucht werden kann.

2019 Alsheimer Sonnenberg Chardonnay
8,70€ · 13%
Ein geradezu rustikal-kräftiger Vertreter seiner Sorte, der kompromisslos seinen Stil zeigt und problemlos auch sehr kräftige Gerichte begleiten kann.

2019 Gau-Odernheim Silvaner
6,90€ · 12,7%
Melonensorbet und Akazienblüte sorgen für frische Aromen, am Gaumen dann Textur und Grip. Die Flasche ist schnell leer getrunken.

2019 Gau-Odernheimer Herrgottspfad Riesling
8,40€ · 12,1%
Bevor man sich gedankenverloren in den gefälligen Riesling hineingeschmeckt hat, um die Länge zu vermessen, hat man schon nachgeschenkt, so fällt das mit der fehlenden Länge kaum auf.

2020 Scheurebe „Lieblingsstück"
6,30€ · 12,1%

2018 Alsheim Merlot
9,20€ · 14,2%
Komplexer Merlot mit großem Tiefgang durch punktgenaue Reife, bestes Potenzial, ein Meisterstück für den Feiertag!

2018 Gau-Odernheimer Herrgottspfad Spätburgunder
10,50€ · 14,5%
Kraftvoller Auftakt mit exotisch anmutendem Gewürzsortiment für die Nase, am Gaumen mit gutem Zug und großer Harmonie, ein perfekter Allrounder vom Essensbegleiter bis zum Solisten für den Abendausklang.

Domhof
Bleichstraße 14,
67583 Guntersblum
T +49 (0) 6249 8057 67
www.weingut-domhof.de

2019 Guntersblumer Sauvignon Blanc
8,90€ · 11,5%

Eimermann Domtalhof
Hauptstraße 116 und 134,
55283 Nierstein
T +49 (0) 6133 593 47
www.weingut-eimermann.de

2019 Sauvignon Blanc
6,50€ · 12,5%

Fleischer – Weingut der Stadt Mainz

Rheinhessenstraße 103,
55129 Mainz-Hechtsheim
T +49 (0) 6131 59797
www.weingut-fleischer.de

Inhaber Stefan Fleischer
Rebfläche 40 ha
Produktion 350.000 Flaschen
Gründung 1742
Verkaufszeiten
Mo–Mi, Fr 10–12 Uhr
und 13–18 Uhr
Do 10–12 Uhr und 13–20 Uhr
Sa 10–18 Uhr

Schaut man in die Annalen der Familie Fleischer, lässt sich ihr Engagement im Weinbau bis in das Jahr 1742 zurückverfolgen. Eine stolze Tradition, der sich heute Stefan Fleischer verbunden fühlt. Er führt das Familienweingut mitsamt dem Weingut der Stadt Mainz, das er seit 1994 gepachtet hat, mit Geschick und Weitsicht. Seine Lagen, die nachhaltig umweltschonend bewirtschaftet werden, verteilen sich rund um die Landeshauptstadt und sind bestockt mit klassisch heimischen Rebsorten, aber auch mit Global Playern. Ein Augenmerk des quirligen Winzers liegt auf den Rieslingen, die Stefan Fleischer teils in traditionellen Stückfässern spontan vergären lässt oder mit Reinzuchthefen im Edelstahltank ausbaut.

2016 Bodenheimer Ebersberg Riesling „50° Nord" 1. Lage
15€ · 12,5%
Riesling muss nicht immer blutjung getrunken werden: Hier stehen getrocknete Früchte, etwas Gurke und Quitte sowie würzig-pfeffrige und Honigaromen im Mittelpunkt. Vielschichtiger Wein. Passt gut zu gereiftem Ziegenkäse.

2018 Bodenheimer Hoch Riesling „Selection Rheinhessen"
10€ · 13,5%

2019 Bodenheimer Mönchspfad Roter Riesling
12,50€ · 13%

2019 Bodenheimer Silberberg Riesling
18€ · 13%

2019 Riesling „Rhein Classic" halbtrocken
5,50€ · 12%

2020 Gewürztraminer Spätlese
7€ · 11,5%

2020 Sauvignon Blanc
6,75€ · 10,5%

2016 Cabernet Sauvignon „im Barrique gereift"
17,50€ · 15%
Kraftvoller Rotwein von 20-jährigen Reben mit gekonntem Holzeinsatz und Blick ins Médoc, ideal zu einem saftigen Entrecôte.

♥ **2018** Syrah „im Barrique gereift"
17,50€ · 15,5%
Konzentrierter Syrah mit feinen Holznoten und pfeffrig süßer Würze. Ein Monument, ideal zu Short Rib aus der Szechuan-Küche.

2018 Gau-Bischofsheimer Kellersberg Grauburgunder Trockenbeerenauslese
38€ · 10,5%
Ein Grauburgunder zum Dessert: Getrocknete Orange wird umhüllt von Vanille und Walnuss-Nougat. Sehr dicht verwoben und konzentriert. Etwas honighaft und viskos. Passt zu Amarettini und Tiramisu.

Flik Sektmanufaktur

Marienhofstraße 1, 55130 Mainz
T +49 (0) 1512 4050 575
www.flik.de

Die Sektmanufaktur von Rüdiger Flik hat sich in wenigen Jahren zu einer der besten Adressen für schäumende und prickelnde Weine in Deutschland entwickelt. Erst 2013 gegründet, gilt der gebürtige Karlsruher Flik heute als Spezialist für bemerkenswerte Sekte mit nachhaltiger Aromafülle und feinster Perlage. Gelernt hat Rüdiger Flik sein Handwerk bei Bernhard Huber am Kaiserstuhl, bevor er sich in Mainz-Laubenheim selbstständig machte. Natürlich werden in Fliks exklusiver Manufaktur die Sekte nach der traditionellen Methode produziert und die Grundweine in Holzfässern ausgebaut. Das Resultat der klassischen Produktion sind bestechend klare, reintönige und aromatische Sekte.

Inhaber Rüdiger Flik
Verbände Verband der traditionellen Sektmacher
Rebfläche 0,5 ha
Produktion 20.000 Flaschen
Gründung 2013
Verkaufszeiten
Do–Fr 16–19 Uhr

2015 Pinot Noir „Suavium – Kuss der Liebenden" extra brut
22,50€ · 12,5%
Der Wintersekt: dicht und kraftvoll, mit rosinig-würzigen Noten und Rhabarber, Champagnerstilistik, feine Perlage, schmelzig.

2018 Auxerrois brut
16,50€ · 12,5%
Ungezähmt, wild und noch sehr jung. Jetzt für Mutige, sonst noch ein bisschen im Keller lassen.

2018 Riesling brut
14,90€ · 12,5%
Ein richtiger Charakterkopf. Geradeheraus und ehrlich, mineralisch geprägt und sogar leicht rauchig.

Spätburgunder brut
17,50€ · 12,5%
Ungemein sanfter, ganz und gar „relaxter" Ausdruck, cremig und weich am Gaumen, gekrönt mit einer betörenden Pinot-Nase, zum Träumen!

Weingut Gehring

Außerhalb 17, 55283 Nierstein
T +49 (0) 6133 5470
www.weingut-gehring.com

Inhaber Diana & Theo Gehring
Betriebsleiter Theo Gehring
Kellermeister Theo Gehring
Rebfläche 16 ha
Produktion 110.000 Flaschen
Verkaufszeiten
Fr 17–19 Uhr
Sa 10–16 Uhr
und nach Vereinbarung

Theo Gehring und seine Frau Diana betreiben in Nierstein eine gemütliche Weinwirtschaft, die immer einen Abstecher lohnt. Denn zu herzhaften leckeren Gerichten werden die gutseigenen Weine serviert, die der leidenschaftliche Winzer mit seinem Team auf die Flaschen bringt. Das sind vor allem Gewächse aus Parzellen in der renommierten Lage Roter Hang, die Weinberge bearbeitet Gehring umweltschonend naturnah und vorwiegend in mühsamer Handarbeit. Im Keller lässt der Winzer die spontane Gärung zu und gibt den Weinen ausreichend Zeit, damit sie, teils in traditionellen Holzfässern, im Barrique oder Tonneau, zu komplexen und aromatisch nachhaltigen Gewächsen reifen. Seit dem Jahrgang 2013 hat der Betrieb auch die historische Rebsorte „Gelber Orleans" im Portfolio, die bereits vor 200 Jahren am „Roten Hang" angebaut wurde.

2018 Niersteiner Oelberg Chardonnay „Alte Reben"
12,50€ · 14,5%

2018 Niersteiner Oelberg Gelber Orleans
12,50€ · 12,5%

2019 Cuvée „Herr Müller geht fremd"
6,90€ · 12%

2019 Cuvée „Viel Harmonie"
6,90€ · 12%

2019 Niersteiner Bildstock Grauburgunder „Alte Reben"
15,90€ · 14%

2019 Niersteiner Hipping Riesling
15€ · 13%
Die druckvolle Eleganz und reichhaltige Struktur machen diesen Wein zum Burgunder unter den Rieslingen. Für anspruchsvolle Gäste.

2019 Roter Hang Riesling
7,50€ · 12%

2019 Scheurebe halbtrocken
7,20€ · 11,5%

2020 Grauburgunder
7,50€ · 12%

2020 Muskateller
7,20€ · 9%

2018 Niersteiner Bildstock Spätburgunder
12,50€ · 14,5%

2019 Niersteiner Bildstock Frühburgunder
9,90€ · 13%

Cuvée „Vollmond“
7,90€ · 12,5%

2020 Spätburgunder „Rosé“ halbtrocken
7,20€ · 11,5%

Spätburgunder
7,20€ · 12%

2017 Riesling brut nature
14,90€ · 12%

Eckehart Gröhl

Uelversheimer Straße 4,
55278 Weinolsheim
T +49 (0) 6249 8090 00
www.weingut-groehl.de

Inhaber Eckehart Gröhl
Verbände Maxime Herkunft Rheinhessen, Pro-Riesling
Rebfläche 25 ha
Produktion 170.000 Flaschen
Verkaufszeiten
Mo–Fr 8–12.30 Uhr
und 14–17 Uhr
Sa 8–16 Uhr
und nach Vereinbarung

Kompromisslose Weinqualität zu erzeugen, das hat sich Eckehart Gröhl auf die Fahne geschrieben. Kein leichtes Unterfangen, denn die Parameter ändern sich jedes Jahr und die Launen der Natur sind unberechenbar. Doch der Familienbetrieb ist unbeirrbar auf Erfolgskurs, mittlerweile wird Eckehart Gröhl auch von seinen Kindern Franziska und Johannes unterstützt. Auf rund 25 Hektar Anbaufläche werden 19 Rebsorten kultiviert und in individuelle Weine verwandelt. Auch das ist eine Herausforderung, die der Weinolsheimer Betrieb meistert. Ergänzt wird das interessante Weinangebot mit Sekten aus traditioneller Flaschengärung und einigen spritzigen Seccos, die über jeden Zweifel erhaben sind.

2019 Nierstein Riesling „Roter Hang" (2 Trauben)
8,90€ · 13%

2019 Niersteiner Hölle Weißburgunder (4 Trauben)
25€ · 12,5%
Der Janus-Weißburgunder zeigt sich von zwei Seiten. Im ersten Moment kraftvoll-voluminös, entwickelt er dann eine feine Eleganz und Straffheit. Birne, etwas Melone, Apfel und weißer Pfeffer. Passt zu Spargel – etwa mit Parmesankruste.

2019 Niersteiner Pettenthal Riesling (3 Trauben)
25€ · 13%
Ein Riesling mit vielen Gesichtern: Erst fest, fast karg mit Grip und Struktur dreht er sich in eine lange anhaltende Cremigkeit. Viel Würze und Salzigkeit. Kann es mit Oliventapenade oder Tapas aufnehmen.

2019 Niersteiner Ölberg Riesling (3 Trauben)
15,50€ · 13,5%
Barocke Süße und opulente Frucht wirken gediegen und sehr ernsthaft. Dieser Wein steckt auch sehr stark gewürzte Gerichte locker weg.

2019 Oppenheim Riesling „Kalkstein" (2 Trauben)
9,70€ · 13%

2020 Dalheimer Sauvignon Blanc (2 Trauben)
8,70€ · 12%

2020 Dalheimer Grauburgunder (2 Trauben)
8,70€ · 12,5%

2020 Niersteiner Weißburgunder „Kalkstein" (2 Trauben)
9,90€ · 12,5%

2016 Niersteiner Hölle Spätburgunder „Pinot Noir"
26,50€ · 12,5%
Der charmante Vielschichtige: Mit ihm wird es nicht langweilig. Allein der Duft betört. Pflaume, Vanille, Nelke, Zigarrenkiste. Dicht, burgundisch und mit frischer Kirsche und Himbeere. Passt zu würzigen Gerichten, etwa zu Bœuf bourguignon oder Paprika und Aubergine aus dem Smoker.

2016 Oppenheimer Herrenberg Spätburgunder „Pinot Noir"
17,50€ · 12,5%
Pinot-Essenz: dichtgewoben und charmant, mit würzigem Karamell, Kirsche und Pflaume. Feinrauchig. Passt zu Rouladen oder Sauerbraten. Kann man noch weglegen.

2018 Dalheimer Spätburgunder „Alte Reben"
9,70€ · 13%

Cuvée „Pinot Blanc" brut
12,90€ · 12,5%

Pinot blanc brut
12,90€ · 12,5%
Ruhige ausgewogene Aromen der gereiften Pinots, die sehr weinige Basis erzeugt Trinkfluss. Empfehlenswert für Sektliebhaber, die eine moderate Säure schätzen.

Riesling brut
11,90€ · 12,5%

Weingut Gunderloch

Carl-Gunderloch-Platz 1,
55299 Nackenheim
T +49 (0) 6135 2341
www.gunderloch.de

Inhaber Johannes Hasselbach
Verbände VDP
Rebfläche 24 ha
Produktion 180.000 Flaschen
Gründung 1890
Verkaufszeiten
Mo–Fr 9–16 Uhr
Sa 11–14 Uhr
und nach Vereinbarung

Dass das renommierte Weingut in Nackenheim für Carl Zuckmayers Lustspiel „Der fröhliche Weinberg" Pate stand, wissen nur wenige. Bekannt ist der Familienbetrieb vor allem für seine bemerkenswerten Weine, allen voran die eleganten mineralischen Rieslingen aus Nackenheimer und Niersteiner Lagen. Johannes Hasselbach hat nach dem zu frühen Tod seines Vaters im Jahre 2016 zwar ein schweres Erbe angetreten, die Herausforderung aber bis heute mit Bravour gemeistert. Geholfen haben ihm dabei sicher die Einblicke, die er während seiner Tour durch Weingüter auf der ganzen Welt bekommen hat. Nach wie vor werden in dem traditionsreichen Gut Akzente für das Anbaugebiet gesetzt, Weine aus dem Hause Gunderloch gehören unbestritten zur Spitze Rheinhessens.

2019 Pettenthal Riesling GG
36€ · 11,5%
Extrem fordernd in seiner Mächtigkeit und Kraft. Exotisches Fruchtspiel mit straffem Zug am Gaumen. Dass dieser Wein es dennoch schafft, elegant zu bleiben, ist die große Überraschung.

2019 Rothenberg Riesling GG
40€ · 11,5%
Ein Hauch von weißen Blüten und Mandarine, gepaart mit dezenter Holzwürze. Am Gaumen schmelzig und fest strukturiert, verspielt und verführerisch zugleich.

2020 Riesling „Jean Baptiste" Kabinett feinherb
9,80€ · 10,5%
Verspielter feinherber Kabinett mit feiner Steinobstaromatik und zitrischen Noten, ideal zu ganz leichten, nicht zu süßen Desserts, wie eine Joghurtmousse oder eine Panna cotta.

2020 Riesling „vom Roten Schiefer"
9,80€ · 12%
Terroirvertreter: karg, Feuersteinnoten, Apfel und Quitte. Braucht Zeit im Glas. Anspruchsvoller Wein.

2020 Sauvignon Blanc „vom Stein"
9,80€ · 12,5%
Entzieht sich gängigen Mustern, bietet ein frisches belebendes Geschmacksbild unter Meidung süßlicher Flachstellen.

Louis Guntrum

Rheinallee 62, 55283 Nierstein
T +49 (0) 6133 97170
www.guntrum.de

Inhaber
Louis Konstantin Guntrum
Betriebsleiter Dirk Roth
Kellermeister Dirk Roth
Rebfläche 12 ha
Produktion 100.000 Flaschen
Verkaufszeiten
Mo–Do 7–12 Uhr
und 13–16.30 Uhr
Fr 7–12 Uhr
und nach Vereinbarung

Seit 2003 führen Konstantin Guntrum und seine Frau Stephanie das familieneigene Weingut, dessen Wurzeln weit zurückreichen. Die moderne Geschichte der Übernahme des Weinguts durch Konstantin von seinem Vater klingt wie aus einer Telenovela. Aus Groll gegen den Sohn verkaufte der Vater einst fast alle Weinberge und Gerätschaften – ein denkbar schwieriger Start für Konstantin. Dass das Weingut heute Top-Qualitäten erzeugt und auch im Exportgeschäft stark ist, verdanken die Guntrums nicht nur ihrem besonders guten Lagenportfolio, zu dem unter anderem Pettenthal und Orbel in Nierstein gehören. Eine Mischung aus Ehrgeiz und Respekt vor dem eigenen Produkt und dem Herzblut, das bei Konstantin sofort spürbar wird, wenn man ihn über seine eigenen Weine sprechen hört, sind wohl die eigentlichen Schlüssel zu dieser Phönix-Geschichte. Konstantin Guntrum wünscht sich seine Weine als Geschichtenerzähler, die zum Genuss einladen und Kontemplation schenken können. Dieser geradezu poetischen Hinwendung zum Wein folgt man nur allzu gern.

2017 Nierstein Hipping Riesling „Louis Guntrum" GG
25€ · 13%
Für Reifefans: Dieser Riesling zeigt, wie sich die Rebsorte entwickeln kann. Hier mit feinfloralen Noten, dichtstrukturiert, mit Honig, malzig, Vanilleschote, Tamarinde und getrocknetem Pfirsich. Etwas bittere Grapefruitschale. Passt zu Pflaumen im Speckmantel.

♥ **2019** Nierstein Oelberg Riesling 1. Lage
16,50€ · 13,5%
Fast schon gefährlich süffig dank eines gefälligen Auftritts mit viel Aprikose und gelben Früchten. Bietet sich an zu Maultaschen mit Wildfüllung und Salzaprikosen.

2019 Niersteiner Riesling 🍇🍇
10,30€ · 12,5%
Brückenriesling: Andockstation für Weiß- und Grauburgunder-Liebhaber. Sehr saftig und animierend mit Aprikose und reifer Mango. Intensiv und präsent. Ein Riesling für eine breite Zielgruppe.

2019 Oppenheim Sackträger Riesling 1. Lage 🍇🍇🍇
16,50€ · 13,5%
Ein edler Typ mit Aromen von Karamell und eingelegten Früchten. Gediegen und ernsthaft, im besten Sinne traditionell. Dazu darf es gerne modern werden: Sushi mit Ingwer und Wasabi.

2017 Pinot Noir „Réserve" 🍇🍇🍇🍇
30€ · 14%
Das ist alte Schule. Dieser Wein nimmt einen mit auf eine Zeitreise und ist das perfekte Geschenk für Spätburgunder-Nostalgiker. Ein absoluter Klassiker.

2016 Riesling brut 🍇🍇
16€ · 12%
Klassischer Riesling-Sekt mit dreijährigem Hefelager. Kraftvolle Würze und zarter Schmelz machen ihn zum Allrounder vom Aperitif bis hin zum Begleiter eines ganzen Menüs.

Weingut Hiestand

Nordhöferstraße 19,
67583 Guntersblum
T +49 (0) 6249 2266
www.hiestand-weingut.de

Inhaber Gunther Hiestand
Betriebsleiter Gunther Hiestand
Verbände Maxime Herkunft Rheinhessen
Rebfläche 12 ha
Produktion 90.000 Flaschen
Verkaufszeiten Sa 10–16 Uhr und nach Vereinbarung

Zeit ist im Weingut von Gunther Hiestand ein entscheidender Faktor. Das gilt nicht nur für die sorgsame und nachhaltige Bearbeitung der Weinberge, sondern vor allem für die Kellerwirtschaft, in der alles wohlüberlegt und ohne Hektik und übertriebenen Aktionismus passiert. Den Weinen tut es gut, in einem entspannten Umfeld „groß zu werden". Um seinen Premium-Gewächsen die Chance zu geben, sich noch im Weingut zu wahrer Größe zu entfalten, kommen die „Großen Lagen Weine" aus den Weinbergen Kachelberg und Kreuz erst zwei Jahre nach der Ernte in den Verkauf. Dieses „Zeitlassen" soll sich in Zukunft auch auf die Ortsweine auswirken. Gunther Hiestand möchte seine Weine im Mittelsegment weniger in die schnelle Vermarktung bringen, ihnen dafür mehr Zeit geben, um das langlebige Profil besser zur Geltung bringen zu können.

2018 Kachelberg Weißburgunder 🍇🍇🍇
24€ · 13%
Ungemein harmonischer, ausdrucksstarker Weißburgunder mit beeindruckender Substanz und Würze, ideal zu gebratener Dorade mit Zitronenbutter.

2018 Kreuz Riesling

24€ · 12%

Sehr vielschichtig und muskulös. Da treffen Aromenwelten von gepökeltem Fleisch und Rauch auf Noten von Flieder und Bitterorange. So ein breitschultriger Wein will gekonnt kombiniert werden. Wir denken an einen erdigen Feldsalat mit fein gebratener Wachtel.

2019 Guntersblum Gewürztraminer

11,90€ · 14%

Gehaltvoller, wuchtiger Gewürztraminer mit hocharomatischem Facetten-Reichtum, ideal zu gereiftem Bergkäse wie Beaufort.

2019 Guntersblum Riesling

11,90€ · 12%

Der Denker-Riesling: strenge Dichte am Gaumen mit rauchiger Mineralik, Grip und Feuerstein – dazu zurückhaltende Duftigkeit nach Apfel und Melone. Gelungener Holzeinsatz. Dazu passt gebackener Kalbskopf.

2019 Guntersblum Silvaner

11,90€ · 13%

Parade-Silvaner: cremig-fester Kern umschlossen von frisch aufgeschnittenem grünem Apfel und Apfelschale, Birnen, Kräutern und etwas Karamell. Etwas Grapefruit. Viel Grip und animierende Säure. Dazu passt Chicoréesalat mit Orangenspalten.

2019 Guntersblumer Bornpfad Gewürztraminer Spätlese

11,90€ · 10,5%

Diese restsüße Gewürztraminer-Variante ist ein wunderbarer Begleiter von Erdbeeren mit leicht angeschlagener Sahne.

2019 Sauvignon Blanc

8€ · 12%

Fritz Ekkehard Huff
Hauptstraße 90,
55283 Nierstein-Schwabsburg
T +49 (0) 6133 58003
www.weingut-huff.de

2019 Nierstein Sauvignon Blanc „The Yellow Bird"
9,20€ · 12,5%
Feine, von der Weinhefe mitgeprägte Würze, guter Zug und feine Harmonie.

Georg Gustav Huff
Woogstraße 1,
55283 Nierstein-Schwabsburg
T +49 (0) 6133 50514
www.weingut-huff.com

2019 Sauvignon Blanc
6,50€ · 12%

Weingut Jung

Neueinsteiger

Alzeyer Straße 4,
55278 Undenheim
T +49 (0) 6737 246
www.wein-macht-jung.de

Inhaber Georg Jung
Betriebsleiter Georg Jung
Kellermeister Johannes Jung
Verbände Generation Riesling
Rebfläche 21 ha
Produktion 70.000 Flaschen
Gründung 1892
Verkaufszeiten
Mo–Fr 15–18 Uhr

Im romantisch verträumten Selztal hat der Weinbau eine lange Historie, auch das Weingut der Familie Jung in Undenheim, das aktuell von Georg und Helga Jung geleitet wird, gibt es dort schon seit sechs Generationen. Und es geht weiter! Sohn Johannes ist in den Betrieb eingestiegen und seit dem Jahre 2019 für die Vinifikation der Weine verantwortlich. Der junge Winzer bringt schon einiges an Erfahrung in das elterliche Gut ein, nach seiner Ausbildung hat er auf Weingütern in Neuseeland und Südafrika gearbeitet. Und er ist Mitglied in der Vereinigung Generation Riesling, die immer für einen erfrischenden Gedankenaustausch gut ist. Sortentypizität und Frische, aber auch Mineralität, nachhaltige Fülle, Tiefe und vor allem Herkunftsgeschmack kennzeichnen die vinologische Handschrift von Johannes Jung. Um die Weine vor Ort noch besser präsentieren zu können, ist aktuell eine neue moderne Vinothek im Bau, die Ende 2021 fertiggestellt sein soll.

2018 Undenheim Goldberg Chardonnay
15,50€ · 14%
Eine Jakobsmuschel in Beurre noisette an Wildkräutern ist idealer Partner für ein gelungenes Spiel von Frucht und Holz, das mit der Zeit im Glas gewinnt.

2019 Undenheim Chardonnay
8,50€ · 13,3%

2018 Selzen Osterberg Sankt Laurent „Selzen"
12,50€ · 14,5%
Markante Würze und ein süßer Kern zeichnen diesen schönen Wein aus, perfekt mit geräuchertem Schinken.

Kapellenhof – Ökonomierat Schätzel Erben

Kapellenstraße 18, 55278 Selzen
T +49 (0) 6737 204
www.weingut-kapellenhof.de

Inhaber Thomas Schätzel
Verbände Maxime Herkunft Rheinhessen
Rebfläche 18 ha
Produktion 100.000 Flaschen
Gründung 1350
Verkaufszeiten
Mo–Fr 8–18 Uhr
Sa 9–14 Uhr

Die Zeichen im Weingut von Thomas und Sabine Schätzel stehen auf Konzentration. Nachdem die Lohnkelterei und der Traubenvollernter abgegeben wurden, will sich das Winzerpaar nur noch auf die eigenen Weine konzentrieren und ihre ganze Kraft in den sorgsamen Ausbau der Gewächse stecken. Ein Augenmerk liegt natürlich auf den Weinbergen, die umweltschonende und naturnah bewirtschaftet werden, auch um die feine Mineralität der Böden später im Wein schmeckbar zu machen. Damit das gelingt, setzt Thomas Schätzel im Keller auf die individuelle Behandlung der Moste und greift nur dann ein, wenn es nötig ist. Ob im Edelstahl, im Holzfass oder im Barrique: Jeder von seinen Weinen reift in dem Material, das die Aromen und Eigenheiten der Rebsorte am besten hervorbringt.

2018 Selzen Silvaner „Alte Reben"
9,80€ · 13,5%
Süßliche und exotische Frucht zusammen mit vanilligen Noten. Ein Wein mit Pausbäckchen, der am Gaumen mit Dichte und Fülle punktet.

2019 Hahnheim Riesling „Kalkmergel"
8,30€ · 13,5%
Von traditionellen Aromen getriebener Riesling mit fester Salzigkeit. Apfel und Pfirsichnoten in der Nase und am Gaumen.

♥ **2019** Hahnheimer Knopf Riesling „Ökonomierat E" 
15€ · 13,5%
Bringt von Haus aus Haltung, Statur und Werte mit, die sich in einem markanten Auftritt äußern, dem sein Säurekleid eng, aber schmückend anliegt.

Weingut Kissinger

Außerhalb 13,
55278 Uelversheim
T +49 (0) 6249 7969
www.weingutkissinger.de

Inhaber Jürgen Kissinger
Betriebsleiter Jürgen Kissinger
Kellermeister Moritz & Jürgen Kissinger

Der Uelversheimer Familienbetrieb ist ständig in Bewegung. Jürgen Kissinger und Sohn Moritz arbeiten mit Leidenschaft an ihrer Wein-Philosophie, um beste Ergebnisse in die Flaschen zu bringen. Nachdem der rund 13 Hektar große Betrieb biozertifiziert wurde, macht man den nächsten konsequenten Schritt und befindet sich gerade in der Umstellung auf biodynamischen Weinbau. Seit März 2020 ist das Weingut dazu Mitglied im Demeter-Verband und folgt in Weinberg und Keller den strengen Richtlinien des Zusammenschlusses. Der schonende Umgang mit den natürlichen Ressourcen steht denn auch ganz oben auf der Agenda des Betriebes, der neben dem klassischen Riesling vor allem weiße und rote Burgundersorten kultiviert.

Verbände Demeter
Rebfläche 12,8 ha
Produktion 80.000 Flaschen
Verkaufszeiten
nach Vereinbarung

2019 Sauvignon Blanc „Duo N° 1 Fumé" 🍇🍇
10,40€ · 12%
Unaufgeregt typischer Vertreter der Gattung Sauvignon Blanc mit Fülle, Kraft, Cremigkeit und Potenzial für eine Zeit im Keller.

2020 Sauvignon Blanc „Duo N°1" 🍇🍇
10,70€ · 12,5%
Das ist Kraft, das ist Masse, das ist fast Wucht. Verträgt sich dergestalt gut mit Kurzgebratenem und gegrilltem Paprika.

2020 Uelversheimer Geierscheiß Riesling 🍇🍇
19,80€ · 12,5%
Pures Urlaubsfeeling im Glas, dieser Wein lässt einen vom Sommer träumen und bringt eine Spur Exotik auch an regnerischen Tagen ins Wohnzimmer.

2020 Uelversheimer Tafelstein Weißburgunder 🍇🍇🍇
19,80€ · 12,5%
Struktur, Finesse, Balance und Länge bei vernehmlicher Cremigkeit. Hoher Unterhaltungswert mit Zug, macht sich gut zu Seeteufel und Ofentomaten.

2018 Oppenheimer Herrenberg Pinot Noir 🍇🍇🍇
15,80€ · 13,5%
Kraftvolle Würze mit Noten von Kakao, eine feste Struktur gepaart mit einer harmonischen Säure empfehlen diesen Wein für ein Entrecôte mit feinen Röstaromen und durchaus auch noch für etwas Kellerreife.

Bürgermeister Carl Koch

Wormser Straße 62,
55276 Oppenheim
T +49 (0) 6133 2326
www.carl-koch.de

Inhaber Paul Berkes
Betriebsleiter Agustin G. Novoa
Kellermeister Agustin G. Novoa
Verbände Ecovin
Rebfläche 11,5 ha
Produktion 60.000 Flaschen
Gründung 1833
Verkaufszeiten
Mo–Fr 9–12 Uhr und 13–17 Uhr
Sa 10–13 Uhr
und nach Vereinbarung

Im Oppenheimer Traditionsweingut ist kaum ein Stein auf dem anderen geblieben. Nach einigen großen Renovierungsarbeiten erstrahlt der Betrieb in neuem Glanz und hat nun auch die Möglichkeit, Weinproben und Veranstaltungen für größere Gruppen anzubieten. Ein besonderer Hingucker ist die neu gestaltete historische Säulenvinothek, in der alle Weine in Reih und Glied zur Verkostung bereitstehen. Nicht geändert hat sich das akribische Arbeiten in Weinberg und Keller, um bestmögliche Qualität auf die Flasche zu bringen. Und natürlich sind die Weinberge biozertifiziert und werden entsprechend umweltschonend bewirtschaftet. Das ganze Weingut ist eine runde Sache, quasi ein durchdachter Kosmos, in dem Qualität, Biodiversität, Nachhaltigkeit und nicht zuletzt Kundenfreundlichkeit ganz oben stehen.

2018 Oppenheimer Kreuz Riesling „Crux"
13,70€ · 13%
Würzige Kräuterigkeit mit viel Vitalität am Gaumen und gerösteten Nüssen im Abgang. Ein sehr hochwertiger Begleiter zur deftigen Vesper mit Leberwurst und Sauerteigbrot.

2019 Oppenheimer Herrenberg Chardonnay
7,20€ · 13%

2019 Oppenheimer Herrenberg Riesling
7,70€ · 13%

2018 Oppenheim Cuvée „Drei Trauben ein Fass"
12,70€ · 13,3%
Ungemein gut gelungene Rotwein-Komposition mit guter Reife, sanfter und dennoch würziger Aromatik, ideal zum Sonntagsbraten.

2019 Riesling „Oppnat" brut nature
11,70€ · 11,5%
Sehr harmonisch balanciert, feine Riesling-Noten mit kraftvollem Ausdruck, ein perfekter Essensbegleiter.

1971 Oppenheimer Kreuz Silvaner Beerenauslese
47€ · 11,6%
Stoffig elegante Beerenauslese von 50 Jahre alten Silvaner-Reben. Reife Aromatik von Kernobst mit zarten Honignoten, dazu Crêpes Suzette.

2010 Sackträger Riesling „SF" Auslese
16€ · 7,5%
Großes, gereiftes Kino: fast knisternd im Mund mit getrockneter Aprikose, Pfirsich und Mango. Erfrischende Säure gibt dem Wein Spiel. Dazu Aromen von schwarzem Tee. Perfekt zur Teatime mit britischen Scones oder einfach so als Nachtisch.

Weingut Krebs-Grode

Hauptstraße 16,
55278 Eimsheim
T +49 (0) 6249 9080 50
www.krebs-grode.de

Inhaber Hubertus Krebs
Betriebsleiter Hubertus Krebs
Kellermeister Annette & Hubertus Krebs
Verbände Maxime Herkunft Rheinhessen
Rebfläche 28 ha
Produktion 200.000 Flaschen
Verkaufszeiten
Mo–Fr 7.30–12 Uhr
und 13–18 Uhr
und nach Vereinbarung

Mit dem Jahrgang 2018 wurde das Familienweingut von Annette und Hubertus Krebs nach dreijähriger Umstellungszeit biozertifiziert. Für das Winzerpaar ein wichtiger Schritt in die Zukunft des Betriebes, denn der Schutz des fragilen Ökosystems durch intelligente, maßvolle Nutzung der natürlichen Ressourcen liegt ihnen besonders am Herzen. Auch im Keller achten die beiden auf einen nachhaltigen und schonenden Umgang mit den Trauben und bauen ihre Weine naturrein ohne Aromazusätze zu langlebigen und lebendigen Gewächsen aus. Das Angebot ist gut sortiert und abwechslungsreich und reicht vom einfachen Schoppenwein bis zum komplexen Spitzengewächs. Im Jahre 2020 wurde die neue Vinothek fertiggestellt, in der alle Krebs-Weine verkostet werden können. Dazu bietet das neue Gästehaus gemütliche Übernachtungsmöglichkeiten.

2017 Gau-Odernheimer Herrgottspfad Riesling (2 Trauben)
9,90€ · 12,5%
Guter Brotzeitwein: traditionell und gereift mit malzigen Noten, Litschi und Passionsfrucht, abgesoftet, aber dichtgewoben. Etwas Feuerstein und Säurezug.

2018 Sauvignon Blanc (1 Traube)
7,50€ · 13%

♥ **2019** Chardonnay (2 Trauben)
8,95€ · 13,5%
Karamellige Frucht und leichte Süße bringen einen spannenden Kontrast zu leicht salzig abgeschmeckten Süßspeisen wie Topfenknödel mit kräftigem Kompott.

2019 Cuvée „Quarterra" (1 Traube)
8,20€ · 12,5%

2019 Sauvignon Blanc (1 Traube)
6,70€ · 12,5%

2015 Frühburgunder (3 Trauben)
13,90€ · 13,5%
Großartig gereifter Wein voll Harmonie und sanftem wie weichem Auftritt, perfekt zu Wildgefügel.

2018 Cabernet Sauvignon „Quarterra" (2 Trauben)
9,20€ · 13%
Die Sauerkirsche markiert und dominiert diesen schönen Klassiker mit Grüßen aus Bordeaux.

2018 Spätburgunder (1 Traube)
6,90€ · 13%

Krug'scher Hof

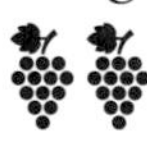

Am grünen Weg 15,
55239 Gau-Odernheim
T +49 (0) 6733 1337
www.villa-im-paradies.de

Inhaber Familie Menger-Krug
Betriebsleiter
Marie Menger-Krug
Kellermeister
Marie Menger-Krug
Verbände DE-ÖKO-22
Rebfläche 47 ha
Produktion 300.000 Flaschen
Gründung 1758
Verkaufszeiten
Mo–Fr 10–18 Uhr
Sa–So 11–18 Uhr

Familie Menger-Krug gehört zur den deutschen Weindynastien mit großer Historie, bereits seit 1758 befindet sich der Krug'sche Hof in Familienbesitz. Ein stolzes Anwesen in Gau-Odernheim, fast 50 Hektar groß mit Weinbergen, die sich von Alzey bis nach Bechtheim erstrecken und auf den unterschiedlichsten Bodenarten stehen. So vielfältig wie deren geologische Zusammensetzung, so differenziert sind die Weintypen und Stile, für die Marie Menger-Krug verantwortlich ist. Doch nicht nur bemerkenswerte Weine bringt die talentierte Winzerin und Kellermeisterin auf die Flaschen. Auch in puncto Sekt gehört das Gut zu den exponierten Erzeugern in Deutschland. Alle Schaumweine werden natürlich in sorgfältiger Handarbeit und nach der Methode der traditionellen Flaschengärung hergestellt. Denn auch Weindynastien verpflichten.

2018 Weißburgunder 
12€ · 12,5%
Ernster Weißburgunder mit unverstellten Aromen von Birne und Apfel. Fest strukturiert. Passt gut zu Spargel mit gehacktem Ei und Schinken.

2019 Auxerrois 
8€ · 11,5%

2019 Chardonnay  
12€ · 11,5%
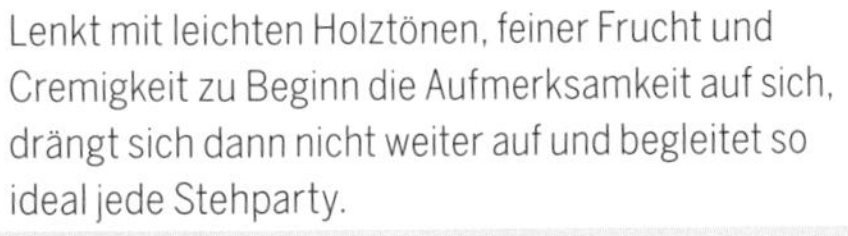
Lenkt mit leichten Holztönen, feiner Frucht und Cremigkeit zu Beginn die Aufmerksamkeit auf sich, drängt sich dann nicht weiter auf und begleitet so ideal jede Stehparty.

2019 Sauvignon Blanc
8€ · 11,5% 
Nimmt mit Noten von gelben und exotischen Früchten schon mal auf der Terrasse Platz, schenkt sich selbst ein und wartet, bis wir mit ihm den warmen Abend ausklingen lassen.

Weingut Kühling-Gillot

Ölmühlstraße 25,
55294 Bodenheim
T +49 (0) 6135 2333
www.kuehling-gillot.de

Carolin Spanier-Gillot und ihr Mann Hans Oliver Spanier sind vielleicht so etwas wie das „Power-Paar" des deutschen Weinbaus. Denn beide leiten gleich zwei hochdekorierte Weingüter in Rheinhessen, nämlich Battenfeld-Spanier und eben Kühling-Gillot. 2002 übernahm die studierte Önologin Carolin die Verantwortung im Weingut als Nachfolgerin von ihrem Vater – mit gerade einmal 24 Jahren. Seit der Heirat mit Hans Oliver Spanier sind die Geschicke der beiden Weingüter eng miteinander verwoben, die Weine zeigen aber immer ihre eigene Charakteristik und lassen sich, obwohl H. O. Spanier als Winemaker für beide Betriebe verantwortlich zeichnet, nie in einen Topf werfen. Auf 18 Hektar zwischen Bodenheim und Oppen-

Inhaber Carolin Spanier-Gillot & Hans Oliver Spanier
Kellermeister Axel Thieme & Christopher Full
Verbände VDP, Maxime Herkunft Rheinhessen
Rebfläche 18 ha
Produktion 100.000 Flaschen
Verkaufszeiten
Mo–Fr 9–17 Uhr
Sa 11–14 Uhr
und nach Vereinbarung

heim werden vor allem Riesling, aber auch Spätburgunder kultiviert, streng nach biodynamisch-ökologischen Vorschriften, also ohne künstliche Bewässerung oder Additive. Im Keller setzt man auf Zeit. Nicht nur, was die Spontangärung und das lange Hefelager angeht, sondern auch bezüglich der Vermarktung. Manche Weine kommen erst nach zwei oder drei Jahren Lagerung am Weingut in den Verkauf – weil man es sich leisten kann und weil das Thema „Terroir" für Spanier-Gillot besonders wichtig ist. Für sie ist es Fakt, dass herausragende Weinlagen einen „genius loci" besitzen, einen eigenen Geist, der den Weinen ihre Größe verleiht, wenn man damit umzugehen weiß. Und die Beschwörung genau dieses Geistes hat man bei Kühling-Gillot längst verstanden.

2019 Hipping Riesling GG

52€ · 12,5%
Gezähmte Wildheit: Viel Apfel, ein Hauch Natural Style, Pfirsich und Limette schweben in einer Struktur aus balancierter Säure und feinem Tanningrip. Sehr dicht und extraktreich mit steiniger Mineralität. Passt zu nordischer und moderner Küche.

2019 Nackenheim Riesling 1. Lage

22€ · 12,5%
Jetzt wunderbar am Punkt – mit viel Reifepotenzial. Feinsinniger Feuerstein trifft exotische Früchte: Mango, etwas Ananas, reifer, praller Pfirsich. Das Ganze strukturiert, dicht verwoben und kompakt.

2019 Nierstein Riesling 1. Lage

22€ · 12,5%
Vor dem Genuss ist noch etwas Geduld gefragt, denn noch ist er verschlossen. Zu erkennen sind als Anlagen ein solider Körper und Finesse, der die Säure zu Ehren gereicht.

2019 Oppenheim Chardonnay „R" 1. Lage

25€ · 12,5%
Noten von Schießpulver, Limette, Vanille und getoastetem Brot sind explosiv und kraftvoll. Am Gaumen wird es schmelzig. Ein großer Chardonnay mit viel Selbstbewusstsein.

2019 Oppenheim Riesling 1. Lage

18,50€ · 12,5%
Wie ein unaufgeregtes, beruhigendes Plätschern – Yoga für den Gaumen. Dabei feuersteinrauchig mit Aromen von Apfel und einem Hauch Nougat. Sehr charming. Passt etwa zu Rippchen mit Sauerkraut.

2019 Pettenthal Riesling GG

52€ · 12,5%

Ein Grenzgänger. Vibrierende Aromatik mit Noten von Toast, kaltem Rauch, Dill und Küchenkräutern. Ein monumentales Gewächs, das wie ein Jäger auf seine Beute lauert. So spannend, dass es fast gefährlich wird.

2019 Ölberg Riesling GG

45€ · 12,5%

Wie eine sanfte Meereswelle fließt dieser Riesling über den Gaumen: Ausgewogene Salzigkeit paart sich mit zitrischer Cremigkeit, weich und fließend. Dazu feine, frische Kräuter. In sich schlank, fast karg und modern. Passt zu Austern und hellem Fisch.

2020 Riesling „Qvinterra"

12,50€ · 12%

Animierender Spaßmacher mit feinnerviger Würze und Anklängen von Feuerstein. Der perfekte Einstieg ins Menü gelingt mit einem leichten Fisch dazu.

2018 Bodenheim Spätburgunder 1. Lage

25€ · 13,5%

Ein völlig runder und ausbalancierter Spätburgunder, der mit viel Würze und Salzigkeit begeistert. Auf Zukunft gebaut, vereint Moderne und Tradition wie kaum ein anderer.

2018 Kreuz Spätburgunder GG

48€ · 13%

Was für ein Fest an harmonisch ineinandergreifenden Aromen, Himbeer-pflaumig bis hin zu balsamisch-schokoladigen Noten. Ungemein viel Druck am Gaumen gepaart mit allerfeinsten Gerbstoffen im Nachklang. Welch ein Vergnügen.

Weingut Lamberth

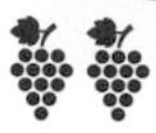

Kirchstraße 20,
55278 Ludwigshöhe
T +49 (0) 6249 8611
www.weingut-lamberth.de

Inhaber Armin & Carsten Lamberth
Rebfläche 19 ha
Produktion 60.000 Flaschen
Verkaufszeiten
Mo–Fr 10–12 Uhr
und 14–18 Uhr
und nach Vereinbarung

Das Niersteiner Weingut ist ein gut funktionierender Familienverbund, in dem zwei Generationen Hand in Hand erfolgreich zusammenarbeiten. Im Auge haben dabei alle das eine Ziel, nämlich besonders hochwertige und ausdrucksstarke Weine auf die Flasche zu bringen. Und das Jahr für Jahr. Um das zu erreichen, werden die Weinberge sehr intensiv, aber sorgsam bearbeitet, bevor der Keller ins Spiel kommt. Hier regiert zwar die Technik wo nötig, doch Carsten Lamberth versteht es mit sicherem Bauchgefühl, die richtigen Entscheidungen zu treffen und mit handwerklichem Geschick umzusetzen. Ergänzend zu seinem attraktiven Weinsortiment bietet das Weingut in limitierter Auflage ausgewählte Weine in der 1,5-Liter-Magnumflasche oder in Doppelmagnumflaschen an.

2015 Grauburgunder „Himmelthal R"
15€ · 15%

2018 Himmelthal Grauburgunder
12,50€ · 13%
Facettenreich. Karamell und Nougat, Kräuter und Heu schon im Auftakt, am Gaumen dann samtig wirkender Schmelz mit langem Nachhall.

2019 Chardonnay und Weißburgunder
8,70€ · 12,5%
Sehr gelungene Komposition aus den beiden eng verwandten Burgundersorten. Viel animierende Frische und Eleganz zeichnen diesen feinen Wein aus.

2019 Gewürztraminer
6,90€ · 13%

2019 Riesling „Authental"
13,50€ · 12,5%
In der Nase weißer Pfirsich, Blüten und was das Rieslingherz begehrt.

2019 Riesling „Kalkstein"
7€ · 12,5%

2019 Sauvignon Blanc
7€ · 12,5%

2016 Spätburgunder „Très Fins"
21€ · 13,5%
Ein Pinot für die große Gesellschaft: feine Kirsche, Kräuternoten, schöne Würze und spannender Tanningrip, dabei saftig und ernsthaft. Hat Entwicklungspotenzial.

2015 Cabernet Franc & Merlot
17,50€ · 13,5%
Ungemein harmonisch komponierte „Bordeaux-Cuvée", sehr elegant gebaut, begleitet sie ideal eine Rinderhochrippe mit Sauce béarnaise.

2019 Cabernet Sauvignon & Merlot
7€ · 12%

2008 „Pinot Blanc de Noir" brut
10,70€ · 12%
Der Sekt zeigt im Auftakt reife Aprikose, Mineralität, ist rauchig, herb-bittere Kaffeenote und Restsüße im Nachhall, der Alkohol ist gut eingebunden, die Säure ausgewogen, dagegen zeigt sich die Perlage fordernd.

2018 Gewürztraminer Auslese
11,50€ · 10%
Feine Rosenaromatik mit viel Schmelz und dichte Süße am Gaumen machen diesen Wein zum idealen Begleiter von marinierten Wald- und Gartenbeeren.

Weingut Landgraf

Außerhalb 9, 55291 Saulheim
T +49 (0) 6732 5126
www.weingut-landgraf.de

Inhaber Andre Landgraf
Verbände Maxime Herkunft Rheinhessen, Message in a Bottle
Rebfläche 20 ha
Produktion 150.000 Flaschen
Gründung 1752
Verkaufszeiten nach Vereinbarung

Den Wandel von Rheinhessen zu einer jungen dynamischen und innovativen Weinbauregion haben Katrin und Andre als Gründungsmitglieder von „Message in a bottle" mitgestaltet, einem 2002 ins Leben gerufenem Zusammenschluss engagierter Jungwinzer. Nur vier Jahre später übernahm Andre Landgraf die Verantwortung im elterlichen Betrieb, seit dem Jahr 2007 ist das 20 Hektar große Weingut biozertifiziert. Das heißt für das Winzerpaar auch, dass alle Weine mit den eigenen Hefen vergoren werden und auf jegliche Chemie im Keller verzichtet wird. Die „Message in a bottle" ist angekommen, das Saulheimer Weingut gilt längst als Qualitätspionier rund um den kleinen Weinort und ist für die rheinhessische Weinszene ein innovativer Vorzeigebetrieb.

2018 Saulheimer Hölle Weißburgunder
21€ · 13%
Finessenreicher Weißburgunder mit noblem Auftritt, idealer Begleiter feiner Fischvorspeisen.

2019 Saulheim Grauburgunder
12,50€ · 13%
Beginnt seine innere Mitte zu finden, die Holznoten und alkoholische Noten zusammenführt. Jetzt trinken, am besten zur Entenbrust mit Apfelkompott und Spitzkohl.

2019 Saulheim Weißburgunder
12,50€ · 12,5%
Eher schlank gebauter vielschichtiger Weißburgunder mit floralen Noten, ein perfekter Solist für den Samstagnachmittag.

2019 Saulheimer Hölle Riesling 🍇🍇🍇🍇
21€ · 12,5%
Kräuterig-herbe Noten treffen auf Nuancen von Crème brulée. Am Gaumen straff strukturiert mit Textur und viel Tiefgang.

2019 Saulheimer Schlossberg Riesling 🍇🍇🍇
21€ · 12%
In seinem Rieslinguniversum schweben Pfirsiche und grüne Äpfel. Der noch dominierenden Säure ordnet sich geschmacklich alles unter.

Weingut Manz

Lettengasse 6,
55278 Weinolsheim
T +49 (0) 6249 8030 08
www.manz-weinolsheim.de

Inhaber Eric Manz
Rebfläche 35 ha
Produktion 250.000 Flaschen
Verkaufszeiten
nach Vereinbarung

Schon im Ortsnamen Weinolsheim steckt das Wort Wein, ein idealer Platz, um genau dort ein Weingut zu installieren. Familie Ganz ist schon seit rund 300 Jahren in Weinolsheim ansässig, aktuell leben vier Generationen auf dem Weingut zusammen. Chef im Familienbetrieb ist Eric Manz, ein junger ambitionierter Winzer, der ständig in Bewegung ist, neue Ideen hat, Dinge ausprobiert, auch auf Erfahrung innerhalb der Familie setzt und zusammen mit seinem Vater für die Qualität der Weine verantwortlich ist. Rund 35 Hektar müssen jährlich vermarktet werden, knapp die Hälfte nehmen davon Rieslinge und Burgundersorten ein. Visitenkarte des Betriebs sind die unkomplizierten Gutsweine, die in ihrer packenden Frische eindrucksvoll zeigen, dass in Weinberg und Keller ausgewiesene und leidenschaftliche Könner am Werk sind.

2019 Chardonnay „Réserve" 🍇🍇🍇
17,60€ · 13,5%
Barock und üppig, in diesem Chardonnay ist viel los: reife Cantaloupe-Melone, Karamell und elegante Holzwürze. Passt etwa zu Taubenbrüstchen in Beurre blanc oder Kalbsfilet mit Champignonrahm.

2019 Grauburgunder „Réserve" 🍇🍇🍇
18,60€ · 13,5%
Geduld wird sich auszahlen, denn noch versteckt er sich hinter floralen Noten, wenngleich er schon erfrischend für sich wirbt.

♥ **2019** Niersteiner Pettenthal Riesling 🍇🍇🍇
25,50€ · 13,5%
Honigmelone wird umtänzelt von Säure, die noch ein wenig Ruhe haben darf. Liefert Partystimmung auf hohem Niveau, die auch den Weingenießer beim Aperitif erfreuen wird.

2019 Oppenheimer Herrenberg Riesling
15,60€ · 13,5%
Das will man einfach trinken. Da bleibt der Ortsname, wie lange er auch sei, im Gedächtnis. Dazu passen Zander, geschmolzener Lardo und Champagnerlinsen.

2019 Sauvignon Blanc
10,20€ · 12%

2019 Weinolsheimer Kehr Riesling
18,60€ · 13%
Ein freudiger Riesling, zugänglich und dabei elegant und vital. Der kann mit jedem und findet viele Freunde am großen Tisch.

2019 Weißburgunder „Réserve"
17,60€ · 13,5%

2020 Riesling „Mineralgestein"
8,20€ · 12%

2020 Sauvignon Blanc „Kalkstein"
10,70€ · 12%

2020 Scheurebe „Kalkstein"
10,70€ · 12%

2016 Cuvée „M Réserve"
40,50€ · 13,5%
Dicht, kraftvoll, lang, ein großer Wein, ungemein beeindruckend durch seine Harmonie, für Festtage.

2016 Oppenheimer Herrenberg Spätburgunder „***M"
19,10€ · 13,5%
Elegant und mit Finesse: Reife Himbeeren treffen auf burgundische Holzwürze und frischen Pfeffer. Straffe Struktur. Passt zu Carpaccio, Rinderfilet (englisch) und Steak Tatar.

2016 Oppenheimer Herrenberg Spätburgunder „Réserve"
29,10€ · 13,5%
Der Bootsdeck-Pinot: charmant und erdbeerig mit offener Frucht, etwa zu Kompott und Karamell mit feiner Chilischärfe.

Pinot Meunier brut nature
13,80€ · 12,5%

2019 Niersteiner Hipping Riesling „196°" Trockenbeerenauslese
99€ · 7,5%
Le cœur de Riesling: Hier geht es zur Sache. Dicht und strukturiert, bei aller satt-exotischen Süße kann die Säure wunderbar erfrischen. Fein balsamisch mit Aromen von Maracuja, Pfirsich und Mirabelle. Kalkige Mineralität. Passt gut zu Stilton.

Weingut Meiser

Alzeyer Straße 131,
55239 Gau-Köngernheim
T +49 (0) 6733 508
www.weingut-meiser.de

Inhaber Familie Meiser
Betriebsleiter Frank Meiser
Kellermeister Charlotte Meiser
Verbände Message in a Bottle, Maxime Herkunft Rheinhessen
Rebfläche 35 ha
Produktion 120.000 Flaschen
Gründung 1696
Verkaufszeiten
nach Vereinbarung

Weinbau ist bei den Meisers Familiensache. Und das schon seit 325 Jahren. Eine stolze Kontinuität, die heute Charlotte und Julius fortführen, die in die Fußstapfen ihres Vaters und Lehrmeisters Frank treten. Ein bisschen frischer Wind, der dem Weingut zu allen Zeiten gutgetan und es auf Erfolgskurs gehalten hat. Aktuell wurden die Etiketten und die gesamte Geschäftsausstattung überarbeitet und modernisiert, gleichzeitig das Sortiment neu strukturiert. In Sachen Bodenbewirtschaftung geht der Blick zurück auf die herkömmliche schonende Bearbeitung der Flächen und eine nachhaltige Förderung des Bodenlebens durch eigenen Kompost. Im Keller stehen noch kleine und große Holzfässer, in denen Kellermeisterin Charlotte die Weine in aller Ruhe spontan vergären lässt.

♥ **2019** Alzeyer Römerberg Riesling „Kalk"
7,90€ · 12,5%
Tropisch-exotische Aromatik. Man möchte ihn gerne einfach trinken und den Abend begrüßen oder auch zum Salat genießen.

2019 Weinheimer Kirchenstück Gewürztraminer „Weinheimer"
9,90€ · 13,5%

2019 Weißburgunder
6,90€ · 12,5%
Feiner Weißwein, fast leger wirkend mit schöner Harmonie, ein wunderbarer Solist für den Sonntagnachmittag im Garten.

2019 Westhofener Steingrube Grauburgunder ♦♦♦
8,90€ · 13%
Der Türöffner: frisch und cremig mit einer Idee von Apfelkompott und Karamell. Bietet viel Trinkfreude.

2017 Weinheimer Hölle Spätburgunder „Reserve" ♦♦♦
18€ · 13,5%
Mit Noten von Marzipan, Speck und Mokka ein kräftig-würziger Auftakt, der am Gaumen nicht nachlässt. Ein toller Begleiter für kräuterige Speisen.

2019 Alzeyer Rotenfels Riesling Auslese ♦♦♦
14,90€ · 9%
Nachtisch-Riesling: ist wahrscheinlich schnell weggetrunken. Cremig-duftige Leichtigkeit, zugänglich mit feiner Exotik. Papaya, Pfirsich und Mango in einem fast limonadigen Medley. Dabei grazil und vibrierend. Passt gut zu Crème brûlée, Baiser mit Obst oder einem Mangosorbet.

Weingut Müller Schwabsburg

Hauptstraße 96,
55283 Schwabsburg
T +49 (0) 6133 5308
www.mueller-schwabsburg.de

Inhaber Ursula & Steffen Müller
Betriebsleiter Ursula & Steffen Müller
Kellermeister Steffen Müller
Verbände Wein vom Roten Hang
Rebfläche 9 ha
Produktion 40.000 Flaschen
Verkaufszeiten
Sa 11–17 Uhr
und nach Vereinbarung

Genuss mit Herkunft, so umschreiben Ursula und Steffen Müller das Ziel ihrer Arbeit und sie liegen damit goldrichtig. Mit Akribie und viel handwerklichem Einsatz bearbeiten sie die unterschiedlichen Böden, auf denen ihre Reben stehen. Naturnaher Anbau im Weinberg, umweltschonende Methoden zur Pflege und der Verzicht auf Chemie sind ihnen dabei selbstverständlich. Denn schließlich geht es Ursula und Steffen Müller darum, die Herkunft im Wein schmeckbar zu machen. Auf diese Art bringen sie Jahr für Jahr ein Stück Natur in die Flasche. Am besten gelingt ihnen das in den Gewächsen aus der renommierten Tonschiefer-Lage Roter Hang, aber auch die Weine aus den Kalksteinlagen des Paterbergs lassen in ihrer nachhaltigen Struktur immer wieder mineralische Akzente aufblitzen.

2019 Sauvignon Blanc ♦
6,10€ · 11,6%

♥ **2019** Schloss Schwabsburg Riesling Spätlese trocken ♦♦
6,50€ · 12,8%
Fast ein bisschen schüchtern am Anfang mit leiser Reife und dezenter Süße am Gaumen. Perfekt kombinierbar zur Languste.

2020 Sauvignon Blanc ♣♣♣
6,10€ · 11,5%
Der Glücklichmacher: Dieser Wein strotzt vor frischer Maracuja und Stachelbeere – das Ganze erfrischend, zugänglich und feinschmelzig. Sehr international. Für den lauen Sommerabend im Garten oder die nächste Party. Dazu? Beispielsweise gratinierter Ziegenkäse mit Birnen-Chutney.

2016 Frühburgunder ♣
7,50€ · 13,5%

2018 Sauvignon Blanc extra trocken ♣♣♣
9,80€ · 12,5%
Duftet nach Frühstück. Pancakes mit Zimt und Zucker, Aprikosen und Karamell. Mit Freunden genießen!

Weingut Münzenberger

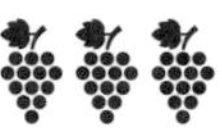

Lindenplatz 9, 55270 Zornheim
T +49 (0) 6136 44573
www.weingut-muenzenberger.de

Inhaber
Andreas Münzenberger
Verbände Maxime Herkunft Rheinhessen, Rheinhessenwein, Bauern- und Winzerverband, Selection Rheinhessen, Vinissima
Rebfläche 19 ha
Produktion 75.000 Flaschen
Verkaufszeiten
nach Vereinbarung

Elegante Weine, die sich dennoch kraftvoll präsentieren, sind das erklärte Ziel von Winzer Andreas Münzenberger. In seinem Weingut in Zornheim, auf dem Sonnenplateau Rheinhessens, setzt er dieses Vorhaben Jahr für Jahr akribisch um. Rund 19 Hektar, verteilt auf vier Gemeinden und mit klassischen heimischen und internationalen Rebsorten bestockt, bewirtschaftet der ausgebildete Weinbautechniker. Unterstützt wird Andreas Münzenberger von Sohn Dominik, der aktuell noch „Internationale Weinwirtschaft" studiert, aber bereits seit fünf Jahren im elterlichen Betrieb seine eigene Weinlinie vinifiziert. Eine gelungene Symbiose von Erfahrung und Zukunft.

2018 Hahnheim Riesling „Feuerstein" ♣♣♣
8,30€ · 12,5%
Ein Festival für das Hier und Jetzt mit gelbfruchtigen Aromen und gewisser Reife, die keinen Aufschub verzeiht.

2018 Selzener Gottesgarten Chardonnay „Chronos" ♣♣♣
24,90€ · 13,5%
Hoffnungsträger, der satte Früchtearomatik und Säure mitbringt, die sich aber noch zusammenfügen müssen. Seine Holznoten hat er hingegen schon einsortiert. Dazu Seefisch oder Rauchaal.

2018 Zornheimer Guldenmorgen Weißburgunder „Alte Reben" ♣♣♣
14,90€ · 14%
Ein zugänglicher Typ, macht es Weißburgunder-Trinkern leicht. Mit Aromen von Birne und Honigmelone, einem kleinen Süßeschwänzchen und seiner offenen Art genau das richtige für einen Abend mit Freunden auf der Terrasse.

2019 Cuvée „Horizon Effect"
8,40€ · 12,5%

2019 Zornheimer Guldenmorgen Riesling „Alte Reben"
15,90€ · 13%
Vibration und Vitalität pur. Ein wilder Typ mit kräuteriger Opulenz, der seine spielerische Seite nicht verliert. Viel Spannung am Gaumen.

♥ **2016** Zornheimer Vogelsang Spätburgunder „Alte Reben Reserve"
17,40€ · 13%
Ein Allrounder: freundlich, zugänglich und offen mit reifer Kirsche, etwas Pflaume, Himbeersaft und Kräutern. Guter Essensbegleiter etwa zu hellem Fleisch, verträgt aber auch ein Steak.

Staatliche Weinbaudomäne Oppenheim

Wormser Straße 162,
55276 Oppenheim
T +49 (0) 6133 9303 05
www.domaene-oppenheim.de

Inhaber Land Rheinland-Pfalz
Betriebsleiter Michael Lipps
Kellermeister Thorsten Eller
Verbände VDP
Rebfläche 24 ha
Produktion 120.000 Flaschen
Verkaufszeiten
Mo–Mi, Fr 9–12 Uhr
und 13–16 Uhr
Do 9–12 Uhr und 13–18 Uhr
Sa nach Vereinbarung

Wie der Name schon vermuten lässt, gehört die Staatsdomäne dem Land Rheinland-Pfalz. Gegründet hat das Weingut Ernst Ludwig Großherzog von Hessen im Jahre 1895, nichts ahnend, dass einmal die Rheinlandpfälzer sein Weingut in Besitz nehmen werden. Die haben aber das Beste daraus gemacht, schließlich kann der 24 Hektar große Betrieb auf renommierte Weinbergslagen entlang der Rheinterrassen von Dienheim bis nach Bodenheim zurückgreifen. Und das Weingut ist im Besitz der Niersteiner Glöck, nach einer Schenkungsurkunde aus dem Jahre 742 die älteste belegte Weinbergslage Deutschlands. Weine aus diesem Jahrgang gibt es natürlich nicht mehr zu probieren, aber in der Schatzkammer der Domäne schlummern Gewächse zurück bis in die 1930er-Jahre.

2019 Niersteiner Oelberg Riesling GG
20€ · 13,5%
Verheißungsvoll nussig reife Noten zum Auftakt gefolgt von straffer Eleganz mit einem sehr harmonischen Finale.

2019 Niersteiner Riesling „Glöck" GG
25€ · 13,5%
Die Farbe deutet Reife an, aber in Nase und Mund zeigt er sich jugendlich und frisch.

♥ **2019** Niersteiner Riesling „Oelberg" Spätlese
9€ · 8%
Pures Extrakt – dicht und viskos. Orangenschale, getrocknete Aprikose und Datteln. Schreit nicht nach Nachtisch, sondern eher nach einem herzhaften Begleiter, etwa Entenpastete oder Rillettes.

Posthof Doll & Göth

Neueinsteiger

Kreuznacher Straße 2,
55271 Stadecken-Elsheim
T +49 (0) 6136 3000
www.doll-goeth.de

Betriebsleiter Roland Doll
Kellermeister Linus Doll
Rebfläche 21 ha
Produktion 200.000 Flaschen
Gründung 1883
Verkaufszeiten
Mo–Fr 8–12 Uhr
und 13.30–18.30 Uhr
Sa 9–17 Uhr
und nach Vereinbarung

Postkutschen halten hier nicht mehr an, heute ist die alte kaiserliche Poststation mit dem wunderschönen Innenhof ein schmuckes Weingut und in den ehemaligen Stallungen finden Weinproben statt. Kredenzt werden dann weiße und rote Gewächse, die Linus Doll auf den Weg gebracht hat. Denn seit dem Jahrgang 2017 ist der Junior für den Keller des Familienbetriebes verantwortlich, davor hat er in Geisenheim sein Weinbaustudium erfolgreich absolviert. Unterstützt wird er mit Rat und Tat natürlich von seinem Vater Roland, der gemeinsam mit seiner Frau Erika seit 1988 den Betrieb leitet. Mittlerweile stehen gut 21 Hektar Rebfläche im Anbau, für das Anbaugebiet typisch bestockt mit Klassikern und einigen Global Playern im Rotweinbereich.

2020 Stadecker Lenchen Riesling „Lenchen“
7,50€ · 13%
Easy Drinking: animierender Riesling mit viel reifem roten Apfel, erfrischend.

2020 Stadecker Spitzberg Chardonnay
7,50€ · 13%
Zischt und prickelt ein wenig an der Zungenspitze und fährt mit einer dezenten Primäraromatik fort. Wird mit phenolischen Tönen zu einer schönen Länge geführt.

2020 Weißburgunder „Spitzberg“
7,50€ · 13,5%
Leise Süße und Aromen von Banane und Ananas freuen sich über Vitello tonnato als Begleitung.

2018 Stadecker Spitzberg Merlot Auslese trocken
15,50€ · 15%

2020 Merlot „Linus Rosé“
7,50€ · 13%

2016 Weißburgunder brut
9,50€ · 12%

Weingut Raddeck

Am Hummertal 100,
55283 Nierstein
T +49 (0) 6133 58115
www.raddeckwein.de

Inhaber Familie Raddeck
Betriebsleiter Familie Raddeck
Kellermeister Stefan Raddeck
Verbände Maxime Herkunft Rheinhessen, Roter Hang
Rebfläche 25 ha
Produktion 250.000 Flaschen
Gründung 1971
Verkaufszeiten
Mo–Fr 9–18 Uhr
Sa 9–16 Uhr

Winzer aus Leidenschaft sind sie beide, Anna-Karina und Stefan Raddeck können sich nichts Schöneres vorstellen, als ihre Arbeit mit der Natur zu verbinden. Schon seit 2003 wird in dem 1971 gegründeten Betrieb ökologisch gearbeitet, für die Raddecks ist diese Art der umweltschonenden Bewirtschaftung ein wichtiger Garant ihrer Weinqualität. Eingeteilt haben sie ihr Sortiment in Guts-, Orts- und Lagenweine, ihre besten Weinberg-Parzellen befinden sich in den renommierten Lagen Heiligenbaum, Pettenthal und Orbel im Roten Hang. Gerade hier ist es das Bestreben, die Einzellagen des Roten Hanges deutlich dazustellen und deren Besonderheiten herauszuarbeiten, um die Premiumweine, die die Handschrift von Anna-Karina und Stefan Raddeck tragen, als authentische und komplexe, spontan vergorene Gewächse für viele Jahre zum Weinerlebnis werden zu lassen.

2018 Niersteiner Roter Hang: Lage Orbel Riesling „Alte Reben" (4 Trauben)
22,50€ · 13%
Nektarine trifft grüne Minze. Am Gaumen viel Spannung und freudiges Spiel von Frucht und geradezu explosiver Mineralität.

2019 Niersteiner Roter Hang: Lage Orbel Riesling (2 Trauben)
15€ · 13%
Gebirgsbäche können nicht klarer fließen, Kirchenglocken nicht klarer klingen. In der Nase Mandelblüten, Sonnenstrahlen, im Mund animierende Pfirsichnote.

2019 Niersteiner Roter Hang: Pettenthal Riesling (2 Trauben)
14,50€ · 13%
Hell strahlt seine Frucht, scheint uns ins Herz. Die gefällige Säurestruktur und die verhaltene Frucht bereiten ein unaufgeregtes Vergnügen.

2019 Roter Hang: Heiligenbaum Riesling (3 Trauben)
13,50€ · 13%
Fast barocke Opulenz aus Pfirsich, Reneclauden und viel, viel Schmelz am Gaumen. Für diejenigen, die gerne mächtige Rieslinge trinken.

2019 Sauvignon Blanc (2 Trauben)
7,70€ · 12,5%
Harmonisch mit guter Balance, straff, mit markantem Ausdruck.

2019 Sauvignon Blanc „Reserve" (3 Trauben)
15€ · 13%
Wunderbares Spiel von Süße und Säure mit Substanz.

2018 Nierstein Cuvée „S" (2 Trauben)
16,50€ · 13,5%
Sehr harmonisch gelungene Rotwein-Komposition mit schöner Dichte, ganz ohne opulent und schwerfällig zu sein, am besten zum Sonntagsbraten.

Rappenhof

Bachstraße 47, 67577 Alsheim
T +49 (0) 6249 4015
www.weingut-rappenhof.de

Inhaber Klaus Muth
Betriebsleiter Hermann Muth
Kellermeister Christian Hahn
Verbände VDP, Barrique Forum, Maxime Herkunft Rheinhessen
Rebfläche 35 ha
Produktion 280.000 Flaschen
Gründung 1604
Verkaufszeiten
Mo–Fr 8–17 Uhr
und nach Vereinbarung

An guten Ideen mangelt es dem traditionsreichen Familienbetrieb in Alsheim nicht. So heißt die neue Weinlinie „Hieronymus und Alexander" und bildet mit den beiden Namen die Klammer um 13 Winzer-Generationen, vom Gründer des Weingutes bis heute. In dieser langen Zeit wurde der Betrieb nach und nach vergrößert, heute stehen 35 Hektar im Familienbesitz, die sich über das Kerngebiet der rheinhessischen Rheinebene zwischen Nierstein und Alsheim erstrecken. Das bringt natürlich auch unterschiedlichste Bodenformationen mit sich, die Reben stehen in Alzheimer Lössterrassen genauso wie auf steinigem Kalkmergel in Oppenheim und tiefgründigem mineralischen Rotschiefer-Terrain im berühmtem Roten Hang. Beste Voraussetzungen für unterschiedliche, individuelle und ausdrucksstarke Weine, die am Gaumen nicht verhehlen, woher sie kommen.

2018 Nierstein Riesling „Pettenthal" GG 
33€ · 12,5%
Umami pur. Salzige Noten von Algen werden ergänzt durch hefig-brotige Nuancen, am Gaumen bleibt ein tolles Spiel von Salz und Säure. Pikant, mundwässernd und stimmungsaufhellend.

2019 Alsheim Chardonnay
14,50€ · 12%
Ein Wein wie Vanillesahne mit Melone und reifem Apfel, cremig und nicht zu tiefgründig. Passt zu hellem Fleisch wie etwa Kalb.

2019 Alsheim Weißburgunder „Pinot Blanc"
14,50€ · 12%
Weißburgunder für jeden: frisch und fruchtig, sehr zugänglich, feingliedrig und elegant. Gelbe Früchte, wie Mirabelle und Aprikose treffen Marzipan. Zum Treffen mit Freunden oder zu hellem Fisch.

2019 Nierstein Pettenthal Riesling GG
33€ · 12,5%
Eigenständiger Eremit. Oregano, Anis und Fenchel in der Nase, geradezu betörend duftig. Am Gaumen dann Bitternis mit Tiefgang und Grip. Will erobert werden.

Rollanderhof Neueinsteiger
Rollanderhof, 55291 Saulheim
T +49 (0) 6732 61820
www.rollanderhof.de

2019 Saulheimer Domherr Sauvignon Blanc „S"
10,20€ · 13%
Schmelzig, cremig, voll und rund.

Weingut Schätzel

Oberdorfstraße 34,
55283 Nierstein
T +49 (0) 6133 5512
www.schaetzel.de

Inhaber Kai Schätzel
Betriebsleiter Kai Schätzel
Kellermeister Madeline Stößel
Verbände VDP, Herkunft Maxime Rheinhessen, Roter Hang
Rebfläche 15 ha
Produktion 80.000 Flaschen
Verkaufszeiten nach Vereinbarung

Nur Riesling, sonst gar nichts? Nicht ganz, aber Silvaner und andere Sorten spielen in dem 15 Hektar Betrieb nur eine Nebenrolle. Der Rebsorten-Held von Kai Schätzel und Kellermeisterin Madeline Stößel ist eindeutig der Riesling. Und der kommt in voller Klasse als Kabinett daher, einem Ausbaustil zwischen Fruchtigkeit und Leichtigkeit bei relativ geringen Alkoholwerten, die leider zunehmend aus der deutschen Weinszene verschwinden. Kai Schätzel hat ihn im Programm, gewachsen in exponierten Niersteiner Lagen, mit Können ausgebaut und mit Geduld auf die Flaschen gebracht. Grund genug zum Feiern, dafür bietet das historische Gutshaus einen schönen Rahmen.

2019 Cuvée „naturweiss"
9,50€ · 10,5%
Eine knochentrockene wie geradlinige Weißwein-Cuvée, ganz ideal für die Gemüseküche.

2019 Ölberg Riesling GG
29€ · 11,5%
Großartiges Riesling-Gewächs, das zuerst einmal viel Luft braucht, durchaus ein Kandidat fürs Dekantieren und dann ein idealer Begleiter für Kalbsbries mit Morcheln ist.

2019 Roter Hang Riesling „Niersteiner Kabinett" 1. Lage feinherb
19€ · 8%
Enorm stoffiger Kabinett, macht viel Freude als Solist oder als Begleiter von Wald- und Gartenbeeren.

Bürgermeister Adam Schmitt
Gaustraße 19,
55278 Mommenheim
T +49 (0) 6138 1214
www.weingut-schmitt-mommenheim.de

2017 Grüner Veltliner „Galan" brut
12,90€ · 12,5%
Ein Sekt mit Rückgrat, Muskeln, neugierigen Falten auf der Stirn – und Kaffee, Speck und viel belebender Säure am Gaumen. Kann beides: Speisen begleiten und solo genossen werden.

Georg Albrecht Schneider

Wilhelmstraße 6,
55283 Nierstein
T +49 (0) 6133 5308
www.schneider-nierstein.de

Inhaber Ursula & Steffen Müller
Betriebsleiter Ursula & Steffen Müller
Kellermeister Steffen Müller
Verbände Roter Hang
Rebfläche 15 ha
Produktion 80.000 Flaschen
Gründung 1806
Verkaufszeiten
Hauptstraße 96,
55283 Nierstein-Schwabsburg
Sa 11–17 Uhr
und nach Vereinbarung

Weine vom Roten Hang gehören in schöner Regelmäßigkeit zu den Spitzengewächsen Rheinhessens, die exponierte Lage am Rhein ist eine sichere Bank für vom Tonschiefer geprägte mineralische und vielschichtige Weine. Die sind auch das Aushängeschild des Niersteiner Familienbetriebes, den Ursula und Steffen Müller mit viel Engagement und Herzblut führen. Mit gezielten Investition in den Außenbetrieb hat das junge Winzerpaar in den letzten Jahren das Qualitätsmanagement des rund 15 Hektar großen Betriebs neu ausgerichtet, was allen Weinen zugutekam. Die Trinkfreude steht dabei im Vordergrund, Ursula und Steffen Müller setzten in ihrem Angebot auf individuelle, aber unkomplizierte Weine, die ihre Herkunft zeigen und nachhaltigen Genuss bieten.

2019 Hipping Berg Riesling Spätlese trocken

17,50€ · 12,5%
Gentleman-Riesling: zurückhaltend und höflich, fast etwas verschlossen. Viel Kräuter und Zitrus. Dezent und nicht zu laut.

2019 Riesling „vom Rotliegenden" Spätlese trocken
8,30€ · 12,5%
Ein sehr charmanter Partygast. Mit seiner aromatischen Mischung aus Frucht und Würze kann dieser Wein auch in großen Runden locker überzeugen.

2019 Sauvignon Blanc
7,30€ · 12%
Ungemein eleganter Sauvignon mit feiner Zitrus-Würze und schlanker Statur.

2019 Vom Roten Hang Riesling „Last Night a Riesling saved my life"
7,30€ · 11,5%
Eine dezente Aromatik, begleitet von viel Schmelz und feiner Würze am Gaumen fügen sich hier zu selbstbewusster Eleganz zusammen.

Mirjam Schneider

Klein-Winternheimer-Weg 6,
55129 Mainz-Hechtsheim
T +49 (0) 6131 59678
www.schneider-weingut.com

Inhaber Mirjam Schneider
Verbände Maxime Herkunft Rheinhessen
Rebfläche 6 ha
Produktion 40.000 Flaschen
Verkaufszeiten
Di–Fr 9–12 Uhr und 14–18 Uhr
Sa 9–13 Uhr
Mo nach Vereinbarung

Nur wenige Kilometer vor den Toren der Landeshauptstadt liegt im Ortsteil Hechtsheim das Weingut Schneider, das bereits seit mehr als 300 Jahren existiert. Noch in der selten gewordenen Kombination aus Landwirtschaft und Weinbau aufgestellt, kümmert sich Mirjam Schneider seit fast 20 Jahren um die Reben, deren Früchte und das, was aus Trauben werden kann. Zum Beispiel animierende Weine, die im An- und Ausbau so natürlich wie möglich belassen werden und denen Mirjam Schneider die nötige Zeit gibt, um sich zu bemerkenswerten Tropfen zu entwickeln. Seit dem Jahrgang 2005 verzichtet der Betrieb auf die Einteilung der Gewächse nach klassischen Prädikaten, alle Schneider-Weine werden als Qualitätswein angeboten und sind nur durch eine unterschiedliche Anzahl von Sternen klassifiziert.

2017 Niersteiner Pettenthal Riesling
25€ · 13,5%
Eine kleine Festung ist dieser Wein: Frucht wird ja auch überschätzt. Hier geht es um Struktur. Rauchig und steinig mit gutem Säurezug liefert dieser Riesling hier ab. Dazu etwas Vanillepuder. Passt zu gebratener Blutwurst mit Kartoffelstampf.

2019 Laubenheimer Edelmann Riesling
15€ · 13,5%
Viel von dem, was viele an Riesling schätzen – saftige Frucht in der Nase wie im Mund und bringt so alles für einen Alltag mit Wein mit.

2019 Laubenheimer Edelmann Silvaner
13€ · 14%
Ein kraftvoller Vertreter seiner Art. Erdig-würzige und krautige Aromen treffen auf opulente Frucht. Verträgt sich gut mit gehaltvollen, fettreichen Speisen.

2019 Sauvignon Blanc „Wirbelwind“
8,60€ · 12,5%
Erwachsen, ernsthaft und ausgewogen.

2016 Gau-Bischofsheimer Herrnberg Spätburgunder
17,80€ · 14%
Moderner, kräftiger Spätburgunderstil, zugänglich und offen mit viel Beerennoten.

Weingut Schönhals

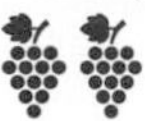

Hauptstraße 23,
55234 Biebelnheim
T +49 (0) 6733 9600 50
www.weingut-schoenhals.de

Inhaber Hanneke Schönhals
Betriebsleiter Martin Knab
Kellermeister Martin Knab
Verbände Demeter, Ecovin, Vinissima, Farmers for Future
Rebfläche 13 ha
Produktion 100.000 Flaschen
Gründung 1971
Verkaufszeiten
Mo–Fr 9–17 Uhr
Sa–So nach Vereinbarung

Dass man im Biebelnheimer Weingut schon 30 Jahre konsequent ökologischen Weinbau betreibt, ist eine stolze Leistung. Wo ansonsten noch über Nachhaltigkeit und Umweltschonung diskutiert wird, ist es im Betrieb von Hanneke Schönhals schon lange Alltag und die biodynamische Bewirtschaftung für den Betriebsleiter Martin Knab Normalzustand. Seit dem Jahr 2019 ist man zudem Demeter zertifiziert, seit 2020 arbeitet auch Christoph Hosseus-Schönhals als Quereinsteiger im Betrieb mit und ergänzt das Team mit frischem Wind. Der weht vor allem in Richtung pilzwiderstandsfähige Rebsorten, in denen der Betrieb Entwicklungspotenzial sieht und dementsprechend die Gewächse „Zukunftsweine“ nennt. Mit dem angesagten Orange Wine hat man bereits den Zeitgeist getroffen und sein Weinangebot deutlich in Richtung junger Weintrinker ausgerichtet.

2019 Orange-Wine aus Cabernet Blanc „Oranje“
14,90€ · 12,5%

2019 Riesling „Kalkmergel“ Kabinett trocken
9,90€ · 13,5%
Little Shop of Flowers: floraler, sanfter Gaumenstreichler mit stahligen Anflügen und Noten von Eistee. Rosenbouquet. Zum Abendbrot.

2016 Pilgerstein Cuvée „Réserve“ Kabinett trocken
29€ · 14%
Zarte Eukalyptus-Noten gepaart mit einer guten Dichte mit Tiefgang zeichnen diese Rotwein-Komposition aus.

2018 Biebelnheimer Pilgerstein Pinot Noir Kabinett trocken
18,50€ · 13,5%
Frische Säure im Mund, gefällig, wenngleich nicht auffällig und verkraftet auch üppigere Speisen und aromatische kühlere Gerichte. Im Ernstfall Trüffel.

2018 Biebelnheimer Pinot Noir „Löss" Kabinett trocken
10,50€ · 13,5%
Klassische Spätburgunder-Nase mit klassischer Fortsetzung im Mund, wo Frucht, Schärfe, Tannine alle dort sitzen, wo sie hingehören. Für jetzt.

2018 Pinot Noir „Blanc de Noir" extra brut
13,50€ · 12%

Weingut Stallmann-Hiestand
Eisgasse 15,
55278 Uelversheim
T +49 (0) 6249 8463
www.stallmann-hiestand.de

2019 Sauvignon Blanc
8,50€ · 12,5%

Weingut Strub

Rheinstraße 42,
55283 Nierstein
T +49 (0) 6133 5649
www.strub1710.de

Inhaber Walter & Sebastian R. Strub
Betriebsleiter Sebastian R. Strub
Kellermeister Sebastian R. Strub
Verbände Roter Hang, Maxime Herkunft Rheinhessen
Rebfläche 15 ha
Produktion 80.000 Flaschen
Gründung 1710
Verkaufszeiten Mo–Fr 8–17 Uhr
Sa nach Vereinbarung

Der bekannte Weinort Nierstein ist seit 1710 die Heimat des Familienweingutes Strub, das auf zwölf Winzergenerationen zurückblicken kann. Unter dem sehenswerten Fachwerkhaus aus dem 17. Jahrhundert liegt der historische Gewölbekeller, der unzählige Weine gesehen hat und bis heute in Betrieb ist. Sebastian R. Strub ist hier der uneingeschränkte Herr der Fässer, seine Idee, auch hochwertige halbtrockene und restsüße Weine zu produzieren, findet bei vielen Kunden auch über Rheinhessen hinaus großen Anklang. Und das zu Recht, denn Sebastian R. Strub ist ein wahrer Meister seines Faches und hat das richtige Händchen, um aus jeder Rebsorte die feinsten aromatischen Nuancen herauszukitzeln, ohne dabei die Weine mit Süße zu überfrachten.

2019 Nierstein Riesling
10€ · 12,5%
Schlägt sich entschieden auf eine Seite, in die Welt der gelben Farben, verlässt sich auf seine Substanz. Begleitet im großen Glas auch eine Pilzpfanne oder mariniertes Getreide.

2019 Niersteiner Oelberg Riesling „Im Taubennest" 
17,50€ · 12,5%
Spätzünder: Er legt sein Augenmerk auf den finalen Satz, wo Noten von Bittermandel Aufmerksamkeit erzeugen. Macht sich gut zu Fisch in Buttersauce.

2019 Niersteiner Orbel Riesling „Steillage"
17,50€ · 12,5%
Breitschultriger Typ im Gleichgewicht: körperreich und präsent. Cremig-sahnig mit viel Pfirsich und einem Hauch Karamell.

2019 Riesling
7,50€ · 12%
Sonniger und freudiger Riesling-Typ mit Noten von Blüten und Kräutern, der mit seinem Biss und seiner Frische für gute Laune sorgt.

Theos Wein und Gut

Neueinsteiger

Hauptstraße 13,
67587 Wintersheim
T +49 (0) 6733 960159
www.theos-weinundgut.de

Inhaber Achim Dettweiler
Verbände PiWi Deutschland
Rebfläche 14 ha
Produktion 20.000 Flaschen
Gründung 2020
Verkaufszeiten
Mo–Sa 9–18 Uhr

Ein echter Newcomer in der rheinhessischen Winzerszene ist der Betrieb von Achim Dettweiler, der seit Juli 2020 am Start ist. Allerdings ist der Winzer kein Unbekannter, gemeinsam mit seinem Bruder Heiko Dettweiler war er für das gemeinsame Weingut Dätwyl verantwortlich. Jetzt geht er eigene Wege und präsentiert seine Weine unter dem Label „Theos Wein und Gut". Der Betrieb liegt im kleinen Dorf Wintersheim, abseits jeglicher Hektik. Rund 14 Hektar Rebfläche, zu denen auch Lagen in Nierstein gehören, werden von Dettweiler und seinem Team naturnah bewirtschaftet. Hier liegt der Fokus gezielt auf widerstandsfähigen neuen Rebsorten, um in Zukunft den Anforderungen von Klimawandel und Nachhaltigkeit besser gerecht zu werden. Im Keller lässt es der Winzer entspannt angehen, die langsame Gärung sorgt dafür, dass möglichst viele Aromen im Wein enthalten bleiben.

2020 Chardonnay feinherb
5,50€ · 12%
Frisch, fruchtig – für das lockere Partygespräch die ideale Ergänzung, als Botschafter der Freude an Geselligkeit und des Zusammenseins.

2020 Nierstein Riesling
8,20€ · 12%

2020 Riesling
5,50€ · 12%
Guter Alltagsriesling. Fruchtbetont-traditioneller Stil mit viel Duft und Aromen von Apfel, Pfirsich und Aprikose, fein steinig.

Weingut Thörle

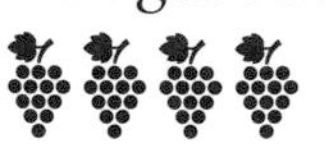

Am Norenberg 0,
55291 Saulheim
T +49 (0) 6732 5443
www.thoerle-wein.de

Inhaber Johannes & Christoph Thörle
Verbände Message in a Bottle, Maxime Herkunft Rheinhessen
Rebfläche 25 ha
Produktion 150.000 Flaschen
Verkaufszeiten
Mo–Fr 9–12 Uhr und 14–18 Uhr
Sa 10–17 Uhr
nach Voranmeldung

Vor rund zwei Jahren wurde das neue hypermoderne Weingut mit Rotweinkeller, Lager und Vinothek am Norenberg mit Blick auf die umliegenden Orte eingeweiht. Für die Brüder Johannes und Christoph Thörle war dies ein ebenso wichtiger Schritt in die Zukunft wie die Umstellung des Betriebes auf ökologischen Weinbau im gleichen Jahr. Die beiden talentierten Winzer, die 2006 das Ruder im elterlichen Betrieb übernommen haben, gehören mit ihren Weinen längst zur Spitze des Anbaugebietes. Knapp die Hälfte ihrer Rebfläche von 25 Hektar ist mit Riesling bestockt, dazu kommen weiße und rote Burgundersorten. In schöner Regelmäßigkeit laufen die Thörle-Weine zur Höchstform auf, sind mal nachhaltig und zupackend, mal elegant und finessenreich. Immer aber tragen sie eine erfreuliche Unkompliziertheit in sich, die den Weingenuss zu einem trinkfreudigen Ereignis macht.

2018 Sauvignon Blanc „Réserve“
25€ · 13,5%
Milde, phenolische Würzigkeit und leiser Rauch.

2019 Chardonnay „Réserve“
25€ · 13%
Eine ruhige Größe mit tiefgründiger Eleganz. Aromen von Haselnuss und Kamille bringen Ruhe und Gediegenheit an den Tisch.

2019 Riesling „Saulheimer Hölle“ 
33€ · 13%
Hält seinen Charakter noch etwas unter Verschluss. Nach ein paar Jahren Kellerreife wird er sich wunderbar entfalten.

2019 Sauvignon Blanc
10,90€ · 12%
Klare Frucht und mit animierender Säure.

2019 Silvaner „Saulheimer Probstey"
25€ · 13%
Silvaner für Fortgeschrittene: Knochentrocken, breitschultrig, karg und intensiv vereint dieser Silvaner Apfelschale und reife gelbe Früchte mit elegantem Holz. Passt zu Schweinsbäckchen und sehr gutem Flammkuchen.

2018 Spätburgunder „Saulheimer Probstey"
39€ · 13,5%
Weihnachts-Pinot: Bringt Lebkuchen gleich mit. Dazu frische Kirsche, viel Würze, saftig und rauchig am Gaumen. Jung mit Potenzial. Passt zur Gans.

Eva Vollmer Weine

Nieder-Olmer-Straße 65,
55129 Mainz-Ebersheim
T +49 (0) 6136 46472
www.evavollmer-wein.de

Inhaber Eva Vollmer
Verbände Ecovin, Bioland
Rebfläche 11,3 ha
Produktion 50.000 Flaschen
Gründung 2007
Verkaufszeiten
Mo–Di, Do 16–19 Uhr
Fr 13–19 Uhr
Sa 9–18 Uhr

Eva Vollmer leitet zusammen mit ihrem Lebenspartner Robert Wagner seit 2007 ihr eigenes Weingut. Von Anfang an setzte sie auf die biologische Bewirtschaftung ihrer ca. elf Hektar Weinberge rund um Ebersheim – und auf Kreativität und Innovation. Nicht nur finden sich auf ihrer Website witzige und verschmitzte Weinbeschreibungen, mit ihrem neuen Projekt will Vollmer die Förderung des nachhaltigen Weinbaus weiter voranbringen. Sie ist die Initiatorin des Projekts „Zukunftsweine", das in der Anpflanzung neuer, pilzresistenter Rebsorten wie zum Beispiel dem Souvignier Gris eine weitere Chance sieht, den Weinbau klimafreundlicher zu gestalten und auch in Zeiten des Klimawandels zukunftsfähig zu machen. Wer Vollmer nicht nur in der Entdeckung ihrer Weine, sondern auch in bewegten Bildern erleben will, dem sei der Film „wein weiblich" ans Herz gelegt, in dem sie eine der Protagonistinnen ist. Der Film beschäftigt sich mit dem „Winzerinnenmythos" in Deutschland und begleitet einige der bekanntesten deutschen Winzerinnen bei ihrer Arbeit.

2018 Gau-Bischofsheimer Herrnberg Weißburgunder „Halbstück"
14,80€ · 14%
Spannung und Spiel: Feine rauchige Noten verleihen Individualität. Dazu hat der Wein viel Zug und Grip. Feinfruchtige Aromen von Apfel, Birne und Sternfrucht und eine zart bittere Note. Passt etwa zu Wildterrine.

2019 Gau-Bischofsheimer Herrnberg Riesling 🍇🍇🍇
18,20€ · 13%
Vielfältig. Würze, Süße, Länge und Wildheit versprechen viel Stoff für Gespräche und machen extrem viel Spaß.

2020 Roter Riesling 🍇🍇
13,50€ · 13%
Ein durch und durch sympathischer Auftritt mit animierender Aromatik, ganz eigener Kräuterwürze am Gaumen, ein idealer Auftakt für einen Abend mit Freunden.

2020 Scheurebe „Kalkader" 🍇🍇
12,50€ · 12,5%
Ein Picknick im blühenden Obstgarten könnte nicht schöner sein, zurücklegen und sich verzaubern lassen.

2020 Souvignier Gris „Zukunftswein" 🍇🍇
10,20€ · 13%

2018 Dornfelder „Barrique" 🍇🍇
14,20€ · 14%
Enorm feinwürziger Rotwein mit Tiefgang, Wärme und feiner Süße in der Mitte. Gutes, von feinem Gerbstoff geprägtes Finale, ideal zu geschmortem Rindfleisch wie einem Brasato al Barolo.

2017 Roter Riesling brut 🍇🍇🍇
12,50€ · 13%
Kann mit jedem ... reif und harmonisch, süßlich, cremig mit Andeutung von Rosinen, perfektes Süße-Säure-Spiel.

Weingut Zehe-Clauss
Neueinsteiger
Rheinhessenstraße 109,
55129 Mainz
T +49 (0) 6131 9728 942
www.zehe-clauss.de

2019 Sauvignon Blanc 🍇
7,50€ · 12,5%

2017 Pinot brut 🍇🍇🍇
13,50€ · 12,5%
Die Aromen in der Nase sind ausgewogen und erinnern an frischen Apfeltrester, Mandarinenmarmelade, Holz und Rauch. Weiche, warme, cremige Aromen gestalten das Mundgefühl. Ein ehrliches handfestes Schaumwein-Vergnügen.

Essen

DAS NACK

Pfarrstraße 13,
55296 Gau-Bischofsheim
T + 49 (0) 6135 3043
www.restaurant-nack.de
Lässig-bequemes Ambiente, eine regionale Karte mit mediterranen Einflüssen, eine gemütliche Weinbar: Das ist das Restaurant Nack, das sich mit Restaurant, Weinkeller, zwei Sälen und einer Terrasse auch für Events anbietet.
Empfohlen von
Klaus Gres

AM BASSENHEIMER HOF

Acker 10, 55116 Mainz
T + 49 (0) 6131 2373 57
www.ambassenheimerhof.de

FAVORITE RESTAURANT

16 | 20
Karl-Weiser-Straße 1, 55131 Mainz
T + 49 (0) 6131 8015 133
www.favorite-mainz.de/restaurants/gourmetrestaurant
In diesem beliebten, eleganten und mehrfach ausgezeichneten Gourmetrestaurant, das mitsamt Panoramaterrasse, Biergarten und Weinbar zum gleichnamigen Vier-Sterne-Hotel gehört, wird unter Regie von Küchenchef Tobias Schmitt mit viel Leidenschaft und Kreativität gekocht. Er bietet verschiedene Menüs an.
Empfohlen von
Carolin Spanier-Gillot

FINKS – WEINE UND MEHR

Breite Straße 65,
55124 Mainz-Gonsenheim
T + 49 (0) 6131 9070 777
www.finks-weine.de
Mediterrane Kleinigkeiten wie Oliven, Paprika, Pulpoarme oder Falafel, Spundekäs, Wurstsalat, Forellenfilet und Flammkuchen: Das ist das Angebot in diesem legeren Lokal, in dem sich alles um guten Wein dreht.
Empfohlen von
Weingut Jung

GASTHAUS WILLEMS

Kapuzinerstraße 29,
55116 Mainz
T + 49 (0) 6131 2109 170
www.gasthaus-willems.de
Die Produkte stammen größtenteils aus der Region, das Fleisch ist biozertifiziert, eingekauft wird nach Jahreszeit. Wo das Team um Jan Appeltrath Pilze, Saft, Geflügel oder Obst einkauft, kann jeder Gast auf der Internetseite nachvollziehen. Und so stehen Wildkräutersalat, Jakobsmuscheln in Wildkräuteröl, Demeter-Kalbsbratwurst, veganes Gemüsecurry oder Panna cotta vom Blumenkohl auf der Karte dieses Lokals, das in einem Gebäude aus dem Jahr 1724 seine Gäste bewirtet. Es gibt einen Weinkeller und eine Brunnenstube sowie Außenplätze auf dem Kirchplatz.
Empfohlen von
Erik und Carolin Riffel

GEBERTS WEINSTUBEN

Frauenlobstraße 94,
55118 Mainz
T + 49 (0) 6131 6116 19
www.geberts-weinstuben.de
Im Herzen von Mainz wird hier in gemütlichem Ambiente ganz traditionell gekocht: mit Mainzer Festtagssüppchen, Rinderfilet in Burgunderjus, in Spätburgunder geschmorte Ochsenbacke und Grießflammerie mit Huzzelfrüchten.
Empfohlen von
Jens Bettenheimer

GENUSSWERKSTATT UND ADAGIO IM ATRIUM HOTEL MAINZ

15 | 20
Flugplatzstraße 44, 55126 Mainz
T + 49 (0) 6131 4910
www.atrium-mainz.de
Zwei Restaurants unter dem Dach eines Hotels: zum einen das Adagio, zum anderen die GenussWerkstatt. In beiden wird auf hohem Niveau gekocht. Im À-la-carte-Restaurant Adagio kann der Gast zwischen verschiedenen Menüs wählen. Ein einheitliches Menü mit zehn kleinen Gängen gibt es in der Genuss-Werkstatt: Die einzelnen Gänge heißen Brotzeit, Karotte, Kohlrabi, Rote Bete, Kräuterlamm oder Quitte und werden puristisch serviert.
Empfohlen von
Jens Bettenheimer

HEINRICHS DIE WIRTSCHAFT
Martinsstraße 10, 55116 Mainz
T + 49 (0) 6131 9300 661
www.heinrichs-die-wirtschaft.com
Auf den Tisch dieses Restaurants im Herzen der Mainzer Altstadt kommt nur das, was den Gastgebern auch selbst schmeckt. Zum Beispiel ligurische Fischsuppe, Hummersalat, Maultaschen, gratinierte Sardinen, Landpastete, Kalbskutteln oder Wildschwein-Saumagen. Aber: Nicht alle Gerichte stehen ständig auf der Karte, da saisonal und marktfrisch eingekauft und gekocht wird.
Empfohlen von
der Redaktion

LA GALLERIE
Gaustraße 29, 55116 Mainz
T + 49 (0) 6131 6969 414
www.lagallerie-mainz.de
Törtchen von Büsumer Krabben, Dreierlei vom Thunfisch, hausgemachte Ricotta-Kräuter-Ravioli, Seezungenfilet oder ein Steak, das bei 850 Grad (mit fallender Hitze) gegart wird: Hier versteht ein Koch sein Geschäft und beweist das schon seit Jahren seiner stetig wachsenden Stammkundschaft. Das Restaurant von Christoph Rubel liegt mitten in Mainz, nahe der Kirche St. Stephan.
Empfohlen von
der Redaktion

LAURENZ
Gartenfeldstraße 9, 55118 Mainz
T + 49 (0) 6131 2168 660
www.laurenz-mainz.de
Eine gigantische Weinkarte, auf der alle namhaften Winzer zwischen Appenheim und Zornheim vertreten sind – das ist schon mal das eine in dieser Weinbar, die als eine der besten in der Region gilt. Snacks aus Aubergine, Kichererbsen und Minze oder Matjes, Kartoffel, Algen und Gin-Limette sind ebenso im Angebot wie Lasagne, gratinierte Muscheln oder gezupfte Entenkeule. Das Brot wird in der Altstadt gebacken, der Salat wächst in Gonsenheim, die meisten Zutaten für die Gerichte sind hausgemacht.
Empfohlen von
Nora Breyer

PANKRATZ
Lindenplatz 6, 55129 Mainz
T + 49 (0) 6131 9577 80
www.restaurantpankratz.com
Junge, innovative Küche mit viel Potenzial wird seit Neuestem im Hechtsheimer Pankratiushof serviert. Der kulinarische Tag fängt mit einem kreativen Frühstück, bestehend aus Buttercroissants, Erdbeermarmelade und Bodenheimer Jersey-Milch an, setzt sich beim Mittagstisch mit Suppen, Salaten, Fisch- und Fleischgerichten fort und endet erst nach dem abendlichen Dinner-Menü.
Empfohlen von
Nora Breyer

RESTAURANT BELLPEPPER IM HYATT HOTEL MAINZ
Templerstraße 6, 55116 Mainz
T + 49 (0) 6131 7311 537
www.bellpepper.de
In diesem Restaurant sitzt es sich ganz wunderbar mit Blick auf den vorbeifließenden Rhein. Die umfangreiche und vielfältige Speisekarte bietet Kotelett vom Apfelschwein, Lachsfilet mit Tomatenpolenta, Tiroler Käsespätzle oder einem Hyatt Burger. Die Weinkarte ist gut sortiert: Weine aus Neuseeland, Italien, Spanien, Frankreich, von der Nahe und natürlich aus Rheinhessen sind im Angebot.
Empfohlen von
Tobias Knewitz

RESTAURANT BOOTSHAUS
Victor-Hugo-Ufer 1, 55116 Mainz
T + 49 (0) 6131 1438 700
www.bootshaus/mainz.de
Einer der schönsten Plätze in Mainz ist dieses Restaurant direkt am Wasser. Patron Frank Buchholz und sein Team kochen regional, bodenständig, bieten Klassiker aus der deutschen Küche an und legen Wert auf Geschmack, kein Chichi. Handkäse mit Musik steht ebenso auf der Karte wie Kalbs-Currywurst, Kalbsschnitzel, Rinderroulade oder Rindertatar mit Stundenei.
Empfohlen von
der Redaktion

STEINS TRAUBE

Poststraße 4,
55126 Mainz-Finthen
T + 49 (0) 6131 40249
www.steins-traube.de
Schon in sechster Generation betreibt Familie Stein ihr Traditionsgasthaus, das sich nach einer Renovierung modern-puristisch präsentiert. Philipp Stein kocht zeitgemäß, innovativ und gleichermaßen traditionell.
Er serviert Artischockensuppe, Kalbsleberparfait mit Pumpernickelcreme, Thunfischkroketten oder Algen-Reisbällchen mit Tofu. Bei der Weinkarte wird der Fokus auf Rheinland-Pfalz gelegt.

Empfohlen von
Stefan & Christian Braunewell

WEINHAUS BLUHM

Badergasse 1, 55116 Mainz
T + 49 (0) 6131 4906 343
www.weinhausbluhm.com
Wer eine echte rheinhessische Weinstube sucht, ist hier richtig. Das Weinhaus Bluhm mit seiner kochenden Gastgeberin Murielle Stadelmann gilt als Klassiker unter den Weinstuben, liegt mitten in der Altstadt und will deutschen Genuss und französische Lebensart kombinieren. Auf der Karte stehen Murielles Hackbraten, Tarte Tartin oder Jakobsmuscheln, Meenzer Fleischwurst, französische Fischsuppe oder Handkäs.

Empfohlen von
Nico Espenschied

CIVITAS WEINRESTAURANT

Marktplatz 9, 55283 Nierstein
T + 49 (0) 6133 5714 995
www.civitasnierstein.eatbu.com
Ein gemütliches deutsch-französisches Restaurant im Herzen des kleinen Städtchens Nierstein: Hier wird feinste Landküche wie Ziegenkäse-Tomaten-Quiche, Jungbullen-Tafelspitz oder Maispoularde serviert, dazu gibt es einen rheinhessischen Wein, der in der Nachbarschaft gewachsen ist.

Empfohlen von
Stefan & Anna-Karina Raddeck

PLAN B

Marktplatz 3, 55283 Nierstein
T + 49 (0) 6133 5779 850
www.planbnierstein.de
Rindfleisch, gefüllt mit irischem Cheddar und Bacon, zum Pulled Pork gibt es einen Krautsalat, den Burger kann man sich je nach Lust und Geschmack pimpen und die Bowl gibt es mit grüner Sauce oder knusprigem Fisch: Eine witzig aufgemachte Speisekarte erwartet den Gast in diesem modernen Lokal hinter alten Gemäuern am historischen Marktplatz. Die Weine stammen von Winzern aus der Nachbarschaft.

Empfohlen von
Lisa Bunn

RESTAURANT BENZOLIVER

Lannerstraße 16a,
55270 Ober-Olm
T + 49 (0) 6136 9224 414
www.benzoliver.de
Junge, moderne Küche bietet das Team um Oliver Benz in diesem rustikalen Restaurant mit angeschlossener Event-Location und einem Schönwetter-Innenhof. Auf der Karte stehen Omas Linsensüppchen mit Frankfurter Würstchen, Lachstatar mit Gurkenspaghetti, Lammkeule auf Ratatouille oder in Rotwein geschmorte Ochsenbäckchen auf Pastinakenpüree.

Empfohlen von
der Redaktion

MUNDART RESTAURANT

Weedengasse 8, 55291 Saulheim
T + 49 (0) 6732 9322 966
www.mundart-restaurant.de
Das Lieblingsrestaurant vieler Saulheimer und Stammkunden aus der Umgebung hat seit vielen Jahren einen guten kulinarischen Ruf. Es ist gemütlich eingerichtet, die Karte bietet bodenständige solide, aber durchaus kreative und aromenreiche Gerichte. Es gibt Salat von Flusskrebsen, bretonische Seezunge oder Kräuterrisotto mit Spargel. Auf der Weinkarte namhafte Weingüter nicht nur aus der Nachbarschaft.

Empfohlen von
Andre Landgraf

KAUPERS RESTAURANT IM KAPELLENHOF
Kapellenstraße 18a,
55278 Selzen
T + 49 (0) 6737 8325
www.kaupers-kapellenhof.de
Der Ort ist historisch und 300 Jahre alt, die Küche umso moderner. Nora Breyer und Sebastian Kauper haben sich der klaren, puristischen Küche verschrieben, die die einzelnen Komponenten auf dem Teller reduziert. Das Menü besteht zum Beispiel aus Budderstulle, gebratenen Steinpilzen, Renke aus dem Laacher See, einem Landgockel, der im Nachbarort aufgewachsen ist, sowie Ochsenfilet mit Roter Bete. Käse und Dessert sind selbstverständlich. Das verwendete Gemüse wird zum Teil selbst gezogen.
Empfohlen von
Alexander und Chris Baumann

ZORNHEIMER WEINSTUBEN
Röhrbrunnenplatz 1,
55270 Zornheim
T + 49 (0) 6136 45616
www.zornheimer-weinstuben.de
In diesem nostalgischen, gemütlichen Küsterhaus lässt es sich gut speisen und ein Glas Wein genießen. Die Karte bietet eine Mischung aus rheinhessischen und mediterranen Speisen, Es gibt Rumpsteaks aber auch gebratene Blutwurst, Spaghetti mit Trüffel oder Kalbsrücken mit grüner Sauce.
Empfohlen von
Martin und Herbert Abthof

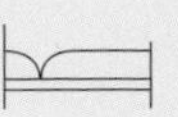

Schlafen

RHEINHESSISCHES BACKSTEINHAUS
Bahnhofstraße 61,
55288 Armsheim
T +49 (0) 178 9839 005
E-Mail fewo1925@web.de
Eine ganz besondere und vor allem individuelle Unterkunft für Reisende, die sich selbst versorgen wollen: Hier ist man in einem modernisierten Haus aus dem Jahr 1925 für sich und kann entspannt nach Flonheim wandern, um sich den Trullo in den Weinbergen anzugucken. Familie Langsdorf hat das Haus mit seinen zwei Zimmern, Küche und Bad stilvoll eingerichtet, sodass es einem an nichts mangelt.
Empfohlen von
der Redaktion

LANDHOTEL WEINGOLD
Hauptstraße 33,
67583 Guntersblum
T +49 (0) 6249 7965
www.weingold-guntersblum.de
400 Jahre alt ist dieses Gebäude, das lange als Pfälzer Hof firmierte. Die Vorfahren des Autobauers Chrysler lebten früher mal in dem Haus, deswegen gibt es auch immer noch ein Chrysler-Zimmer. Die Winzer-Familie Baumann betreiben dieses Haus mit seinen zehn Zimmern. Zum Hotel gehört ein Restaurant, sowie eine Ferienwohnung.
Empfohlen von
der Redaktion

SCHLAFGUT DOMHOF
Bleichstraße 12-14,
67583 Guntersblum
T +49 (0)) 6249 8057 67
www.weingut-domhof.de/schlafgut
Übernachten beim Winzer – das geht in diesem Drei-Sterne-Hotel. Denn Familie Baumann betreibt nicht nur ein Weingut, sondern auch das Hotel mit seinen modern eingerichteten zwölf Zimmern. Die übrigens Riesling-Lounge, Zehntscheune oder Flaschenlager heißen. Brautpaare übernachten im Raum mit dem Namen Wolke 7. Und wer immer schon mal in einem Escape-Raum ein paar Aufgaben lösen wollte, hat hier die Gelegenheit. Kleine Info am Rande: Man muss als Weinspion die neueste Kreation des Kellermeisters herausfinden!
Empfohlen von
der Redaktion

JORDAN'S UNTERMÜHLE

Außerhalb 1,
55278 Köngernheim
T +49 (0) 6737 71000
www.jordans-untermuehle.de

Hier passt alles: Die 48 modernen Zimmer in dieser früheren Mühle sind geräumig und gemütlich, das Restaurant lädt zu regionalen Speisen und ein Spa mit Außenpool sorgt für Fitness und Wellness. Das Haus von Familie Jordan liegt etwas außerhalb und sehr ruhig, bietet den weiten Ausblick über die Felder und eignet sich perfekt für ein Wochenende, um die Weine in Rheinhessen kennenzulernen oder Rad- und Wandertouren zu unternehmen.

Empfohlen von
Johannes Landgraf

ATRIUM HOTEL MAINZ

Flugplatzstraße 44, 55126 Mainz
T +49 (0) 6131 4910
www.atrium-mainz.de

Dieses Vier-Sterne-Superior Haus ist mit seinen 150 schick designten Zimmern eins der größten privat geführten Hotels in der Region rund um Mainz. Neben den Doppelzimmern und Suiten gehört auch ein Apartment zum Angebot des Hauses. Gäste können zwischen zwei Restaurants wählen; Sauna, Dampfbad und Pool stehen im Wellnessbereich zur Verfügung.

Empfohlen von
Weingut J. Bettenheimer

ME AND ALL HOTEL MAINZ

Binger Straße 23, 55131 Mainz
T +49 (0) 6131 8944 60
www.meandallhotels.com

Drei Minuten vom Hauptbahnhof, fünf Minuten von der Altstadt entfernt liegt dieses legere unkomplizierte Haus, das zum Unternehmen der Düsseldorfer Hoteliersfamilie Lindner gehört. Die modern eingerichteten Boutiquehotels präsentieren sich lässig und im urbanen Style, bieten zum Beispiel Coworking-Bereiche in der Lobby oder laden zu Lesungen oder Konzerten mit „local heroes" ein und wollen damit auch die Kulturszene vor Ort unterstützen.

Empfohlen von
Tobias Knewitz

WEIN- UND PARKHOTEL NIERSTEIN

An der Kaiserlinde 1,
55283 Nierstein
T +49 (0) 6133 5080
www.bestwestern.de/hotels/Nierstein-Rhein/Best-Western-Wein-und-Parkhotel-Nierstein

In hellen Farben eingerichtet präsentiert sich dieses Hotel mit seinen 55 Zimmern im Ortskern von Nierstein mediterran und freundlich. Im dazugehörigen Restaurant „Am Heylschen Garten" mit seinen 60 Plätzen drinnen und 80 draußen wird regionale Küche serviert.

Empfohlen von
der Redaktion

ALTES AMTSGERICHT

Amtsgerichtsplatz1,
55276 Oppenheim
T +49 (0) 6133 5724 963
altesamtsgerichtoppenheim.de

In diesem denkmalgeschützten Haus aus dem Jahre 1903 stehen den Gästen 14 stilvoll eingerichtete Zimmer zur Verfügung. Neben den Doppelzimmern gibt es auch eine Hochzeitssuite, kleine Gäste haben ein eigenes Spielzimmer im Dachgeschoss oder können den Spielplatz im Garten nutzen. Mit dem Hotel Amtsgerichts Blick steht ebenfalls in Oppenheim ein weiteres Haus mit 43 Zimmer und Suiten zur Verfügung.

Empfohlen von
Paul Berkes

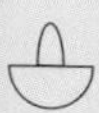

Einkaufen

HOFLADEN KEHM
Viertelstraße 23,
67583 Guntersblum
T +49 (0) 6249 8376
www.hofladen-kehm.de
Das Sortiment ist umfangreich: Blumen, Pflanzen, Käse, Eier von glücklichen Hühnern, Obst, Gemüse, Kaffee oder Deko-Artikel und Weine aus der Region werden in diesem Hofladen übers ganze Jahr angeboten – und das seit mehr als 20 Jahren. Wichtig ist Familie Kehm, dass die Ware, die sie verkauft, vornehmlich aus dem Umland stammt.
Empfohlen von
Alexander und Chris Baumann

BIOPFORTE
Kreuzstraße 4,
55270 Klein-Winternheim
T +49 (0) 6136 9261 401
www.biopforte.de
Zum einen bietet Familie Schreiber ihre Bio-Produkte bei anderen Bio-Händlern, in Supermärkten, im Geschäft an der Jakobsbergstraße 15 in Mainz oder über Gemüsekisten an, zum anderen aber auch in der eigenen Eierkiste. Die steht, gut gefüllt mit frischen Bio-Produkten wie Eiern und Kartoffeln aus eigenem Anbau sowie Produkten von Partnerhöfen wie Dosenwurst, Apfelsaft oder Nudeln an der Pariser Straße im Ort. Auf dem Hof selbst werden Hühner und Rinder gehalten, wird Getreide angebaut und aus eigenen Äpfeln Saft gepresst.
Empfohlen von
der Redaktion

Empfehlenswerte Bäckerei

Bäckerei Konditorei Siener
55294 Bodenheim, (Gaustraße 4)

Empfehlenswerte Metzgereien

Metzger Hauck
Gau-Odernheim,
(Mainzer Straße 26)

Metzgerei Weißbach
Mettenheim, (Hauptstraße 4)
www.metzgerei-weissbach.de

Vinothek

Viele Winzer in Rheinhessen öffnen die ganze Woche über Tor und Tür, um ihre Weine in hauseigenen Vinotheken verkosten zu lassen. Ein Besuch (nach dem Blick auf die Internetseite oder einem kurzen Anruf) lohnt in jedem der Weinorte. Weitere Infos zu Vinotheken auch auf der Internetseite www.rheinhessen.de/ausgezeichnete-vinotheken.de

RHEINHESSENVINOTHEK IM PROVIANTAMT
Schillerstraße 11a, 55116 Mainz
T +49 (0) 6131 9061 600
www.proviantamt-magazin.de/rheinhessenvinothek
Einen besseren Überblick über Weine made in Rheinhessen kann man kaum bekommen: In der Rheinhessenvinothek des Proviantamtes gibt es eine Auswahl an offenen Weinen von 130 rheinhessischen Weingütern und mehr als 400 Flaschenweine. Darunter sind einfache Schoppenweine, aber auch Große Gewächse. Verkosten kann man zu zweit an einem Tisch oder in großer Runde. Wer etwas essen will, ist im Restaurant des Proviantamtes, der Wirtschaft, willkommen.
Empfohlen von
David Spies

3
WONNEGAU

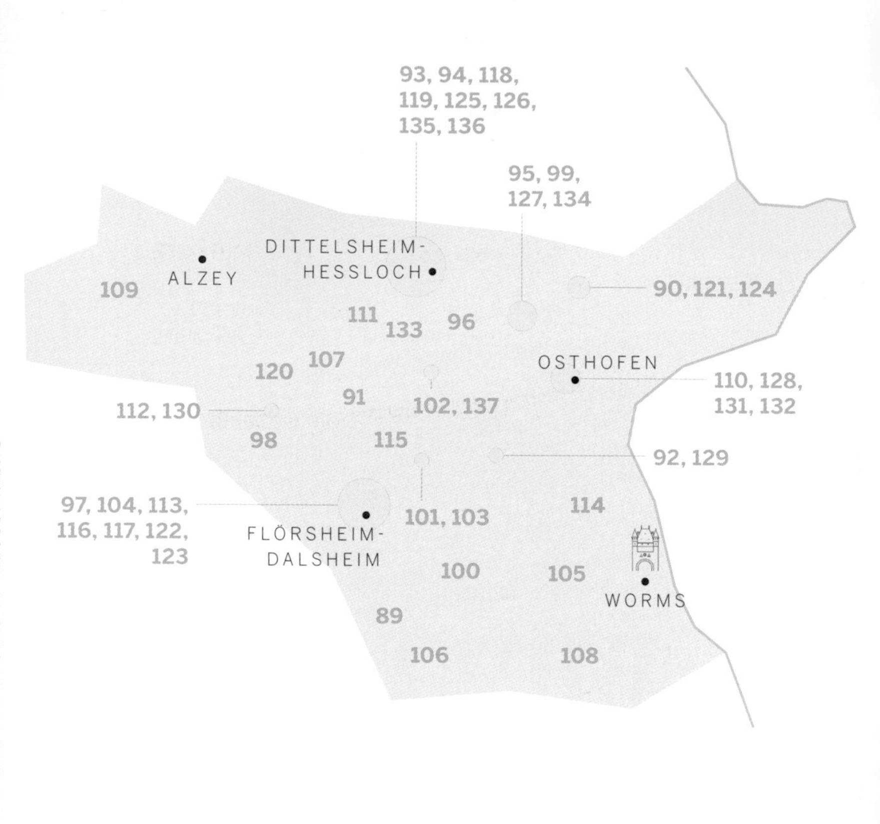

Der Name leitet sich von dem zur Römerzeit sesshaft gewordenen Stamm der Vangionen ab. Die Wormser nannten sich noch so bis in das 16. Jahrhundert. Der Bereich Wonnegau steht mittlerweile für eine regionale Identität: als fruchtbares Land, in dem man sich „wonniglich" fühlen soll.

Geografische Lage Südlicher Teil des rheinhessischen Wein-Dreiecks mit Worms in der Südspitze und nördlich bis auf die Höhe von Alzey
Klima Eingerahmt vom Nordpfälzer Bergland, Hunsrück, Taunus und Odenwald hat Rheinhessen ein warmes, trockenes Weinbauklima.
Böden Löss, Mergel, Rotliegendes, Kalk- und Vulkangestein, Quarzit
Rebfläche 7.890 ha, davon 70 % Weißwein
Rebsorten Riesling, Müller-Thurgau, Dornfelder, Grauburgunder, Weißburgunder

Geschichte Der Wonnegau ist eine geschichtsträchtige deutsche Region mit einem der drei rheinischen Kaiserdome in Worms, die anderen stehen in Speyer und Mainz. Als mächtiger Herrscher ging Konrad der Rote in die Geschichte ein. Sein Mittelpunkt war Worms, dort liegt er auch im Kaiserdom begraben.
Besonderheit Worms ist mit mehr als 1.600 Hektar Rebfläche die größte weinbautreibende Kommune Rheinhessens.

WEINGÜTER

89
WEINGUT BATTENFELD-SPANIER
Bahnhofstraße 33
67591 Hohen-Sülzen

90
GERNOT & AMADEUS BECKER
Hauptstraße 10
67582 Mettenheim

91
WEINGUT BOSSERT
Hauptstraße 15
67598 Gundersheim

92
BOXHEIMERHOF
Wonnegaustraße 31
67550 Worms-Abenheim

93
CISTERZIENSER WEINGUT
Dalbergstraße 28
67596 Dittelsheim-Hessloch

94
WEINGUT DACKERMANN
Gaustraße 15
67596 Dittelsheim-Hessloch

95
WEINGUT DREISSIGACKER
Untere Klinggasse 4
67595 Bechtheim

96
FAMILIE ERBELDINGER
Bechtheim-West 3
67595 Bechtheim

97
FLÖRSHEIMER HOF
Pfarrgasse 5–7
67592 Flörsheim-Dalsheim

98
WEINGUT FREY
Weedegasse 10
55234 Ober-Flörsheim

99
OEKONOMIERAT JOHANN GEIL I. ERBEN
Kuhpfortenstraße 11
67595 Bechtheim

100
WEINGUT GOLDSCHMIDT
Enzingerstraße 27–31
67551 Worms-Pfeddersheim

101
WEINGUT GUTZLER
Roßgasse 19
67599 Gundheim

102
HIRSCHHOF
Seegasse 29
67593 Westhofen

103
WEINGUT JULIUS
Hauptstraße 5
67599 Gundheim

104
WEINGUT KELLER
Bahnhofstraße 1
67592 Flörsheim-Dalsheim

105
MARKUS KELLER
Landgrafenstraße 74–76
67549 Worms-Pfiffligheim

106
WEIN- UND SEKTGUT KETH
Wormser Straße 33
67591 Offstein

WEINGÜTER

107
WEINGUT KLIEBER
Kreisstraße 33
55234 Hangen-Weisheim

108
WEINGUT LOHR
Weinsheimer Hauptstraße 21
67551 Worms

109
WEINGUT MARX
Hauptstraße 83
55232 Alzey-Weinheim

110
KARL MAY
Ludwig-Schwamb-Straße 22
67574 Osthofen

111
WEINGUT MICHEL
Dittelsheimer Weg 31
55234 Hochborn

112
WEINGUT MICHEL-PFANNEBECKER
Langgasse 18–19
55234 Flomborn

113
WEINGUT MÜLLER-DR. BECKER
Vordergasse 14–18
67592 Dalsheim

114
WEINGUT MÜSEL
Herrnsheimer Hauptstraße 12
67550 Worms

115
WEINGUT NEEF-EMMICH
Alzeyer Straße 15
67593 Bermersheim bei Worms

116
WEINGUT OHNACKER-DÖSS
Alzeyer Straße 80
67592 Flörsheim-Dalsheim

117
SEKTHAUS RAUMLAND
Alzeyer Straße 134
67592 Flörsheim-Dalsheim

118
CHRISTIAN ROLL

Kloppbergstraße 36
67596 Dittelsheim-Hessloch

119
WEINGUT RUPPERT-DEGINTHER
Kämmerergasse 8
67596 Dittelsheim-Hessloch

120
WEINGUT RUSSBACH
Alzeyer Straße 22
55234 Eppelsheim

121
WEINGUT SANDER
In den Weingärten 11
67582 Mettenheim

122
WEINGUT SCHERNER-KLEINHANSS
Alzeyer Straße 10
67592 Flörsheim-Dalsheim

123
BIANKA & DANIEL SCHMITT
Weedenplatz 1
67592 Flörsheim-Dalsheim

124
DANIEL SCHMITT
In den Weingärten 7
67582 Mettenheim

WEINGÜTER

125
WEINGUT SPIES
Flachsgasse 2
67596 Dittelheim-Hessloch

126
DAVID SPIES
Hauptstraße 26
67596 Dittelsheim-Hessloch

127
WEINGUT SPIESS
Gaustraße 2
67595 Bechtheim

128
SPIESS WEINMACHER HAUS EICHRODT
Friedrich-Ebert-Straße 53
67574 Osthofen

129
WEINGUT SPOHR
Welschgasse 3
67550 Worms

130
WEINGUT STAUFFER
Borngasse 24–26
55234 Flomborn

131
STEINMÜHLE
Eulenberg 18
67574 Osthofen

132
STRAUCH SEKTMANUFAKTUR
Dalbergstraße 14–18
67574 Osthofen

133
WEINGUT WEEDENBORN
Am Römer 4–6
55234 Monzernheim

134
WEINGUT WEINREICH
Riederbachstraße 7
67595 Bechtheim

135
WEINGUT WERNERSBACH

Spitalstraße 41
67596 Dittelsheim-Hessloch

136
WEINGUT WINTER
Heilgebaumstraße 34
67596 Dittelsheim

137
WEINGUT WITTMANN
Mainzer Straße 19
67593 Westhofen

Weingut Battenfeld-Spanier

🍇🍇🍇🍇🍇

Bahnhofstraße 33,
67591 Hohen-Sülzen
T +49 (0) 6243 9065 15
www.battenfeld-spanier.de

Inhaber Hans Oliver Spanier & Carolin Spanier-Gillot
Betriebsleiter Frank Schuber
Kellermeister Axel Thieme & Christopher Full
Verbände VDP, Maxime Herkunft Rheinhessen, La Renaissance des Appellations
Rebfläche 28 ha
Produktion 150.000 Flaschen
Gründung 1991
Verkaufszeiten
Ölmühlstraße 25,
55294 Bodenheim:
Mo–Fr 9–17 Uhr
Sa 11–14 Uhr
und nach Vereinbarung

Vor genau 30 Jahren gründete Hans Oliver Spanier, der seit 2006 mit Carolin Spanier-Gillot verheiratet ist, sein eigenes Weingut. Dass ein im deutschen Vergleich so junges Weingut in so kurzer Zeit in den Olymp der Szene aufsteigen konnte, verdankt es Spaniers Gefühl für das richtige Terroir. Auf extrem kalkhaltigen Böden mit gutem Wasserspeicher rund um Hohen-Sülzen im Wonnegau und im Zellertal bewirtschaftet er uralte Lagen – Lagen, an die Spanier von Anfang an glaubte, obwohl sie aufgrund ihrer Steilheit schwer zu bewirtschaften waren. Von Beginn an setzte Spanier außerdem auf die ökologische Bewirtschaftung seiner Reben, seit 2005 ist das Gut sogar biodynamisch zertifiziert. Die Biodynamie ist für Spanier der Schlüssel zu einem gesunden Boden. Und den Böden kommt bei ihm eine ganz besondere Bedeutung zu. Denn bei seinen Weinen interessiert Spanier das, was hinter der Frucht kommt, die zweite Ebene, die Bodenprägung, das „Terroir", von dem sie erzählen. Oft lässt sich diese Ebene erst dann finden, wenn die Weine eine gewisse Reife aufweisen können. „Salzigen Herkunftscharakter" nennt Spanier diese Stilistik, die man interessanterweise schon in den jungen Gewächsen des Hauses findet.

♥ **2019** Frauenberg Riesling GG 
52€ · 12,5%
Dieses absolut beeindruckende Gewächs zeigt den Facettenreichtum und den Interpretationsspielraum dieser edlen Rebe par excellence. Ein Ausnahmewein, der völlig für sich steht.

2019 Hohen-Sülzen Riesling 1. Lage 🍇🍇🍇🍇
18,50€ · 12,5%
Der Modernist: schön straff und präsent, zieht einen sofort hinein. Gelbfruchtig mit einer Idee von getrockneter Aprikose und Karamell. Etwas rauchiger Feuerstein. Passt zu skandinavischer Küche, hellem Fisch oder auch fermentiertem Gemüse.

2019 Kirchenstück Riesling GG

45€ · 12,5%

Eleganz und Präsenz. Mineralisch und mit strukturiertem Grip präsentiert dieser Riesling reifen, prallen Pfirsich, Aprikose, etwas Grapefruit und Haselnüsse. Pur und echt – ohne Kitsch. Zu Seeteufel, Kalbsbäckchen oder einem Safran-Risotto.

2019 Mölsheim Riesling 1. Lage

22€ · 12,5%

Dieser Wein ist das Salz in der Suppe. Kräftige Noten von Feuerstein in der Nase werden am Gaumen von frischen Zitrusnoten gekonnt abgeholt. Die Säure tänzelt am Gaumen entlang.

2019 Weißburgunder „Hohen-Sülzen Pinot Blanc Louis"

21€ · 13%

Der Marathonmann: Feine Kargheit trifft elegantes Holz. Aromen von Orangenblüten, Apfelschalen und weißem Pfeffer vereinen sich mit würziger Vanille. Aber hier geht es um Struktur! Ein fester, sehniger Wein. Jung. Kann man noch weglegen oder zu gegrillten Artischocken oder weißem Spargel genießen.

2019 Zellerweg Am Schwarzen Herrgott Riesling GG

52€ · 12,5%

Ein absoluter Klassiker, der seine Zukunft in sich trägt. Das Aromenspektrum reicht von Tannennadel über Zitronenzeste bis hin zu erdigen Noten, am Gaumen wirkt er fast pudrig-leicht. Groß.

2020 Riesling „Eisquell"

12,50€ · 12%

Ein Riesling mit Biss, Zug und Mineralik, der so modern wirkt, dass er mit einer richtig klassischen Vorspeise kombiniert besonders raffiniert wird. Wie wäre es einmal wieder mit Königin-Pastetchen?

2018 Hohen-Sülzen Spätburgunder 1. Lage

25€ · 13%

Schießpulver und Chinaböller bringen die Explosion nicht nur in die Nase, sondern auch an den Gaumen. Richtig wilder und lauter Typ, der von kräftig Gegrilltem bis zu asiatischen Speisen viel mitmacht und im Gedächtnis bleibt.

2018 Kirchenstück Spätburgunder GG

48€ · 13%

Echter Charakterkopf: würzige Süße mit Zimt, reifer Kirsche und Brombeere. Ein Hauch streichholzaromatische Reduktion – delikat und fein. Ein Wein für Kenner.

2009 Chardonnay „Blanc de Blancs" extra brut
40€ · 12,5%
Rasiermesserscharf und pfeilgerade. Braucht ein großes Glas und sonst eigentlich keine Begleitung.

2011 Chardonnay „Blanc de Blancs" extra brut
40€ · 12%
Im sommerlichen Wald nach dem Regen. Sehr anspruchsvoll und kein Leichtgewicht.

Gernot & Amadeus Becker

Hauptstraße 10,
67582 Mettenheim
T +49 (0) 6242 2845
www.beckerwein.de

Inhaber Gernot Becker
Betriebsleiter Gernot & Amadeus Becker
Kellermeister Amadeus Becker
Verbände Generation Riesling
Rebfläche 6,5 ha
Produktion 35.000 Flaschen
Verkaufszeiten nach Vereinbarung

Wer auf den Vornamen Amadeus hört, hätte sicher auch in der Musikszene Karriere machen können. Amadeus Becker dagegen ist Winzer geworden, gehört der Generation Riesling an, unterstützt seinen Vater Gernot im Familienweingut und fühlt sich im Keller am wohlsten. Denn dort lässt er in aller Ruhe die Weine entstehen, die aus den Trauben gekeltert werden, die rund um seine Heimatgemeinde Mettenheim wachsen. Amadeus Becker lässt seine vinologischen Kreationen gerne leise Töne anschlagen, setzt hier und da nuancenreiche Akzente und greift sachte in den Gärprozess ein, um das Sekundäraroma der Trauben herauszukitzeln. Seit dem Jahrgang 2018 kommen seine Flaschen mit neuer Ausstattung und neuem Etikett daher, die der ambitionierte Winzer selbst entworfen hat. Amadeus kann eben nicht nur Wein.

2017 Heilbrunnen Chardonnay
14,50€ · 12,5%
Hier hat sich die Erdbeere an die Frucht-Front gestellt. Das wirkt neckisch, nicht plump, und ist jetzt Trinkspaß mit guter Säure, die die Sache lebendig hält.

2019 Grauburgunder
6,70€ · 13,5%

2019 Mettenheimer Chardonnay
10,90€ · 13,5%

2019 Riesling
6,50€ · 13%

2019 Sauvignon Blanc
6,50€ · 11,5%

2019 Scheurebe
7,90€ · 12,5%

2019 Steinsweg Riesling
15€ · 12,5%
Jetzt ist seine Zeit. Zögern Sie nicht. Gehen Sie sofort über die Fruchtigkeit, ziehen Sie die Säure genüsslich ein und begeben Sie sich direkt in den Feierabend.

Weingut Bossert

Hauptstraße 15,
67598 Gundersheim
T +49 (0) 176 2035 3105
www.bossert-gundersheim.de

Betriebsleiter Johanna & Philipp Bossert
Verbände Maxime Herkunft Rheinhessen, MOD
Rebfläche 9,3 ha
Gründung 1848
Verkaufszeiten
Nach Vereinbarung

Dass die Trauben rund um Gundersheim etwas langsamer wachsen als in anderen Regionen in Rheinhessen, ist eine Binsenweisheit. Aber die Gundersheimer Trauben haben nach einer entsprechend langen Reifezeit eine große Aromadichte, was den Geschwistern Johanna und Philipp Bossert sehr gelegen kommt. Die beiden Winzer und Weinenthusiasten, die einschlägige Erfahrungen in europäischen Spitzengütern sammeln konnten, haben immer das richtige Händchen für den perfekten Erntezeitpunkt. Ihre Weine stecken deshalb voller erfrischender und nachhaltiger Aromen und dürfen sich mit Bedacht und Ruhe entwickeln. Die Rebfläche ist mit knapp zehn Hektar relativ überschaubar, die Anzahl der produzierten Flaschen ist limitiert.

2019 Gundersheimer Riesling
15,70€ · 12,5%
Ein Musterbeispiel seiner Herkunft: kristallklar mit Biss, dabei kraftvoll und würzig. Gerne mit kräftiger Begleitung, zum Beispiel einem gebackenen Kalbskotelett, ausschenken.

2019 Königstuhl Riesling
27€ · 13%
Viel zu entdecken in diesem komplexen Riesling. Gewinnende Frucht zum Auftakt, vegetative Noten, Trockenfrüchte und Maracuja.

2019 Riesling
9,70€ · 12,5%
Entwickelter Riesling – apfelnussig, mineralisch und mit Ansätzen von Umami-Noten. Wirkt sehr weit.

2019 Weißburgunder
7,70€ · 12,5%

2018 Spätburgunder
11,30€ · 13%
Eine gelungene Bitterkeit führt über zum nächsten Schluck, weckt Assoziationen an Zartbitterschokolade mit Meersalz. Hat dank seiner Säurestruktur eine prima Zukunft.

Boxheimerhof

Wonnegaustraße 31,
67550 Worms-Abenheim
T +49 (0) 6242 60180
www.boxheimerhof.de

Inhaber Walter & Johannes Boxheimer
Betriebsleiter Walter & Johannes Boxheimer
Kellermeister Johannes Boxheimer
Verbände Generation Riesling
Rebfläche 25 ha
Produktion 60.000 Flaschen
Gründung 1783
Verkaufszeiten Mo–Sa 10–18 Uhr

Seit über 240 Jahren ist die Familie Boxheimer aus Abenheim mit dem Thema Wein verbunden. Und vor über 20 Jahren fiel die Entscheidung, sich nur noch dem Weinbau zu widmen. Vater Walter Boxheimer ist hauptsächlich für die Bewirtschaftung der Weinberge zuständig. Frei nach einem Zitat von Charles Darwin („Alles, was gegen die Natur ist, hat auf Dauer keinen Bestand") achtet er auf eine naturnahe Bewirtschaftung mit unterschiedlichen Begrünungsarten und sanfter Bodenpflege für die 25 Hektar Rebfläche, über die die Familie verfügt. Denn vitale Rebstöcke sind die Voraussetzung, wenn es darum geht, Weine mit eigenem Herkunftscharakter zu erzeugen. Sohn Johannes ist für den Ausbau der Weine verantwortlich, wobei er vor allem bei den Lagenweinen (z. B. aus dem Abenheimer Klausenberg oder dem Gundheimer Sonnenberg) auf Spontanvergärung, Maischestandzeit und zum Teil auch den Ausbau im Holz setzt. Die Weine der Boxheimers orientieren sich an der klassischen VDP-Qualitätseinstufung – unterteilt in Gutsweine, Ortsweine und Lagenweine.

2018 Gundheimer Sonnenberg Riesling
13,50€ · 11,5%

2019 Abenheimer Klausenberg Chardonnay „im Eichenfass gereift"
10,20€ · 12,5%

♥ 2019 Abenheimer Klausenberg Riesling
10,90€ · 13%

2019 Abenheimer Klausenberg „Pinot Blanc"
13,30€ · 13%

2019 Abenheimer Riesling „vom Brummelochsenboden"
7,60€ · 13%

2019 Abenheimer Sauvignon Blanc
6,90€ · 12,5%

2019 Chardonnay
6,50€ · 13%

2019 Cuvée „Abenheim Weißburgunder & Chardonnay"
9€ · 12,5%

2019	Huxelrebe Auslese **8,90€** · 8%	🍇
2019	Osthofener Grauburgunder **9€** · 13%	🍇🍇
2019	Weißburgunder **6,50€** · 12,5%	🍇🍇
2015	Pinot Noir **14,50€** · 13%	🍇🍇
2015	Westhofener Bergkloster Cabernet Mitos **18,50€** · 13% Enorme Tiefe mit süßem Kern, wilde Aromatik mit feiner Pfefferwürze, dazu ein Entrecôte mit grüner Pfeffersauce, top!	🍇🍇🍇

Cisterzienser Weingut

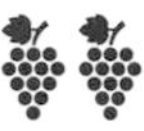

Dalbergstraße 28,
67596 Dittelsheim-Hessloch
T +49 (0) 6244 4921
www.cisterzienser-weingut.de

Inhaber Ulrich & Karen Michel
Betriebsleiter Ulrich Michel
Kellermeister Ulrich Michel
Rebfläche 30 ha
Produktion 250.000 Flaschen
Gründung 1645
Verkaufszeiten
Mo–Fr 9–11.30 Uhr
und 13–18 Uhr
Sa 9–13 Uhr

Ulrich Michel will es noch einmal wissen und gibt seinem Weingut, das immerhin rund 30 Hektar umfasst, einen neuen Auftritt. Neues Logo auf neuen Etiketten, alles in der Anmutung aufs Wesentliche reduziert und auf den Punkt gebracht. Eine gelungene Reminiszenz an die ganzheitliche Idee der Zisterzienser-Mönche, nach denen das Weingut benannt ist. Dazu werden die Weinberge, die um einige Parzellen erweitert wurden, auf biologische Bewirtschaftung umgestellt, um dem Boden und den Reben noch näher zu kommen und – ganz im Stil der Zisterzienser-Philosophie – damit der Schöpfung auf die Spur zu kommen. Im nächsten Schritt wird Ulrich Michel einen jungen Kellermeister in den Betrieb einbinden, der aktuell noch im Ausland etwas Erfahrung sammelt. Ein mutiger, aber Erfolg versprechender Neustart, der das Weingut mit Sicherheit weiter nach vorne bringen wird.

2018 Hesslocher edle Weingärten Grauburgunder „Maßwerk"
18,50€ · 14,5%
Mango und Karamell bringen Wärme ins Glas. Mit dicker und molliger Cremigkeit ist dieser Wein ein toller Begleiter für dunkle Winterabende.

2019 Bechtheimer Hasensprung Riesling „unfiltered"
18,50€ · 13%

2019 Chardonnay
10,60€ · 13,5%

2019 Riesling „S"
9€ · 13,5%
Intensives, komplexes Rieslingerlebnis: viel saftiger Apfel, Pfirsich und Kräuter, dazu feine Mineralik. Zugänglich, animierend und liebenswert saftig. Dicht strukturiert. Ein Mund voll Wein, passt zu Zitronenhühnchen oder auch Wolfsbarsch.

2019 Sauvignon Blanc
8,90€ · 12,5%

2019 Westhofener Morstein Riesling
12,50€ · 13%
Reife Aromatik mit Noten von Aprikose, viel Spannung am Gaumen gepaart mit feiner Herbe, harmonisches Finale.

2020 Roter Traminer
9€ · 13,5%

2015 Cuvée „Cabernet Sauvignon-Merlot"
10,90€ · 14%

2015 Merlot
10,80€ · 14%

2016 St. Laurent „S"
14,50€ · 14,5%

2018 Frühburgunder „S"
10,90€ · 13,5%

2020 Merlot „Rosé"
7€ · 13%

Sauvignon Blanc brut
12,50€ · 12,5%
Wunderbar würzig und blumig. Freut sich, wenn er neben nicht zu süßen Desserts glänzen darf.

Weingut Dackermann

Gaustraße 15,
67596 Dittelsheim-Hessloch
T +49 (0) 6244 7054
www.weingut-dackermann.de

Inhaber Sascha Dackermann
Verbände Generation Riesling
Rebfläche 16,5 ha
Produktion 120.000 Flaschen
Gründung 1913
Verkaufszeiten
Nach Vereinbarung

Trotz aller Tradition, das Weingut wurde im Jahre 1913 gegründet, ist der Betrieb jung, kreativ und dynamisch wie am ersten Tag und setzt kompromisslos auf Qualität. Seit rund zehn Jahren ist dafür Sascha Dackermann verantwortlich, ein ambitionierter Winzermeister, der genaue Vorstellungen von seinen Weinen hat. Entscheidende Grundlage seiner Weinbau-Philosophie sind vollreife und gesunde Trauben, die Dackermann in den naturnahen und umweltschonend bewirtschafteten Weinbergen selektiv erntet. Die Basis seines Weinsortiments bilden die Literweine, unkomplizierte Gewächse für jeden Tag. In den sortentypischen Gutsweinen sieht Dackermann die typischen Repräsentanten des Weingutes, während die Ortsweine ihre Herkunft aus den Lagen rund um Hessloch und Bechtheim verkörpern. Last but not least bilden die ausdrucksstarken Lagenweine die Spitze des attraktiven Sortiments.

2019 Cuvée „Weißburgunder & Chardonnay"
6,95€ · 13%

2019 Gelber Muskateller
6,95€ · 13%

2019	Grauburgunder	2
	6,90€ · 13,5%	
	Viel Grauburgunder zum guten Preis: reife, gelbe Früchte und Äpfel, ein Hauch von Popcorn und cremigem Karamell und viel Fruchtsüße. Etwas Grip im Abgang. Gut zu rohem Lachs oder Geflügelpastete.	
2019	Riesling „Hesslocher vom Kalkstein“	3
	8,20€ · 13,5%	
	Nektarine im Mund, frischer Frühling in der Nase – ein Riesling, wie er uns gefällt mit Balance von Säure und Süße. Zier für jeden Sommertag.	
2019	Weißburgunder „Hesslocher vom Kalkstein“	2
	8,20€ · 13,5%	
2017	Cuvée „Schwarzer Goliath Réserve“	1
	12,50€ · 14%	
2017	Chardonnay „Grande Réserve“ brut	3
	12,50€ · 12,5%	
	Voluminöse Reife und exotischer Fruchtkorb. Zartes Süße-Säurespiel.	

Weingut Dreissigacker

  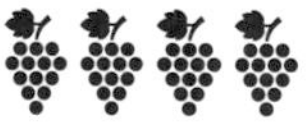

Untere Klinggasse 4,
67595 Bechtheim
T +49 (0) 6242 2425
www.dreissigacker-wein.de

Familie Dreissigkacker gehört seit vielen Jahren zu den erfolgreichen Winzerdynastien Rheinhessens. In dem rund 45 Hektar großen Betrieb entstehen in verlässlicher Regelmäßigkeit bemerkenswerte Weine, deren Trauben in den Weinbergen in Buchheim und Westhofen wachsen. Konsequent ökologisch und biodynamisch werden hier die Rebhänge bearbeitet, zeitaufwendige Handarbeit ist dabei ein Muss für das ambitionierte Weingut. Auch in der Kellerwirtschaft achten Kellermeister Jochen Dreissigacker und Achim Bicking peinlich genau auf den schonenden und nachhaltig natürlichen Ausbau ihrer Gewächse. Die neue, sehenswerte Wein-Manufaktur ist der gelungene architektonische Ausdruck nachhaltiger Weinproduktion mit hohem Qualitätspotenzial.

Inhaber Jochen Dreissigacker
Kellermeister Jochen Dreissigacker & Achim Bicking
Verbände Kontrollverein ökologischer Landbau e.V., Maxime Herkunft Rheinhessen
Rebfläche 45 ha
Produktion 300.000 Flaschen
Verkaufszeiten
Mo–Fr 8–12 Uhr und 13–18 Uhr
Sa 9–16 Uhr
und nach Vereinbarung

2017 Riesling „Legenden"
375€ · 13%
Was unmittelbar beeindruckt ist die große, sich fast warm anfühlende Harmonie, die dieser wahrlich große Wein verströmt! Maracuja tänzelt mit Mango und Aprikose, die fein verwobene, noch verspielte Säure unterstreicht dieses Aromenspiel. Darüber liegen Nuancen von grünem Tee und führen über die straffe Struktur zu einem ebenso von Harmonie geprägtem Finale. Für ganz besondere Gelegenheiten, etwa zu Hummer mit Mangobutter.

2018 Bechtheim Riesling
18€ · 13%
Ein von Extraktsüße geprägter Auftakt, der gefolgt wird von schöner Saftigkeit und einer eleganten Holznote.

2018 Geyersberg Bechtheim Riesling
49€ · 13%
Ein Klassiker mit Anspruch. Da trifft wuchtiger Schmelz auf saftige Frucht, am Gaumen entfaltet sich ein Spiel aus süßlicher Eleganz und kräftigem Zug. Was sich zu widersprechen scheint, passt hier perfekt zusammen.

2018 Kirchspiel Westhofen Riesling
46€ · 13,5%
Explosiv zitrischer Auftakt mit viel Würze. Am Gaumen dann sehr rund mit dezentem Schmelz, großer Harmonie und Länge und geradezu verführerischer Bitternote. Sehr erwachsene Trinkfreude für erfahrene Riesling-Liebhaber.

2018 Riesling „Morstein Westhofen" 🍇🍇🍇🍇
59€ · 13,5%
Stringente Opulenz. Noten von Nougat und Haselnuss werden großartig ergänzt durch weichen Schmelz und leise Bitternoten wie von Mandarinenschalen. Dieser Wein strahlt großes Selbstbewusstsein aus.

2018 Rosengarten Bechtheim Riesling 🍇🍇🍇🍇
38€ · 13%
Das Aufeinandertreffen von Tiefgang und Leichtigkeit. Dunkle Würze trifft helle Zitrusfrucht, Säure trifft Schmelz. Tolle Balance am Gaumen mit großer Länge und viel Anspruch.

2018 Weißburgunder „Tonneau" 🍇🍇🍇🍇
38€ · 13,5%
Der gar nicht so kleine Bruder des Chardonnay: Dieser Weißburgunder kann es gut mit seinem Verwandten aufnehmen. Feine Holzwürze, wie Vanille, Karamell und Zimt treffen auf delikate Frucht. Viel reifer Pfirsich, ein Hauch Haselnuss und Karamell. Etwas Reduktivität gibt Spannung. Dazu passt gebratene Leber, etwa von der Gans, und Quitten-Chutney.

2019 Bechtheim Chardonnay 🍇🍇🍇🍇
25€ · 13,5%
Ein Klassiker, der als Solist am Lagerfeuer sogar zur Zigarre bestehen kann. Wirkt entspannend und beruhigend und lässt Raum, um die Gedanken schweifen zu lassen.

2019 Dreissigacker Riesling 🍇🍇🍇
12,50€ · 12,5%
In der Nase Cox-Orange-Apfel und Pfirsich pur, am Gaumen dann buttrige Molligkeit. Und das, ohne breit zu werden. Sehr ernsthaft und klassisch.

2019 Weißburgunder „Einzigacker" 🍇🍇🍇
54€ · 13,5%
Starkes Stück: zieht einen sofort in seinen Bann. Komplex, dicht mit viel Extrakt – ein Powerwein mit Ausdauer. Anschmiegsamer Charakterkopf. Jetzt schon zugänglich – kann aber noch in den Keller. Passt zu gefüllten Wachteln oder Seeteufel in Safransauce.

Riesling „Vintages weiss" 🍇🍇🍇
15,50€ · 12,5%
Eine Riesling-Komposition aus drei Jahrgängen, die so harmonisch miteinander verwoben sind, dass dieser Wein das Zeug zum neuen Feierabend-Liebling hat.

Familie Erbeldinger

Neueinsteiger

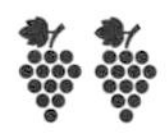

Bechtheim-West 3,
67595 Bechtheim
T +49 (0) 6244 4932
www.weingut-erbeldinger.de

Inhaber Stefan Erbeldinger
Betriebsleiter
Stefan Erbeldinger
Kellermeister
Christoph Erbeldinger
Rebfläche 26 ha
Produktion 150.000 Flaschen
Verkaufszeiten
Mo–Fr 8–18 Uhr
Sa 8–17 Uhr
So 9–12 Uhr

Land der tausend Hügel nennt man liebevoll den südlichen Teil Rheinhessens. Hier hat das Weingut der Familie Erbeldinger seine Heimat, rund um den kleinen Ort Bechtheim im Wonnegau stehen die Weinberge, aus denen Stefan Erbeldinger und Sohn Christoph ihre Trauben holen. Der naturnahe Anbau ist den beiden passionierten Winzern dabei genauso wichtig wie die schonende Verarbeitung der Moste zu erfrischend fruchtigen und trinkfreudigen Weinen mit Tiefgang. Sekte gehören ebenfalls zum guten Angebot des Weinguts. Wer das alles in Ruhe probieren und genießen möchte, sollte im gutseigenen Restaurant reservieren. Denn hier kocht die Frau von Christoph und gebürtige Österreicherin Gundi herzhafte und besonders schmackhafte Gerichte, die bestens zu den Erbeldinger Weinen passen.

2019 Bechtheimer Sauvignon Blanc
8,90€ · 11,6%

2019 Huxelrebe Spätlese
10,50€ · 8%

2020 Bechtheimer Riesling
8,50€ · 12%
Ein runder und würziger Riesling mit Reneclauden-Aroma und leiser Süße im Abgang. Perfektes Gastgeschenk für Rieslingfreunde.

2018 Gundersheimer Höllenbrand Cuvée „E“
13,90€ · 14%
Sehr harmonisch komponierte Rotwein-Cuvée aus dem großen Holzfass. Am besten zur Lammkeule mit Rosmarin und Thymian.

Chardonnay brut
16,90€ · 12%
Wunderbar fruchtig und saftig – damit begeistert man Prosecco-Liebhaber für guten Sekt.

Riesling brut nature ♣♣♣
12,90€ · 12%
Ein Sekt mit Stuckschmuck: Mit seinem weinigen Stil und viel getrockneten Früchten von Ananas bis Kirsche wirkt dieser Sekt durchaus barock.

Spätburgunder ♣♣
10,90€ · 12%
Viel Beerenfrucht, rauchig, intensiver Cassis-Duft und Orangen-Zesten ergeben einen markanten Auftritt.

Flörsheimer Hof Neueinsteiger
Pfarrgasse 5–7,
67592 Flörsheim-Dalsheim
T +49 (0) 6243 6021
weingut-floersheimer-hof.de

2018 Bermersheimer Sauvignon Blanc ♣♣
10€ · 13%
Ganz besonders duftige Sauvignon-Interpretation mit verblüffend klaren Himbeer-Noten, aber auch guter Struktur am Gaumen und somit als Begleiter, warum einmal nicht von ungesüßten Waldbeeren!?

2019 Sauvignon Blanc ♣♣
7,70€ · 12%
Der „kleine" Sauvignon-Bruder verblüfft mit viel angenehmer Cremigkeit sowie Vanille- und Karamellnoten unterlegt, von feiner Zitrussäure, bravo für dieses äußerst preiswerte Vergnügen!

Weingut Frey

♣♣♣

Weedegasse 10,
55234 Ober-Flörsheim
T +49 (0) 6735 9412 72
www.frey-wines.com

Inhaber Philipp & Christopher Frey
Betriebsleiter Christopher Frey
Kellermeister Philipp Frey
Rebfläche 10 ha
Produktion 75.000 Flaschen
Verkaufszeiten nach Vereinbarung

Ober-Flörsheim ist die höchstgelegene Weinbaugemeinde im südwestlichen Rheinhessen und die Heimat des Weingutes Frey, dessen Geschichte sich bis ins 18. Jahrhundert zurückverfolgen lässt. Heute haben Stefan Frey und seine beiden Söhne Philipp und Christopher hier das Sagen. Seit 2013 werden die Weinberge konsequent ökologisch bewirtschaftet, der Fokus der Ernte liegt auf gesunden vollreifen Trauben, die selektiv von Hand gelesen werden. Neben den Rieslingen sind es weiße und rote Burgunder, aber auch klassische Bordeauxsorten, die im Anbau des zehn Hektar großen Familienbetriebes stehen. Unterschiedlichste Böden, von Kalksteinverwitterung über Löss-Lehm mit Kalkfels bis zum tonigen Kalkmergel, liefern die ideale Grundlage für mineralisch geprägte Weine.

2019 Chardonnay ♣♣♣
14,80€ · 12,5%
Ganz klassische Chardonnay-Aromatik mit Noten von Heu und Wiesenblumen. Am Gaumen eher dezent mit leichter Bitternote und unaufdringlichem Schmelz.

2019 Hangen-Weisheim Riesling ❦❦❦
13,60€ · 13%
Sehr würziger Auftakt mit kräuterigen Noten und dezentem Mandelton. Mundwässernd, kräftig, anregend.

2019 Hangen-Weisheim Sommerwende Riesling ❦❦❦
23,40€ · 13%
Blumenkind: ein Hauch Rose. Litschi und florale Noten umwehen Limette, Kräuter und etwas Vanille. Dazu etwas Butterkeks, aber auch ein ansehnliches Salzgerüst. Passt zu rosagebratenem Kalbsfilet oder Saltimbocca mit Selleriepüree.

2018 Hangen-Weisheim Sommerwende Pinot Noir ❦❦❦❦
21,40€ · 14%
Molliger und warmer Spätburgunder-Typ mit viel Kraft und dunkler Würze, Tiefgang und Extrakt. Ein richtiger Winter-Wein.

Oekonomierat Johann Geil I. Erben

Kuhpfortenstraße 11,
67595 Bechtheim
T +49 (0) 6242 1546
www.weingut-geil.de

Inhaber Johannes Geil-Bierschenk
Verbände Message in a Bottle, Maxime Herkunft Rheinhessen
Rebfläche 32 ha
Produktion 280.000 Flaschen
Gründung 1871
Verkaufszeiten
Mo–Fr 8–11.30 Uhr
und 13–17 Uhr
Sa 9–11.30 Uhr und 13–16 Uhr
Anmeldung wird erbeten

Der kleine Ort Bechtheim im südlichen Rheinhessen ist die Heimat des Traditionsbetriebes, der im Jahre 1871 von Oekonomierat Johann Geil gegründet wurde. Bis heute wird hier aufwendige Handarbeit großgeschrieben, auch wenn bei einer Gesamtfläche von 32 Hektar modernste Technik unabdingbar ist. Aber der Spagat zwischen Handwerk und technischen Innovationen gelingt mit Bravour und lässt anspruchsvolle Weine und gleichermaßen Sekte entstehen, für die Betriebsleiter und Kellermeister Johannes Geil-Bierschenk verantwortlich ist. Hauptaugenmerk des Weingutes liegt auf den Rebsorten Riesling und Silvaner, dazu kommen weiße und rote Burgundersorten. Immer wieder für besondere Weinqualitäten ausgezeichnet und prämiert, ist der Bechtheimer Betrieb eine verlässliche Adresse.

2019 Bechtheim Weißburgunder ❦❦
10,70€ · 13,5%

2019 Bechtheim Weißburgunder „Reserve" ❦❦❦
23,50€ · 14%
Der Türsteher unter den Weißburgundern: breitschultrig, kraftvoll und fest mit präsenter Holzwürze, Nussigkeit, Vanille, Apfel und Birne. Cremig und feinsalzig mit einer Idee von Kalk. Passt gut zu Pasta mit Weißer Trüffel.

2019 Bechtheimer Geyersberg Riesling ❦❦❦
17,50€ · 13%
Ein Duft wie beim Waldspaziergang. Tannen und Fichten säumen den Weg, am Gaumen wunderbar saftig und lang. Ein Wein mit Zukunft.

2019 Bechtheimer Rosengarten Riesling 🍇🍇🍇
18,50€ · 13%
Tänzelnd und verspielt mit toller Bitternote wie von Mandarinenschalen. Verliert sich nicht in Leichtigkeit, sondern bleibt dabei bodenständig und geerdet.

2019 Chardonnay „Bechtheimer" 🍇🍇
12,90€ · 13,5%
Verführt mit seiner duftig-intensiven Art: weiße Blüten, Melone, reifer Apfel und feine Mineralik. Dazu ein perfektes Süße-Säure-Spiel. Passt etwa zu Putengeschnetzeltem.

2019 Riesling „Bechtheimer" 🍇🍇
10,90€ · 13%
Florale, helle Noten von Wiesenblume in der Nase, am Gaumen dann expressiv und lebendig. Kann sein Potenzial voll ausschöpfen, wenn er mit einer Kräutercremesuppe serviert wird.

2017 Riesling brut 🍇🍇🍇
11,90€ · 12%
Reife gelbe Frucht, Lipton Ice Tea, Granulat, süßlich, animierend, nicht zu opulent.

2019 Bechtheim Rieslaner Beerenauslese 🍇🍇🍇
16,90€ · 8%
Eine wunderbar harmonische runde Beerenauslese mit feinem Säurespiel, eigentlich ein eigenes „Dessert", ganz herrlich aber auch zu einer Tarte Tatin.

Weingut Goldschmidt
Enzingerstraße 27–31, 67551
Worms-Pfeddersheim
T +49 (0) 6247 7044
www.wein-goldschmidt.de

2019 Sauvignon Blanc 🍇🍇
6,50€ · 12,5%
Floral-duftig und sommerlich-leicht.

Weingut Gutzler

Roßgasse 19, 67599 Gundheim
T +49 (0) 6244 9052 21
www.gutzler.de

Inhaber Christine & Michael Gutzler
Betriebsleiter Christine & Michael Gutzler
Kellermeister Michael Gutzler
Verbände VDP, Maxime Rheinhessen, Barriqueforum, Message in a bottle
Rebfläche 16 ha
Produktion 100.000 Flaschen
Verkaufszeiten
Nach Vereinbarung

Seit Generationen ist Familie Gutzler mit dem Weinbau in Gundheim verbunden und bewirtschaftet 16 Hektar rund um den kleinen Ort. Die Weine, deren Trauben vorwiegend auf kalkreichen Böden wachsen, verstehen Christine und Michael Gutzler auch als Ausdruck ihrer Persönlichkeit und als Spiegelbild der Landschaft, aus denen sie erwachsen sind. Charakterstarke Gewächse mit Ecken und Kanten, bemerkenswerte Individualisten mit Format. Dafür tun die Gutzlers einiges, pflanzen ihre Rebstöcke dichter als gewöhnlich und sorgen so dafür, dass sie tiefer wurzeln und mehr natürlich gelagerte Mineralien aufnehmen als üblich. Durch die naturnahe Bearbeitung und die intensive Pflege der Rebstöcke bringen die Weine ihre Boden- und Sortentypizität besonders deutlich zum Ausdruck. Zum Weingut gehört seit rund 25 Jahren auch eine kleine Sektmanufaktur.

2019 Westhofener Chardonnay 1. Lage
18€ · 13%
38 Jahre alte Reben aus dem Burgund geben diesem festen Chardonnay sein Rückgrat und Charakter, fantastisch zu Steinbutt und Seezunge in Beurre blanc.

2019 Westhofener Morstein Riesling GG
29,50€ · 13%
Schmelziger Charme trifft bitteren Grip. Ein Klassiker mit Noten von Honigwabe und Zitruszeste, der mit seiner feinnervigen Art viel Spaß macht und den Spagat zwischen Fülle und Eleganz perfekt meistert.

2020 Weißburgunder
8,20€ · 12%

2017 Westhofener Brunnenhäuschen Spätburgunder GG
45€ · 13%
Moderner Traditionalist: feine burgundische Stilistik, mit reifer, frischer Kirschfrucht, eleganten Tanninen und belebender Säure. Jetzt trinken zu geschmorten oder gebratenen Lammgerichten und currywürziger Küche oder noch ein paar Jahre weglegen.

2018 Spätburgunder
9,50€ · 13%

2018 Westhofener Spätburgunder 1. Lage
21€ · 13%
Elegant, fein und finessenreich mit dennoch viel warmer Kraft im Ausdruck und in der Struktur. Ein Langstreckenläufer.

2016 Chardonnay extra brut
15€ · 12%

Hirschhof

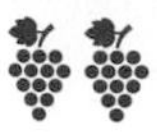

Seegasse 29, 67593 Westhofen
T +49 (0) 6244 349
www.weingut-hirschhof.de

Inhaber Tobias Zimmer
Verbände Bundesverband ökologischer Weinbau, Maxime Herkunft Rheinhessen
Rebfläche 30 ha
Produktion 200.000 Flaschen
Verkaufszeiten
Mo–Do 8–17 Uhr
Fr–Sa nach Vereinbarung

Das Weingut mit dem markanten Hirsch im Wappen darf sich getrost zu den Pionieren des ökologischen Weinbaus in Rheinhessen zählen. Bereits im Jahre 1991 hat Familie Zimmer begonnen, den Betrieb nach und nach auf biologische Bewirtschaftung umzustellen. In den bis heute vergangenen 30 Jahren hat man nur gute Erfahrung damit gemacht und wurde beim Projekt „Blühendes Rheinhessen – Wein, Weizen, Wildbienen" als Modellpartner ausgewählt. Natürlich profitieren auch die Weine von einem gesunden Ökosystem. Tobias Zimmer kann zu jeder Ernte auf qualitativ hochwertige Trauben zurückgreifen, die er besonders schonend und behutsam im Keller verarbeitet. Investiert wurde in den letzten Jahren in Neuanlagen, die in naher Zukunft erste Früchte tragen werden.

2019 Westhofener Chardonnay (2 Trauben)
8,60€ · 13,5%
Ein Wein, der das Leben schöner machen möchte. Ein Freund im Alltag für jeden Moment.

♥ **2019** Westhofener Kirchspiel Weißburgunder (2 Trauben)
13,50€ · 13%
Offen, ehrlich und für den entspannten Abend mit Finesse und eleganter Extraktsüße.

2019 Westhofener Morstein Riesling (3 Trauben)
13,50€ · 13%
Fruchtkonzentration am Anfang und wir vermuten, dass sich später im Lagerleben noch die Struktur positioniert. Derzeit feiert die Extraktsüße ihr Dasein.

2018 Cuvée „Platzhirsch" (3 Trauben)
12€ · 13,5%
Nomen est omen, denn mit seiner feinen Preiselbeer-Aromatik passt diese sehr zugänglich komponierte Rotwein-Cuvée ganz ideal zu Wildgerichten.

2018 Muskateller (1 Traube)
10,80€ · 12,5%

Weingut Julius

Hauptstraße 5,
67599 Gundheim
T +49 (0) 6244 9193 50
www.weingut-julius.de

Inhaber Georg Julius
Verbände Naturland
Rebfläche 19 ha
Produktion 70.000 Flaschen
Gründung 1926
Verkaufszeiten
nach Vereinbarung

Gundheim ist ein kleiner Ort im südlichen Rheinhessen, eingerahmt von sanften Hügeln, auf denen bevorzugt Reben stehen. Hier ist seit knapp 100 Jahren die Heimat des Weingutes der Familie Julius, die in ihrem Betrieb nach strengen, umweltschonenden ökologischen Grundsätzen arbeitet. Georg Julius, der für die Weine verantwortlich ist, hat dabei das richtige Händchen, den unterschiedlichen Gewächsen nachhaltigen Charakter zu verleihen und ihre Rebsortentypiztität sauber und klar herauszuarbeiten. Probieren kann man die Julius-Weine im schicken Ambiente der neuen Vinothek, die für ihre gelungenen Symbiose zwischen Tradition, Moderne und Innovation mit dem begehrten „Architekturpreis Wein" ausgezeichnet wurde.

2020 Abenheimer Klausenberg Sauvignon Blanc
8,80€ · 12,8%
Beeindruckendes Aromenspiel mit Quitte, Mango und Papaya. Feine Salzigkeit im Finale.

2020 Bermersheimer Hasenlauf Riesling
7,90€ · 12,3%
Die Mischung aus animierender Würze und zupackend-prickelnder Säure machen diesen Riesling zu einem erfrischenden Apéro, der gerne auch zu Häppchen gereicht werden darf.

2020 Niederflörsheimer Frauenberg Grauburgunder
8,80€ · 13%
Fast ein Rosé von der Farbe, die sich nicht als Aroma niederschlägt. Die verhaltene Säure belebt. Ein Sommerhit mit Saftigkeit für Terrasse, Balkon und 30 Grad.

2020 Westhofener Rotenstein Silvaner
7,90€ · 11,9%
Ein toller Allrounder, der schnell viele Freunde in der Runde findet und wunderbar zu gegrilltem Gemüse passt.

♥ **2019** Spätburgunder „Rosé"
7,50€ · 12,5%

Weingut Keller

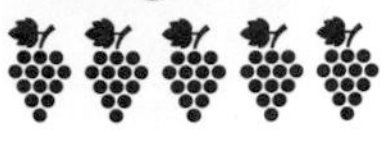

Bahnhofstraße 1,
67592 Flörsheim-Dalsheim
T +49 (0) 6243 456
www.keller-wein.de

Inhaber Familie Keller
Betriebsleiter
Klaus Peter Keller
Kellermeister Klaus Peter & Felix Keller
Verbände VDP
Rebfläche 19,5 ha
Produktion 120.000 Flaschen
Gründung 1789
Verkaufszeiten
Mo–Fr 8–12 Uhr und 13–17 Uhr
Sa 10–15 Uhr
nach Anmeldung

Seit Jahrzehnten steht das Weingut der Familie Keller im Fokus vieler Weininteressierter aus aller Welt und darf getrost als Ausnahmebetrieb bezeichnet werden. Den Winzer Klaus Peter Keller scheint das nicht wirklich zu beeindrucken, in aller Ruhe und ohne großes Aufsehen um seine Person produziert er einen Spitzenjahrgang nach dem anderen. Doch ohne ihn und seine Weine wäre Rheinhessen sicher um eine spannende Winzerpersönlichkeit mit Ecken und Kanten und einen kompromisslosen Qualitätsmotor ärmer. Kellers Weine taugen hervorragend als Aushängeschild Rheinhessens und gleichzeitig als bestes Beispiel für den Aufstieg einer lange unterschätzten Region in den vinologischen Olymp, wo die Weine auf Weltklasse-Niveau versammelt sind.

2019 Dalsheim Hubacker Riesling GG 

59€ · 12,5%

Ein Kätzchen auf sanften Pfoten: schleicht sich an, streicht um den Gaumen und nimmt einen dann voll und ganz ein. Sanft exotisch, saftiger Pfirsich, etwas grüne Paprika, Jasmin und grüner Apfel. Dicht und komplex, vielschichtig und lang. Passt zu asiatischer Küche, etwa grünem Curry.

2019 Silvaner 

9,80€ · 12%

Ein frischer und unaufdringlicher Silvaner mit eleganter, feiner Frucht und dezent pfeffrig-kräuterigen Noten.

2019 Westhofen AbtsE Riesling GG 

auf Anfrage · 12,5%

In seiner Vielfalt fast verwirrend. Da trifft die Kaffeebohne auf den Apfel und nimmt die ganze Palette an Zitrusfrüchten gleich noch mit. Immens verspielt und facettenreich. Dieser Wein will Aufmerksamkeit und muss sie auch bekommen. Nicht auf den ersten Schluck verständlich.

2019 Westhofen Morstein Riesling GG 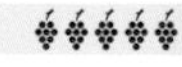

auf Anfrage · 12,5%

Erhaben und groß: präziser Riesling mit tragender Mineralität. Wunderbar komplex – kein Hang zur Frucht. Hier geht es um Struktur. Seidig fährt der Wein über den Gaumen und seine Ahnung bleibt lange erhalten. Sehr besonders.

2019 Westhofen Riesling 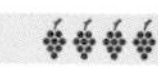

39€ · 12,5%

Wachmacher, der keinen Frieden sucht, aber gute Absichten im Schilde führt. Gegönnt sei ihm Zeit, die noch losen Enden unter der Ägide feingliedriger Säure zu einem dichten Gewebe zu verknüpfen.

2018 Dalsheim Bürgel Spätburgunder GG
59€ · 12,5%
Der Bordeaux unter den Pinots: tiefgründig, animalisch, dichtgewoben und komplex mit dunklen Beeren und solcher Schokolade. Sehr eigenständiger Charakter. Passt zu Milchlammschulter (mit Lorbeer geschmort) aber auch zu gereifter Schafssalami.

Markus Keller

Landgrafenstraße 74–76,
67549 Worms-Pfiffligheim
T +49 (0) 6241 75562
www.weingutkeller.de

Inhaber Markus Keller
Rebfläche 22,5 ha
Produktion 200.000 Flaschen
Gründung 1601
Verkaufszeiten
Mo–Di, Do–Fr 9–18 Uhr
Mi 9–13 Uhr
Sa 9–14 Uhr

Experimentierfreudige Winzer gab es in Rheinhessen schon immer, Markus Johannes Keller ist einer von ihnen. Denn der Wormser Winzer hat neben den Klassikern des Anbaugebietes wie Riesling und Burgundersorten auch Rebsorten im Anbau, die vorwiegend in Österreich und Südtirol beheimatet sind und die er zu bemerkenswerten Weinen ausbaut. Die Exoten erweitern seine ohnehin große Vielfalt an Weinen, deren Schwerpunkt bei den roten Sorten liegt. Ausgebaut werden die Rotweine in traditionellen Holzfässern oder im Barrique, eigens dafür wurde zuletzt in den Keller investiert. Dagegen vergären die Weißweine ausschließlich in kontrolliert gekühlten Edelstahltanks, was ihrer klaren, reintönigen Frucht und Spitzigkeit zugute kommt.

2018 Sauvignon Blanc
10,80€ · 13%

2019 Flörsheimer Frauenberg Roter Riesling
10,60€ · 13%

2019 Grauburgunder „Blush“
12,80€ · 13%

2019 Pfeddersheimer St. Georgenberg Sauvignon Blanc
10,80€ · 13%

2019 Sauvignon Blanc
6,90€ · 12,5%

2020 Grauburgunder
6,20€ · 12,5%

2020 Pfeddersheimer St. Georgenberg Chardonnay
7€ · 13%

2020 Pfeddersheimer St. Georgenberg Sauvignon Blanc „S“
8,40€ · 13%

2020 Wormser Nonnenwingert Grüner Veltliner
8,10€ · 13%

2017 Cuvée „Gabriel“
10,50€ · 13,5%

2018 Flörsheimer Frauenberg Spätburgunder
15€ · 13,5%

2018 Pfeddersheimer Hochberg Spätburgunder
8,80€ · 13%

2018 Pfeddersheimer St. Georgenberg Lagrein 1. Lage
18,60€ · 13,5%

2019 Wormser Nonnenwingert Syrah
9,90€ · 13,5%

2020 Lagrein
6,70€ · 12,5%

Riesling brut
10,50€ · 12%

Spätburgunder brut
12,50€ · 12%

Wein- und Sektgut Keth

Wormser Straße 33,
67591 Offstein
T +49 (0) 6243 7522
www.weingut-keth.de

Matthias Keth hat seine Weine in drei Kategorien eingeteilt. Darin sind die Basis-Weine die idealen Begleiter für jeden Tag, sozusagen die alltäglichen „Brot & Butter Weine“. Die Kategorie „Klassiker“ bildet den qualitativen Mittelteil des Sortiments und Keths „G-Klasse“, die auch für Experimente und neue Konzepte steht, umfasst die Lagenweine. Bewirtschaftet wird das gesamte Weingut unter der konsequenten Berücksichtigung nachhaltiger Konzepte, auf der rund 55 Hektar großen Rebfläche wird nach strengen biologischen Gesichtspunkten gearbeitet. Um das innovative Weingut in Offstein und sein Konzept für einige Tage aus der Nähe kennenzulernen oder um in den Weinbergen zu wandern, kann man eines der schicken Gästezimmer buchen.

Inhaber Matthias Keth
Rebfläche 55 ha
Produktion 300.000 Flaschen
Verkaufszeiten
Mo–Fr 8–18 Uhr
Sa 9–17 Uhr

2019 Sauvignon Blanc ♦
7,50€ · 12,5%

2019 Westhofener Morstein Riesling ♦♦♦♦
13,40€ · 13%
Sehniger Kumpeltyp: straff, kalk- und salzmineralisch mit fester Struktur und Grip. Dabei offen, druckvoll und zugänglich. Zeigt Aromen von Apfel, Kräutern und etwas Rauch. Passt zu Pot au feu oder einem Schnitzel mit Bratkartoffeln.

2020 Grauburgunder ♦♦
7,40€ · 13%

2020 Sauvignon Blanc ♦♦♦
8€ · 12,5%
Viel Ehrgeiz im Glas: Der Sauvignon Blanc ist dicht und exotisch mit Maracuja, Ananas und Limette – vielschichtig und balanciert. Starker Partner für die asiatische Küche.

2018 Cabernet Franc ♦♦♦
22,50€ · 14,5%
Große Tiefe und Länge, elegant und würzig, der süße Kern verströmt Wärme, perfekt nach einem Winterspaziergang am offenen Kamin.

2018 Saint Laurent ♦♦♦♦
18,50€ · 14%
Dicht, würzig, harmonisch aufgebaut, ein Schmeichler, ideal zu rosa gebratenem Rehrücken.

2018 Syrah ♦♦♦
20,50€ · 14%
Das volle Programm an Würze und Kraft, so wie es Freunde des australischen Shiraz lieben, absolut perfekt zum Barbecue.

2019 Saint Laurent ♦♦♦
8,40€ · 13,5%
Ungemein direkte, animierende Ansprache mit viel Zug und Kraft, perfekt zur Sommernachtsparty im Garten.

Weißburgunder/Chardonnay brut ♦♦♦
12,50€ · 12%
In der Nase floral mit etwas Lorbeer sowie eine feine Butternote, die sich einmischt und die Spannung mindert, dafür aber Volumen und ein gutes Mundgefühl aufbaut.

Weingut Klieber
Kreisstraße 33,
55234 Hangen-Weisheim
T +49 (0) 6735 421
www.weingut-klieber.de

2019 Sauvignon Blanc „Silber Edition"
6,70€ · 12,5%

Weingut Lohr

Neueinsteiger

Weinsheimer Hauptstraße 21,
67551 Worms
T +49 (0) 6241 33327
www.weingut-lohr.de

Kellermeister Frank Lohr
Verbände MOD
Rebfläche 18,6 ha
Gründung 1665
Verkaufszeiten
nach Vereinbarung

Was gerade im Weingut Lohr passiert, ist mit einem geheimnisvollen Schleier umgeben und nicht eindeutig zu erkennen. Das Wort „Veränderung" beschreibt wahrscheinlich gerade am besten unsere aktuelle Arbeit, heißt es vonseiten des Weinguts, das immerhin schon seit dem Jahr 1665 existiert. Was sich genau und vor allem in welchem Umfang hinter der „Veränderung" verbirgt, bleibt momentan noch rätselhaft. Sicher scheint nur zu sein, dass sich Johanna Bossert im Weingut engagieren wird. In welcher Funktion die Winzerin aus Gundersheim in den Betrieb einsteigen wird, darüber kann nur spekuliert werden. Sicher ist, dass man in Zukunft Weine produzieren möchte, die „unvergessen bleiben". Man darf gespannt sein.

2019 Goldberg Riesling
30€ · 13%
Mollig mit feiner Süße. Orange und Orangenschale, Papaya, Mango und Apfel. Fruchtige Kraft. Passt zu Wiener Schnitzel genauso wie zu Ragout fin.

2020 Chardonnay
8,60€ · 13%
Er braucht Essen, das seinem vollmundigen blumigen Körper Paroli bietet. Das darf gerne aus Kalb sein oder Kaninchen in heller Sauce.

2020 Sauvignon Blanc

8,60€ · 12,5%
Be my Kiwi – eine würdige Interpretation internationaler Vorbilder mit glasklaren Insignien der Sauvignon Blancs aus der Neuen Welt, abgerundet von schöner Salzigkeit.

2018 Riesling brut nature

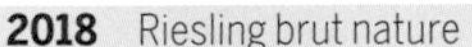

16,60€ · 12,5%
Ein Brut nature mit markanter Säure und viel Grip. Geradlinig, klar und schnörkellos, der ideale Aperitif!

Weingut Marx

Hauptstraße 83,
55232 Alzey-Weinheim
T +49 (0) 6731 41313
www.weingut-marx.de

Inhaber Klaus Marx
Rebfläche 12 ha
Verkaufszeiten
Mo–Fr 8–12 Uhr und 13–18 Uhr
Sa 9–16 Uhr

Für rheinhessische Verhältnisse ist das Weingut eher klein, aber dem ambitionierten Familienbetrieb reichen zwölf Hektar aus, um seine Passion in bemerkenswerte Weine umzusetzen. Zahlreiche Auszeichnungen und Ehrungen sprechen dafür, dass hier nicht nur sehr ordentlich gearbeitet, sondern das Motto „Klasse statt Masse" kein Lippenbekenntnis ist und in Weinberg und Keller optimal umgesetzt wird. Der Umgang mit traditionellen Rebsorten geht Klaus Marx und seinem Team locker von der Hand, dazu kultiviert man im Weinheimer Betrieb auch noch einige Partien Neuzüchtungen aus älterer und jüngerer Zeit. Edelstahl oder Holzfass, je nach Rebsorte und Stilistik kommen beide Ausbaugebinde zum Einsatz. Und wo kann man das alles probieren? Am besten vor Ort, im gemütlichen Ambiente der schicken, modern gestalteten Vinothek.

2020 Weinheimer Grauburgunder

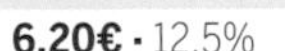

6,20€ · 12,5%
Ein klarer, gerader Zischer mit guter Säure. Mit etwas Temperatur noch immer gefällig, dann kommt mehr in der Nase an.

2020 Weinheimer Sauvignon Blanc
8,20€ · 12,5%
Sauvignon Blanc für Weineinsteiger: Zugängliche Fruchtsüße und eine Idee von Stachelbeerkuchen. Dichtgewobener Wein. Ein Hauch von grünem Pfeffer und Curcuma. Kann gut mit Hühnchenbrust und nicht zu scharfen Currys.

2019 Weinheimer Cabernet Mitos „Barrique“
10,40€ · 13%
Würze und Dichte mit einer geradlinigen Struktur zeichnen diesen prächtigen Rotwein aus, ideal zu gegrilltem Rindfleisch.

Karl May

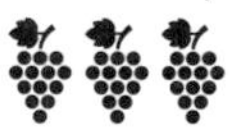

Ludwig-Schwamb-Straße 22,
67574 Osthofen
T +49 (0) 6242 2356
www.weingut-karl-may.de

Inhaber Peter & Fritz May
Verbände Maxime Herkunft Rehinhessen
Rebfläche 33 ha
Produktion 180.000 Flaschen
Gründung 1815
Verkaufszeiten
Mo-Fr 8–12 Uhr und 13–17 Uhr und nach Vereinbarung

„Familienband seit 1815“, so steht es auf der Homepage, denn so lange schon sind die Mays im Weinbau aktiv. Immer ging es ihnen darum, ein gutes Stück Heimat in die Flaschen zu bringen, bis heute ist das ihr Anspruch, den sie konsequent verfolgen. Peter und Fritz May sind Blutsbrüder und die siebte Winzer-Generation, die sich mit ihren Familien um das Weingut kümmert. Auf der rund 33 Hektar großen Rebfläche steht neben klassischen Weißweinsorten vor allem eine beträchtliche Anzahl an Spätburgunderreben. Die Maxime für alle Weine der Mays lautet Geduld, die beiden Winzer-Brüder geben ihren Gewächsen ausreichend Zeit zum Entwickeln und Reifen. Im Kontrast zum historischen Fachwerkhaus steht die modern gestylte Vinothek, in der alle May-Weine ausgiebigst probiert werden können.

2019 Osthofen Goldberg Riesling 
25€ · 12,5%
Mut. Charakter. Stärke. All das will entdeckt werden, denn mit Schmeicheleien hält sich dieser Wein nicht auf. Da ist Substanz elegant verpackt, die in ein paar Jahren vollends zutage treten wird.

2019 Osthofen Grauburgunder
12,90€ · 13,5%
Mit schöner Frische und eleganter Struktur, flexibel unterstützt er Fischgerichte oder erfreut an der frischen Luft zum Feierabend beim Vesperteller.

2019 Sauvignon Blanc
8,50€ · 12%

2019 Sauvignon Blanc „Réserve“
16€ · 13%
Stimmig, mit einem tollen Finale. Frucht und Cremigkeit, dezent und straff.

2018 Bechtheim Geyersberg Pinot Noir ♦♦♦
19,90€ · 13%
Ein gediegener Klassiker, fein verwoben und zurückhaltend. Toller Antagonist zum eher deftig daherkommenden Wiener Schnitzel mit Bratkartoffeln.

Weingut Michel Neueinsteiger
Dittelsheimer Weg 31,
55234 Hochborn
T +49 (0) 6735 283
www.weingut-michel.de

2018 Sauvignon Blanc „Kalkstein" ♦♦
9,90€ · 12,5%
Das legt gut mit rauchigen, speckigen Noten los, dann verlässt ihn der Mut ein wenig – dennoch ein Gewinner mit großen Vorbildern.

Weingut Michel-Pfannebecker

Langgasse 18–19,
55234 Flomborn
T +49 (0) 6735 355
www.michel-pfannebecker.de

Inhaber Heinfried & Gerold Pfannebecker
Betriebsleiter Heinfried Pfannebecker
Kellermeister Gerold Pfannebecker
Rebfläche 11,7 ha
Produktion 60.000 Flaschen
Gründung 1950
Verkaufszeiten Mo–Sa 9–18 Uhr

Fest verwurzelt in ihre Heimat und den Weinbau ist Familie Pfannebecker, ihre Geschichte in Flomborn lässt sich bis ins 17. Jahrhundert zurückverfolgen. Ihr Weingut ist in all den Jahren überschaubar geblieben, rund zwölf Hektar bewirtschaften Heinfried und Gerold Pfannebecker. Die Tradition spielt in dem sympathischen Betrieb bis heute eine große Rolle, was sich auch an den klassischen Etiketten und dem Festhalten am herkömmlichen Klassifizierungssystem ablesen lässt. Der überwiegende Teil der Weine wird konsequent trocken ausgebaut, bei den roten Sorten, die rund ein Drittel des Sortiments ausmachen und viele Monate im Holzfass oder Barrique reifen, pflegt man einen konventionellen französischen Stil, der den Weinen gut ansteht.

2019 Flomborner Feuerberg Gewürztraminer Spätlese trocken ♦
7,20€ · 13,5%

2019 Flomborner Feuerberg Grauburgunder Spätlese trocken ♦♦
7,40€ · 13%

2019 Flomborner Feuerberg Riesling Spätlese trocken ♦♦
7,40€ · 13,5%

2019 Flomborner Feuerberg Riesling „Selection Rheinhessen" ♦♦
10,50€ · 13,5%

2019 Flomborner Feuerberg Scheurebe Spätlese trocken ♦
7,20€ · 13%

2019 Flomborner Feuerberg Silvaner Spätlese trocken ♦♦♦
7,20€ · 13%
Feine Röstaromen und eine geschmeidige Textur machen eine gute Figur zu gebratenem Hühnchen mit karamellisiertem Chicorée.

2019 Flomborner Feuerberg Silvaner „Selection Rheinhessen" 🍇🍇🍇
10,50€ · 13,5%
Saftig, pikant, würzig und kräuterig. Dieser Wein hat alles, was ein Silvaner braucht, und ist ein richtiger Sonnenschein.

2019 Flomborner Feuerberg Weißburgunder Spätlese trocken 🍇🍇
7,40€ · 13,5%

2019 Flomborner Goldberg Chardonnay Spätlese trocken 🍇🍇
7,40€ · 13,5%

2019 Westhofener Morstein Riesling Spätlese trocken 🍇🍇🍇
8,70€ · 13,5%
Der Traditionalist: herzhaft-würziger Riesling. Druckvoll und reif mit Pfirsich und Apfel. Passt zu Leberwurstbrot mit Schnittlauch.

2019 Westhofener Steingrube Riesling Spätlese trocken 🍇🍇
7,40€ · 13%

2019 Westhofener Steingrube Riesling „Selection Rheinhessen" 🍇🍇
10,50€ · 13,5%

2017 Gundersheimer Höllenbrand Spätburgunder 🍇🍇
14,50€ · 14%

2017 Westhofener Morstein Spätburgunder „Selection Rheinhessen" 🍇🍇🍇
19,50€ · 14%
Ein facettenreicher Wein mit großer Zukunft. Feiner und schlanker Typ mit vielschichtiger Würze, der sich sehr elegant im Hintergrund zu halten weiß.

Weingut Müller-Dr. Becker

Vordergasse 14–18,
67592 Dalsheim
T +49 (0) 6243 5524
www.mueller-dr-becker.de

Inhaber Jochen Becker
Rebfläche 15 ha
Produktion 130.000 Flaschen
Gründung 1625
Verkaufszeiten
Mo–Fr 9–12 Uhr und 14–17 Uhr
Sa–So nach Vereinbarung

Bevor Jochen Becker im Jahre 2006 die Regie im elterlichen Betrieb in Dalsheim übernahm, schaute er sich nach dem Studium noch in renommierten Weingütern in Kalifornien und Südfrankreich um. Der Blick über den heimischen Tellerrand hat Beckers Idee von bodengeprägten und dennoch individuellen Weinen gut getan, mit seiner Weinbau-Philosophie hat er den Traditionsbetrieb ein ganzes Stück nach vorne gebracht. Die unterschiedlichen Böden, die sich auf rund 15 Hektar Anbaufläche verteilen, sind seine geologische Spielwiese, auf der Jochen Becker ebenso unterschiedliche Rebsorten stehen hat. Knapp ein Drittel seiner Rebhänge ist mit Riesling bestockt, teils haben die Reben 50 Jahre auf dem Buckel. Damit sie auch weiterhin im Ertrag stehen bleiben, setzt der Winzer auf eine naturnahe und umweltschonende Bewirtschaftung der Weinberge. Im Keller gilt das Motto des „kontrollierten Nichtstun", eingegriffen wird in den natürlichen Gärprozess so wenig wie möglich.

2019 Dalsheimer Bürgel Chardonnay
10€ · 13%
Absolut klassische Aromen von Butterbrioche und Toast. Ein Wein für gemütliche Runden mit lieben Freunden und einer deftigen Brotzeit.

2019 Dalsheimer Sauloch Riesling „Vom Brummelochsenboden"
9,50€ · 12,5%
Duftig wie eine Blumenwiese im Hochsommer, am Gaumen leiser Schmelz und ein langer Abgang. Pure Freude.

2019 Dalsheimer Steig Weißburgunder „Alte Reben"
9,50€ · 13%
Straffer Zug und knackige Säure werden optimal flankiert von einer klassischen Forelle „Müllerin". Ein unaufdringlicher Begleiter für jeden Tag.

2018 Burg Rodenstein Cuvée „Arras"
12,50€ · 13,5%

2018 Dalsheimer Bürgel Saint Laurent
16€ · 14%

Weingut Müsel

Neueinsteiger

Herrnsheimer Hauptstraße 12,
67550 Worms
T +49 (0) 6241 58369
www.mueselwein.de

Inhaber Christian & Hans-Jürgen Müsel
Betriebsleiter Christian Müsel
Kellermeister Christian Müsel
Verbände Rheinhessenwein
Verkaufszeiten
nach Vereinbarung

Hans-Jürgen Müsel und sein Sohn Christian teilen sich die Arbeit in dem alteingesessenen Betrieb, der im idyllischen Worms-Herrnsheim liegt. Neuen Ideen zeigt man sich hier aufgeschlossen, modernste Techniken im An- und Ausbau sind ebenso Standard wie die umweltschonende Bearbeitung der Weinberge und die Qualitätsoptimierung in der Kellerwirtschaft. Zahlreiche nationale und internationale Auszeichnungen bestätigen das Engagement von Vater und Sohn und die Qualität ihrer sortenreinen Weine, zu denen auch Global Player gehören. Während die Weißweine ausschließlich im Edelstahl ausgebaut werden, reifen die Rotweine im großen Holzfass oder im Barrique. Dazu bietet der Familienbetrieb eine gute Phalanx an Winzersekten, die nach dem traditionellen Flaschengärverfahren produziert werden.

2018 Herrnsheimer Schloss Gewürztraminer Auslese trocken
8€ · 13,7%

2019 Herrnsheimer Riesling
7,20€ · 12,5%
Seidige Frucht und dezente Süße machen diesen Riesling zu einem echten Darling. Dieser Wein findet einfach neue Freunde.

2019 Herrnsheimer Schloss Sauvignon Blanc
7,75€ · 13%
Leicht rauchig, gute Säure, schöner Trinkfluss.

2019 Kriegsheimer Rosengarten Riesling Spätlese trocken
9€ · 13,5%
Der Unruhepol – viel Frucht unterwegs: Apfel, Aprikose, Pfirsich, Limette – dabei etwas wild. Kreidige Mineralität am Gaumen.

2018 Cuvée „CM"
11€ · 13,5%

2018 Kriegsheimer Rosengarten Spätburgunder Eiswein
22,50€ · 10%

Weingut Neef-Emmich

Alzeyer Straße 15,
67593 Bermersheim bei Worms
T +49 (0) 6244 9052 54
www.neef-emmich.de

In Bermersheim bei Worms kommt man nur schwer an diesem Familienbetrieb vorbei, der seit Jahren verlässliche Weinqualitäten bietet und immer einen kleinen Umweg lohnt. Hier wird man nicht nur freundlich empfangen, sondern kann auch Weine probieren, die den Gaumen zum Strahlen bringen. Gute und solide Weine aus klassischen Rebsorten, Gewächse ohne experimentelle Ideen und Schnörkel, dafür geradlinig und aromatisch auf den Punkt gebracht. Mit rund 20 Hektar Rebfläche rund um Bermersheim haben die weinaffine Familie und ihr engagiertes Team alle Hände voll zu tun.

Inhaber Dirk Emmich
Verbände Maxime Herkunft Rheinhessen
Rebfläche 20 ha
Verkaufszeiten nach Vereinbarung

Für den Keller ist Senior Dirk Emmich verantwortlich, doch die nächste Generation steht mit Philipp und Clara Sophie schon in den Startlöchern.

♥ **2019** Albiger Hundskopf Riesling
14€ · 12,5%
Zitruswölkchen am Sommerhimmel: fein-kräuterig, erfrischend mit delikater Säure, Aromen von Limette und frisch aufgeschnittenem Apfel. Dazu passt heller, leichter Fisch.

2019 Bermersheimer Silvaner
9,50€ · 12,5%
Der Burgunder-vom-Thron-Schubser zeigt, was Silvaner wirklich kann: kraftvoll mit saftigem Trinkfluss, viel exotischen Früchten, wie Ananas und Mango und eleganter Holzwürze. Dabei fein-salzig. Als Begleitung reichen gute Freunde – nimmt es aber auch mit geschmorten Kalbsbäckchen auf.

2019 Dalsheimer Riesling
9,50€ · 12,5%
Geküsst von Karamell, getragen von Säure macht er schnell Freude. Darf gerne schon jetzt getrunken werden.

2019 Westhofener Rotenstein Weißburgunder
14€ · 13%
Der Tausendsassa. Feines Holz mit Marzipan und Vanille trifft ein Potpourri an Frucht: Ananas, Mandarine, etwas Grapefruit. Dazu ein Hauch weißer Pfeffer, ein wenig Salzigkeit und Creme. Zu gebratener Hähnchenbrust oder gegrilltem Gemüse.

2019 Westhofener Weißburgunder 🍇🍇
9,50€ · 12,5%
Zitrischer Weißburgunder mit vanilligem Schmelz, der lang am Gaumen nachhallt. Dazu Kalbfleischpflanzerl mit Pilzrahm am Sonntagnachmittag und die Gäste sind glücklich.

2020 Scheurebe 🍇
7,80€ · 12%

2020 Weißburgunder 🍇🍇
7,80€ · 12,5%

2018 Gundersheimer Höllenbrand Spätburgunder 🍇🍇🍇🍇
25€ · 14%
Zupackender Spätburgunder mit facettenreichen Aromen von Oliven, kaltem Rauch und grünem Pfeffer. Vielschichtig und tänzelnd, kann den ganzen Abend lang begeistern.

Weingut Ohnacker-Döss
Alzeyer Straße 80,
67592 Flörsheim-Dalsheim
T +49 (0) 6243 333
www.bitteeinwein.de

2019 Sauvignon Blanc feinherb 🍇🍇
6,40€ · 10,8%
Tänzelndes Spiel von Frucht und Süße, das lässt an Muskateller denken.

Sekthaus Raumland

Alzeyer Straße 134,
67592 Flörsheim-Dalsheim
T +49 (0) 6243 9080 70
www.raumland.de

Inhaber Volker Raumland
Verbände VDP, Verband Traditioneller Sektmacher
Rebfläche 10 ha
Produktion 90.000 Flaschen
Gründung 1990
Verkaufszeiten
Mo–Fr 8.30–17 Uhr
Sa 10–13 Uhr nach Voranmeldung

Der renommierte Sektmacher aus Flörsheim-Dalsheim ist der Grandseigneur des prickelnden und schäumenden Weines in Deutschland: Seit 30 Jahren widmet sich Volker Raumland mit Hingabe ausschließlich der Herstellung von Sekt aus guten deutschen Grundweinen, deren handverlesene Trauben auf zehn Hektar biozertifizierter Rebfläche wachsen. Selbstverständlich produziert Raumland seine Sekte im traditionellen Flaschengärverfahren und lässt sie lange auf der Hefe liegen, um den feinen Schaumweinen ihren besonderen Schliff zu geben. 2020 wurde das Sekthaus als erstes reines Sektgut im Verband Deutscher Prädikatsweingüter aufgenommen. Mit den Töchtern Marie-Luise und Katharina ist dazu die nächste Generation in den Betrieb eingestiegen und wird wie ihr Vater dafür sorgen, dass die deutsche Sektkultur ihre nationale und internationale Reputation weiter ausbaut.

2008 Pinot Noir „Vintage Blanc de Noirs" brut 🍇🍇🍇🍇🍇
69€ · 11,5%
Schon in der Nase zeigt sich der Klassiker animierend. Sekttrinker mit einer Vorliebe für feste Strukturen und ergiebige Reife kommen mit diesem Schäumer voll auf ihre Kosten.

2008 Weißburgunder extra brut ♣♣♣♣

69€ · 11%

Zitrusfrucht, Salzigkeit und grüne Aromen prägen den ersten Eindruck dieses Solisten. Die Eigenständigkeit zeigt sich mit langem Nachhall, lebendiger Säure, viel Spannung am Gaumen und herzhafter Saftigkeit.

2010 Weißburgunder „Blanc de Blanc Prestige" brut ♣♣♣♣

26€ · 12%

Erst ganz laut und dann ganz leise. Fordernd und sehr eigenständig.

2011 Chardonnay „Prestige" brut ♣♣♣♣

31€ · 12%

Grapefruit und Quitte auf Buttercreme. Schmelzig, kräftig und dicht.

2011 Pinot Kirchenstück brut nature ♣♣♣♣

36€ · 12%

Winterabend mit Bratapfel und Salz-Brioche – sehr komplex, guter Grip und erfrischende Säure, hat Kraft, Spannung und Druck. Braucht Luft.

2011 XI. Triumvirat Grande Cuvée brut ♣♣♣♣

49€ · 12%

Karamell trifft Limettenkonfit, etwas Ingwer, schöne Frische, feines Biskuit und vanillige Würze, elegant, zu Forellenfilet oder Forellentartar.

2012 Chardonnay „Réserve" brut ♣♣♣♣

31€ · 12%

Weinige Cremigkeit machen diesen Chardonnay-Sekt zu einem herausragendem Erlebnis, insbesondere in Kombination mit Austern und Meeresfrüchten.

2012 Weißburgunder „Blanc de Blancs – Réserve" brut ♣♣♣♣

27€ · 12%

Fest konturiert kommt dieser ungemein harmonisch in sich ruhende Sekt mit italienisch inspirierten Fisch-Vorspeisen zur Geltung.

2013 „Cuvée Marie-Luise" brut ♣♣♣

19€ · 12%

Harmonisch, Aprikose, Karamell, sehr reife Frucht, hohe Säure, bleibt stehen.

2014 „Cuvée Katharina" brut nature ♣♣♣

19€ · 12%

Knackig und klar, ein klarer Fluss mit Kieselgrund. Für heiße Tage mit Freunden, mit denen man schweigen kann.

2014 „Cuvée Marie-Luise" brut ♣♣♣

19,50€ · 12%

Die ultrafeine Pinot-Noir-Würze gibt diesem wunderbaren Sekt seine Seele, ein Turbo für philosophische Gespräche.

2015 „Cuvée Katharina" brut nature

19,50€ · 12%

Diese Cuvée ist ein zauberhafter, niemals langweilig werdender Allrounder, am besten zum Picknick in einer blühenden Wiese.

2015 Pinot Noir „Rosé Prestige" brut

21€ · 12%

Feinfluffiges Biskuit umhüllt Kumquats, Orangenabrieb und etwas Gurke, die Champagne lugt um die Ecke, alles an seinem Platz ...

Tradition brut

24€ · 12%

Ein wilder Ritt durch Karamell und Roggenbrot, für Kenner und Anspruchsvolle. Darf ebenso anspruchsvoll begleitet werden.

Christian Roll

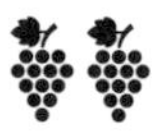

Kloppbergstraße 36,
67596 Dittelsheim-Hessloch
T +49 (0) 6244 7438
www.weingut-roll.de

Inhaber Christian Roll
Rebfläche 22 ha
Gründung 1775
Verkaufszeiten
Mo–Fr 8–18 Uhr
und nach Vereinbarung

Nachdem Christian Roll die Betriebsleitung von seinem Vater Friedrich übernommen hat, ist frischer Schwung in das Weingut im Herzen des Wonnegaus gekommen. Im vergangenen Jahr wurde einiges in modernste Technik zur herbizidfreien Bewirtschaftung investiert, dazu die Düngung aller Weinberge auf natürliche Komposte umgestellt. Das umweltschonende und naturnahe Arbeiten im Außenbereich ist die Basis für Christian Rolls charaktervolle Weine, die in der Mehrzahl spontan vergoren werden und damit ihre Herkunft geschmacklich ins Glas bringen. Um den Gewächsen noch mehr Tiefe und Komplexität zu geben, arbeitet das Team um Roll seit dem Jahrgang 2020 verstärkt mit Maischestandzeiten. Alles in allem ist das Weingut mit Ideen gut für die Zukunft gerüstet und technisch bestens aufgestellt.

2015 Dittelsheimer Pfaffenmütze Sauvignon Blanc „Reserve"

17,50€ · 12%

Da hat man viel Wein im Glas. Cremig und mollig mit guter Balance.

2018 Dittelsheimer Leckerberg Weißburgunder „Hügelkind"

12,20€ · 13%

Sehr präsenter Weißburgunder – getragen von Holzwürze mit Apfel, Birne und Quitte. Passt zu Crostini toscani mit Geflügelleber.

2019 Dittelsheimer Pfaffenmütze Sauvignon Blanc

10,50€ · 12,5%

2019 Riesling feinherb

7,60€ · 13%

2018 Dittelsheimer Geiersberg Pinot Noir Auslese trocken 🍇🍇🍇
15€ · 14,5%
Eine kühle Frucht im kühlen Kakaobett – wie eine handwerklich gefertigte Praline mit Kirsche. Gesellt sich gut zu Fleischgerichten.

2018 Dittelsheimer Leckerberg Merlot Auslese trocken 🍇
15€ · 15%

2018 Dittelsheimer Mönchshube Cabernet Sauvignon Auslese trocken 🍇
15€ · 14,5%

2019 Bechtheimer Hasensprung Huxelrebe „Eisbeer" Beerenauslese 🍇
13€ · 11%

Weingut Ruppert-Deginther

Kämmerergasse 8,
67596 Dittelsheim-Hessloch
T +49 (0) 6244 292
www.ruppert-deginther.de

Inhaber Justus Ruppert
Rebfläche 26 ha
Verkaufszeiten
nach Vereinbarung

Aus einem Zusammenschluss zweier Familien entstand das Weingut Ruppert-Deginther, das heute von Justus Ruppert geleitet wird, unterstützt wird er dabei von seiner Frau Milena. Im Fokus des Betriebes, der seine Rebfläche auf rund 26 Hektar verteilt hat, stehen für Rheinhessen traditionelle Rebsorten, aber auch internationale Klassiker sind im Anbau des Hesslocher Weinguts. Paradelage ist der Bechtheimer Hasensprung, dessen Parzellen zumeist nach Süden ausgerichtet sind und die vollreife und gesunde, aromatische Trauben garantieren. Aus den besten Teilstücken seiner Weinberge holt Justus Ruppert die Trauben für seine kraftvollen und ausdrucksstarken Lagenweine, die die qualitative Spitze des guten Sortiments bilden.

2018 Chardonnay „Calx" 🍇🍇
13,65€ · 14%
Bitte geben Sie ihm Ruhe vor dem Genuss, damit sich die Elemente Holz, Alkohol und Frucht finden können.

2019 Hesslocher Cuvée „Burgunder Trilogie" 🍇🍇🍇
10,95€ · 14%
Fantastisch ausdrucksstarke Cuvée mit Saft und Kraft und mit der speziellen Aromatik, die an ein „perfect match" mit Krustentieren denken lässt.

2019 Riesling „Calx" 🍇🍇🍇
17,50€ · 13%
Der Kräuterbursche: Hat etwas Apfelkuchen im Gepäck. Ist nicht der typischste Riesling mit Grip und viel Struktur. Bringt aber Spaß und schöne Länge. Passt zu Kräuterseitlingen in Sahnesauce.

2017 Bechtheimer Spätburgunder ♣♣♣♣
11,85€ · 14%
Ansprechender Balancekünstler. Dicht und würzig, mit warmer Stilistik, Pflaume und Schokonase. Für den Abend auf dem Lammfell vor dem Kamin.

2017 Cuvée „Rotwild" ♣♣
16,45€ · 14%
Gut gelungene Rotwein-Komposition mit feiner Dichte und warmer Ausstrahlung.

2017 Hesslocher Liebfrauenberg Cabernet Sauvignon ♣♣♣
28,30€ · 14%
Sehr feine Johannisbeer-Noten, ungemein harmonisch aufgebaut, ein sehr gelungener, kraft- und charaktervoller Vertreter dieser Bordelaiser Rebsorte.

Weingut Russbach

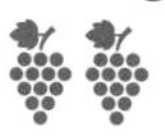

Alzeyer Straße 22,
55234 Eppelsheim
T +49 (0) 6735 9603 02
www.weingut-russbach.de

Inhaber Bernd Russbach
Verbände Selection Rheinhessen, Maxime Herkunft Rheinhessen
Rebfläche 29 ha
Produktion 250.000 Flaschen
Gründung 1970
Verkaufszeiten nach Vereinbarung

Gute Liter-Weine, die genussvoll alltagstauglich sind, hat Bernd Russbach schon immer auf die Flaschen gebracht. Das macht das Weingut in Eppelsheim seit Jahren als verlässliche und solide Adresse bei all jenen Kunden beliebt, für die Wein nicht nur in wenigen Highlights stattfindet, sondern vielmehr Bestandteil eines „Savoir-vivre" ist. Fast 30 Hektar nennt Bernd Russbach sein Eigen, die er naturnah und umweltschonend bewirtschaftet, dazu setzt er auf eine strenge Ertragsreduzierung. Denn weniger ist mehr. Russbachs Weine, die temperaturgesteuert kontrolliert langsam vergären, zeichnen sich durch eine spürbar harmonische Balance zwischen Frucht und Säure aus und sind dabei besonders bekömmlich. Eine Empfehlung für alle, die sich jeden Tag etwas Gutes tun möchten.

2018 Esselborner Goldberg Silvaner ♣♣
13,50€ · 13,5%

2018 Westhofener Morstein Riesling ♣♣♣
15,50€ · 12,5%
Ein echter Klassiker mit allem, was dazugehört. Hat Dichte, Länge, Klarheit und Tiefe. Traditionell im allerbesten Sinne.

2019 Eppelsheimer Felsen Sauvignon Blanc „Terra Fusca" ♣♣♣
14,90€ · 12%
Eher diskret elegante Aromatik, gefolgt von sanftem Druck am Gaumen mit viel Finesse im Finale.

2019 Eppelsheimer Felsen Silvaner „Kalkstein" ♣♣
12,50€ · 12,5%

2019 Sauvignon Blanc
8,90€ · 12%

2020 Eppelsheim Chardonnay
8,90€ · 12,5%
Ein zuverlässiger Begleiter für den Feierabend, dem lediglich ein wenig Länge gut gestanden hätte, nachdem Honigmelone und Birne balanciert betört hatten.

2020 Eppelsheim Grauburgunder
8,90€ · 12,5%

2020 Eppelsheim Sauvignon Blanc
8,90€ · 12%

2020 Eppelsheim Scheurebe „vom Ur-Rhein“ feinherb
8,90€ · 11%

2020 Eppelsheim Weißburgunder
8,50€ · 12%

2020 Eppelsheimer Felsen Sauvignon Blanc „Terra Fusca“
13,50€ · 12%

2017 Eppelsheimer Felsen Spätburgunder
18,50€ · 13,5%
Ein zarter Spätburgunder-Typ mit Noten von Kirschen und grünen Bohnen, der mit seiner Mildheit am Gaumen wunderbar zur gefüllten Kalbsbrust gereicht werden kann.

2020 Merlot
7,90€ · 12,5%

Weingut Sander

In den Weingärten 11,
67582 Mettenheim
T +49 (0) 6242 1583
www.sanderweine.de

Inhaber Familie Sander
Betriebsleiter Stefan Sander
Kellermeister Stefan Sander
Verbände Naturland, La Renaissance des Appellations, Message in a bottle, Maxime
Rebfläche 31 ha
Produktion 200.000 Flaschen
Gründung 1956
Verkaufszeiten
Mo–Fr 10–16.30 Uhr
und nach Vereinbarung

Schon früh hat sich der Betrieb in Mettenheim, der einen Marienkäfer im Etikett trägt, mit biodynamischem Weinbau beschäftigt, bereits im Jahre 1956 wurde auf die damals noch belächelte Methode umgestellt. Der Pioniergeist von Großvater Ottoheinrich Sander ist der Familie bis heute nicht verloren gegangen, seit 2018 findet man im Portfolio die historische Rebsorte Grünfränkisch, die Enkel Stefan Sander in Tonamphoren ausbaut. Ansonsten dominieren im rund 31 Hektar großen Betrieb die klassischen Rebsorten, zu denen natürlich auch weiße und rote Burgunder zählen. Sander lässt sich Zeit mit dem Ausbau, alles geht hier einen schonenden und nachhaltigen Gang, der sich in der klaren Präsenz der Weine bemerkbar macht. Sekte werden auf dem Weingut auch angeboten, eine erfrischend prickelnde Ergänzung zum durchweg empfehlenswerten Stillweinsortiment.

2018 Chardonnay „Reserve"
34€ · 13,5%
Intensive Farbe, nussig-üppige Nase, cremiger Geschmack. Die Reserve bringt gelungen hervor, was die Rebsorte auszeichnet.

2019 Sauvignon Blanc
9,90€ · 13%
Feine Würze gepaart mit angenehmer Rassigkeit am Gaumen.

2019 Sauvignon Blanc „Fumé"
14,40€ · 12,5%
Wandelt auf der leichten Seite des Seins mit gelber Frucht und Feinheit. Man nimmt sehr gerne das zweite Glas!

2019 Schloßberg Riesling
21,50€ · 13%
Sehr duftig mit Noten von Zuckeraprikose und Honig. Mit seinem saftigen Zug am Gaumen ein echter Klassiker mit tollem Trinkfluss.

2019 Fränkischer Burgunder „Zeiten-Sprung"
16€ · 13,5%
Ungemein komplexe Würze und enorm viel Spannung zeichnen diese Rotwein-Rarität aus, zum Philosophieren!

Weingut Scherner-Kleinhanß

Alzeyer Straße 10,
67592 Flörsheim-Dalsheim
T +49 (0) 6243 435
www.scherner-kleinhanss.de

Inhaber Klaus Scherner
Rebfläche 12 ha
Produktion 80.000 Flaschen
Verkaufszeiten
nach Vereinbarung

Klaus Scherner ist ein sympathischer und quirliger Winzer, der seinen Betrieb bestens im Griff hat und auf nur rund zwölf Hektar Rebfläche zeigt, was in rheinhessischen Böden steckt. Sein Rebsortenportfolio ist dabei nicht ausufernd, Scherner, der auch als Kellermeister in den USA und Kanada gearbeitet hat, konzentriert sich auf die Klassiker, die mehr oder weniger in allen deutschen Anbaugebieten zu finden sind. Bewährte Rebsorten, dennoch tragen sie seine individuelle Handschrift, ein Fingerprint made by Klaus Scherner. Der ambitionierte Winzer setzt dabei auf gesundes und vollreifes Lesegut und lässt seinen Weinen ausreichend Zeit, um sich zu finden und ihren geschmacklichen Charakter harmonisch, aber bestimmt einzuloten.

2018 Nieder-Flörsheimer Steig Weißburgunder
21€ · 13,7%
Stilgeprägter Weißburgunder – Californication in Rheinhessen. Viel Karamell, Haselnuss und Espresso-Noten und wenig Frucht prägen diesen Wein. Passt gut zu sahnigen Saucen.

2018 Cabernet Sauvignon
15€ · 14,1%

2016 Spätburgunder brut
15€ · 12%

Bianka & Daniel Schmitt Neueinsteiger

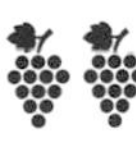

Weedenplatz 1,
67592 Flörsheim-Dalsheim
T +49 (0) 173 3174 117
www.biankaunddaniel.de

Inhaber Bianka & Daniel Schmitt
Verbände Demeter
Rebfläche 16 ha
Produktion 100.000 Flaschen
Gründung 1980
Verkaufszeiten
nach Vereinbarung

Wenn Bianka und Daniel Schmitt über ihre Weine sprechen, dann spürt man die Verbundenheit mit der Natur und den unbedingten Willen, diese unverfälscht in ihren Gewächsen abzubilden. Rau, wild und ungeschliffen, mit diesen Attributen beschreiben sie die individuellen Naturweine, die sie ohne jegliche chemischen Zusätze in Weinberg und Keller produzieren. Dafür stehen ihnen rund 16 Hektar zur Verfügung, die sie mit einem engagierten Team und handwerklicher Arbeit bewirtschaften. Dass man im Weingut längst Demeter zertifiziert ist und die Weine diese Siegel tragen, verstehen die beiden Winzer als Selbstverständlichkeit und als Respekt gegenüber der Natur und ihren Früchten. Ein spannender Betrieb, der „back to the roots" als umweltschonende Herausforderung versteht und annimmt.

2019 Chardonnay „Feminín"
23€ · 12,5%
Wild & freaky: gut gemachter Natural Style mit viel floralen und Mandelnoten. Bringt Kennern Spaß – für Einsteiger etwas erklärungsbedürftig. Dazu: Kotelett vom Landschwein mit karamellisierter Schwarzwurzel oder Porchetta.

2019 Cuvée „Erdreich"
23€ · 12%
Ausdrucksstark, reife entwickelte Frucht mit würzigen Noten, mundwässernder Appetitanreger, Aperitif einmal ganz anders.

2019 Cuvée „Frei.Körper.Kultur Weiß"
14,50€ · 12%
Zitrische Noten gepaart mit Kräuterwürze, ideal zu Wildkräutersalat mit kraftvoll grasigem Olivenöl.

2019 Müller-Thurgau
15€ · 11,5%

2019 Riesling
15€ · 12%
Neue Wege in Rheinhessens Weinbergen. Go wild, go natural, go low intervention. Sehr, sehr trocken. Passt zu gezupften, in Butter glasierten Rosenkohlblättchen.

2019 Silvaner „Zöld"
18€ · 12%
Naturbursche: eigenwilliger Natural Style mit Charme und Zug. Aromen von Mandarine, Apfelschale und Kräutern. Die feste Struktur ist geprägt von langer Maischestandzeit. Spontinase. Für Einsteiger erklärungsbedürftig. Passt zu rohem Fisch oder Austern, aber auch zum Handkäs.

2019 Blaufränkisch „Kékfrankos"
18€ · 12,5%

2019 Cuvée „Frei.Körper.Kultur Rot"
14,50€ · 12,5%

2019 Merlot „Piros"
23€ · 12,5%
Ein eigenständiger Charakter mit Tiefgang und zurückhaltendem Alkoholgehalt, ganz ideal für lange Nächte am Kaminfeuer.

2020 Cuvée „Frei.Körper.Kultur Rosé"
14,50€ · 12%

Daniel Schmitt

In den Weingärten 7,
67582 Mettenheim
T +49 (0) 6242 1717
www.schmitt-weine.com

Von der Weinwelt hat Daniel Schmitt schon einiges gesehen. Nach dem Studium in Geisenheim verschlug es ihn nach Südafrika und Neuseeland, bevor er 2009 ins beschauliche rheinhessische Mettenheim zurückkehrte und den elterlichen Betrieb übernahm. Nicht ohne große Pläne, der junge Weinmacher vergrößere die Rebfläche von acht auf 18 Hektar und modernisierte den gesamten Auftritt des Familienbetriebs bis hin zur Neuausrichtung des Sortiments. Das ist heute in die Kategorien Gutsweine, Ortsweine und Lagenweine unterteilt, umfasst die klassischen Rebsorten und lässt noch

Inhaber Daniel Schmitt
Rebfläche 18 ha
Produktion 80.000 Flaschen
Verkaufszeiten
nach Vereinbarung

ein bisschen Platz für Global Player wie Syrah, Cabernet Franc und Sauvignon Blanc, ohne die es in jungen aufstrebenden Betrieb kaum mehr geht.

2018 Bechtheimer Geyersberg Riesling
12,50€ · 13%
Allzweckwaffe gegen schlechte Laune. Entweder man freut sich an der Frucht, der guten Säure, dem Spaß zur Zeit oder daran, dass er auch in einigen Jahren noch eine gute Figur machen wird.

2018 Bechtheimer Hasensprung Syrah
18,50€ · 13,5%
Kraftvoll würziger Syrah mit feinen Pfeffernoten, ideal zum gegrillten Entrecôte.

2019 Bechtheimer Stein Pinot Meunier
18,50€ · 14%
Feine Preiselbeer-Aromatik mit markantem Holzeinsatz, ideal zu Wildgerichten mit Salbei, eine Charaktersache.

Weingut Spies

Neueinsteiger

Flachsgasse 2,
67596 Dittelheim-Hessloch
T +49 (0) 6244 7497
www.weingut-spies.com

Inhaber Tobias Leib
Verkaufszeiten
nach Vereinbarung

Es war Zufall, dass Tobias und Svenja Leib das Weingut Spies kennengelernt haben. Das ist rund zehn Jahre her, 2014 haben sich die beiden entschieden, den Betrieb von Gerold und Gunhild Spies zu übernehmen. Ein Glücksfall für den Familienbetrieb, denn Tobias und Svenja Leib sind im wahrsten Sinne des Wortes engagierte Winzer mit „Leib und Seele". Ihre Weinberge liegen rund um Dittelsheim und sind bestockt mit klassischen nationalen und internationalen Rebsorten. Ihrem Ziel, mit einem ambitionierten Team daraus einzigartige ausdrucksstarke und charaktervolle Weine zu produzieren, die Frucht und Finesse perfekt harmonisch vereinen, kommen sie mit jedem Jahrgang ein gutes Stück näher, wie die zahlreichen Auszeichnungen beweisen.

2018 Monzernheimer Steinböhl Weißburgunder Spätlese trocken
8,90€ · 14%
Kühler Weißburgunder mit feinem Süßekern. Gelbfruchtig mit Aromen nach Birne, Honigmelone und etwas Gurke und Lakritz. Fest strukturiert.

♥ **2019** Dittelsheimer Mönchhube Riesling
8,90€ · 13%
Buntfruchtiger Rieslingtyp mit Pfirsich, Aprikose, aber auch einem Hauch Maracuja und Nuss. Gefällt einer breiten Zielgruppe. Warm und wertig.

2019 Dittelsheimer Riesling
6,20€ · 12,5%

2019 Weißburgunder
6,20€ · 13%

2018 Cuvée „Amicitia“
18€ · 14,5%
Knackig, feste Rotwein-Cuvée mit viel Finesse und ebenso viel Entwicklungspotenzial.

2018 Dittelsheimer Leckerberg Spätburgunder „edition“
15€ · 14%
Frische, Ecken und Kanten, die dank der Struktur dennoch harmonisch wirken.

2018 Frühburgunder
8,90€ · 13,5%

David Spies
Hauptstraße 26,
67596 Dittelsheim-Hessloch
T +49 (0) 6244 7416
www.weinfuersleben.de

2019 Dittelsheimer Sauvignon Blanc 
8,90€ · 12,2%

Weingut Spiess

Gaustraße 2,
67595 Bechtheim
T +49 (0) 6242 7633
www.spiess-wein.de

Inhaber Jürgen & Johannes & Christian Spiess
Betriebsleiter Jürgen & Johannes & Christian Spiess
Kellermeister Johannes Spiess
Verbände Maxime Herkunft Rheinhessen
Rebfläche 30 ha
Produktion 240.000 Flaschen
Verkaufszeiten
Mo–Fr 8–12 Uhr und 13–18 Uhr
Sa 8–12 Uhr und 13–16.30 Uhr

Mit Jürgen, Johannes und Christian Spiess führt ein Dreigespann gekonnt die Geschicke des Bechtheimer Familienbetriebes. Alle drei haben beste Ausbildungsstationen in renommierten Weingütern durchlaufen und ergänzen sich in ihren unterschiedlichen Schwerpunkten bestens. Rund 30 Hektar Weinbergfläche sind zu bewirtschaften, das Sortenportfolio ist entsprechend vielfältig und breit gefächert. An der Spitze des Sortiments stehen die Lagen- und Reserveweine, allesamt spontan vergoren aus selektiv reduzierter Erntemenge. Eine Stufe darunter heißen die Gewächse Orts- und Selektionsweine und stammen aus ausgesuchten Lagen innerhalb der Ortsgemarkung Bechtheim. Die Gutsweine sind der beste Einstieg in die herkunftsgeprägte Qualitätshierarchie des Familienbetriebes, hierfür kommen die Trauben aus den Weinbergen rund um Bechtheim.

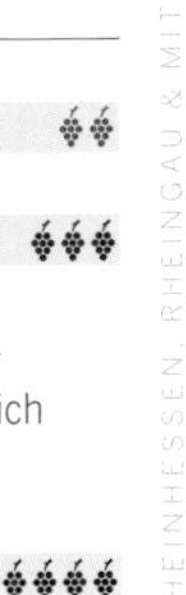

2019 Bechtheim Riesling
11,90€ · 12,5%

2019 Bechtheimer Geyersberg Riesling
21€ · 13,5%
Spekulation auf die Zukunft – als Investitionsgrundlage bietet er vernehmliche Säure und Holz. Wenn sich beides nach etwas Reife einfügt, wird er als Essensbegleitung eine schöne Zukunft haben.

2019 Bechtheimer Rosengarten Riesling
21€ · 13,5%
Ein kraftvoller Auftritt mit prägnantem Säure und Fruchtspiel, ungemein animierender Zitrusaromatik, welche die ureigene Wucht dieses Weines fein umkleidet, der somit alles andere als satt macht.

2019 Chardonnay
11,50€ · 13,5%
Mit Aromen von Speck und Rauch und leichter Süße am Gaumen kann dieser Chardonnay auch eingefleischte Rotweintrinker überzeugen.

2019 Chardonnay „R"
25€ · 13,5%
Facettenreich, intensiv und sehr burgundisch. Tiefe und Schmelz, Rauch und Süße wirken wuchtig und dennoch nicht überbordend. Dieser Chardonnay darf üppig begleitet werden, zum Beispiel von Weißer Trüffel.

2019 Oppenheimer Herrenberg Riesling
28€ · 13%
Purismus trifft Holz. Dicht und strukturiert mit Aromen von Limette, Kräutern, grünem Apfel, etwas Hefe, Nougat und Rosine. Passt zu Nordic Cuisine, zu pochiertem Ei und filigraner Küche.

2019 Sauvignon Blanc
9€ · 11,5%

2019 Weißburgunder
25€ · 13,5%
Entspannungswein: Weißburgunder mit schöner Balance. Elegantes Holz trifft Säure und einen stattlichen Körper. Viel Kernobst, Marzipan und feine Salzigkeit. Macht Spaß, Schluck für Schluck.

2017 Bechtheimer Hasensprung Pinot Noir
22€ · 13%
Dieser selbstbewusste Spätburgunder fängt mit einem Trommelwirbel an und wird auch am Gaumen nicht leise. Dazu ein Steak mit kräftigen Röstnoten und der Abend ist perfekt.

2017 Cabernet Franc „R“
28€ · 13,5%

2017 Merlot „R“
22€ · 14%

2017 Syrah „R“
36€ · 13%

Chardonnay brut
14,90€ · 12,5%
Karg, salzig und eng verwoben. Für Schaumweinprofis und solche, die es werden wollen.

Pinot brut
12,20€ · 12%
Elegante Nase nach feinem Brioche. Im Mund verführerisch zart und zitrisch, Aromen von grünem Apfel und Pfirsich. Auffällig die überaus gut gebundene weiche Perlage.

Pinot trocken
11,20€ · 12%
Großes Vergnügen, Säure bemerkenswert, gezügelte Aromen, feinste Struktur. Zug, Druck, gleichzeitig Eleganz gestützt von einem herrlich prickelnden CO_2.

Spieß Weinmacher Haus Eichrodt

Neueinsteiger

Friedrich-Ebert-Straße 53,
67574 Osthofen
T +49 (0) 6242 5012 973
www.spiess-osthofen.de

Inhaber Spieß GbR
Betriebsleiter Burkhard Spieß
Kellermeister Julius & Carl Spieß
Verkaufszeiten
Mo–Fr 9–17 Uhr
Sa 9–14 Uhr

Vor zehn Jahren hat Burkard Spieß sein Weingut mit der Idee gegründet, sich vorwiegend auf heimische Rebsorten zu konzentrieren. Echten Rheinhessen-Gewächse galt von Anfang an seine Arbeit, ehrliche und authentische Weine mit Charakter, Reifepotenzial und mit Trinkspaß zu produzieren, ist denn bis heute die Philosophie des Betriebes. Mit den Söhnen Julius und Carl ist bereits die nächste Generation am Werk und kümmert sich ganz in diesem Sinne um die Rieslinge und Burgundersorten, die als Guts-, Orts- und Lagenweine ausgebaut werden. Während die fruchtig frischen Weißweine in Edelstahltanks kontrolliert gekühlt vergoren werden, reifen die Rotweine ausschließlich in Holzfässern zu komplexen Gewächsen.

2017 Osthofener Goldberg Riesling ♦♦
19€ · 13%
Würdevoll entwickelt hat sich dieser Riesling aus dem Jahr 2017. Viel präsenter Pfirsich, aber auch Honignoten, Malz, getrocknete Datteln, Zuckerwatte, Melone, schwarzer Tee stehen für sich. Reifeprüfung bestanden.

2018 Bechtheimer Geyersberg Riesling ♦♦♦♦
19,50€ · 13%
Klare Eleganz mit einer öligen Note, die nicht ins Fette gleitet. Am Gaumen spannungsvoll und zupackend mit kräftig-zitrischer Säure.

2019 Osthofener Goldberg Riesling ♦♦
19,50€ · 12,5%
Bilderbuch-Riesling: Aprikosenduftig, sehr klar und feinfruchtig mit schöner Länge und ehrlicher Säure. In sich dicht gewoben. Dazu Blutwurstgeröstel.

♥ **2019** Osthofener Riesling ♦♦♦
10,20€ · 12%
Am Gaumen tänzeln Aprikose und Marille in feiner Cremigkeit. Leichter, erfrischender Wein. Mineralische Kreidigkeit am Gaumen. Gut zu Sushi.

2017 Bechtheimer Geyersberg Spätburgunder
28,50€ · 14%
Ein Waldspaziergang durch Beerensträucher. Dieser Wein begeistert mit seiner Präsenz und Offenheit auch Spätburgunder-Skeptiker und ist ein großartiger Begleiter für raffinierte Geflügelgerichte.

2017 Bechtheimer Stein Syrah
36€ · 15%
Wuchtig voluminöser Syrah, ausgestattet mit einem süßen Kern und schon rundgeschliffenen Ecken, monumental.

2017 Cabernet Sauvignon „Réserve"
21,50€ · 14%

Weingut Spohr

Welschgasse 3,
67550 Worms
T +49 (0) 6242 9110 60
www.weingutspohr.de

Inhaber Familie Spohr
Betriebsleiter Christian Spohr
Verbände Maxime Herkunft Rheinhessen, Message in a Bottle
Rebfläche 27 ha
Verkaufszeiten
Mo–Fr 8–17.30 Uhr
Sa 9–13 Uhr
und nach Vereinbarung

Die „Message in a Bottle" ist klar und deutlich. Christian Spohr, der mit seinem Weingut zur dynamischen Rheinhessischen Winzervereinigung gehört, möchte sich mit seinen Weinen weiter oben in der Spitzengruppe des Anbaugebietes platzieren. Seit rund 20 Jahren führt er mit Weitsicht und Geschick das elterliche Weingut und hat den Familienbetrieb mit neuen Ideen und viel Schwung bereichert. Sein umfangreiches Rebsortenportfolio umfasst dabei nicht nur die klassischen nationalen Sorten, sondern auch internationale Global Player, die Spohr im Keller mit viel Sorgfalt und Erfahrung zu bemerkenswerten und trinkfreudigen Weinen ausbaut. Zwar kommen die meisten Weine in der trockenen Geschmacksrichtung auf die Flasche, doch auch die restsüßen Gewächse haben ihren Charme und sind empfehlenswert.

2019 Abenheimer Sauvignon Blanc „S"
9,90€ · 13%
Noten von Banane und Trockenobst in der Nase werden am Gaumen von dickem Schmelz begleitet. Breitschultriger Individualist.

2019 Bechtheim Riesling „S"
9,90€ · 13%
Exotik im Glas. Reife Mango trifft Pfirsich. Schöne Cremigkeit – sanft mit Kraft und Filigranität. Passt zu hellem Fleisch, etwa Kaninchen oder Maispoularde.

2019 Cuvée „Wildwechsel"
8,90€ · 13%

2019 Wormser Liebfrauenstift-Kirchenstück Riesling 1. Lage
15€ · 13%
Schöne Exotik gepaart mit reifem Pfirsich und runden Holznoten. Dichtverwoben – macht Spaß. Passt zu cremigen Gerichten und Saucen.

2018 Abenheimer Spätburgunder „S"
9,90€ · 13%
Vanille, Kirschen und ein Korb voller Beeren im Bukett. Dieser duftig-fruchtige Spätburgunder hat richtig Power und hält sich nicht zurück.

2018 Cuvée „Wildwechsel"
8,90€ · 13%

Weingut Stauffer
Borngasse 24–26,
55234 Flomborn
T +49 (0) 6735 1521
www.weingutstauffer.de

2019 Rheinhessen Sauvignon Blanc „Reserve"
9,50€ · 13%
Erfrischend-kühlend mit prägnanter Säure.

Steinmühle

Eulenberg 18, 67574 Osthofen
T +49 (0) 6242 1478
www.weingut-steinmuehle.de

Inhaber Axel May
Verbände Maxime Herkunft Rheinhessen
Rebfläche 25 ha
Produktion 70.000 Flaschen
Gründung 1737
Verkaufszeiten
Mo–Sa nach Vereinbarung

Seit Anfang des 18. Jahrhunderts ist Familie May dem Weinbau im Wonnegau verbunden, aus der ehemals mittelalterlichen Adelsmühle in Osthofen wurde im Laufe der Zeit ein ambitioniertes Qualitätsweingut. Seit dem Jahre 2009 führt Axel May in der 11. Generation den Familienbetrieb und profitiert dabei von seiner Erfahrung, die er auf Weingütern in Kalifornien und Neuseeland sammeln konnte. Stolze 25 Hektar hat der junge Weinbauingenieur unter Reben, die Weinberge stehen auf mineralreichen Tonböden rund um Osthofen und Dittelsheim. Seit 2019 biozertifiziert, setzt Axel May auf eine nachhaltige und umweltverträgliche Bewirtschaftung der Rebfläche und einen schonenden Ausbau seiner Weine, um möglichst viel rheinhessische Authentizität ins Glas zu bringen.

2019 Osthofen Riesling
10,90€ · 12,5%
Mit seiner kühlen Art und der leichten Bitternote ein unaufdringlicher Begleiter für angeregte Gespräche, der auch nebenbei getrunken viel Freude macht.

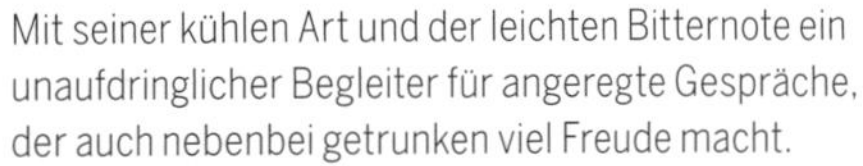

2019 Osthofener Riesling „Auf dem Schnapp"
19,90€ · 13%
Fortgeschrittenen-Riesling: frisch, stahlig, limettig, kräuterig. Am Gaumen viel Druck, bonbonhaft, ohne dabei süß zu sein. Passt etwa zu gebratener Rotbarbe mit Wildkräutern.

2019 Dittelsheim Riesling
10,90€ · 12,5%
Ein Typ für sich mit Aromen von Thymian bis Feuerstein. Nichts für Einsteiger, aber für Entdecker und Mutige.

2019 Sauvignon Blanc
7,90€ · 11%

2020 Sauvignon Blanc
7,90€ · 11%

2017 Pinot Noir „Osthofen"
13,90€ · 13%
Everybody's Darling: ein präziser, animierender Spätburgunder mit Zug. Man ahnt Himbeersaft und frische Erdbeeren. Dazu ein Entrecôte mit Zwiebel-Chutney.

Strauch Sektmanufaktur

Dalbergstraße 14–18,
67574 Osthofen
T +49 (0) 6242 8370 50
www.strauch-sektmanufaktur.de

Inhaber Isabel Strauch-Weißbach & Tim Weißbach
Betriebsleiter Tim Weißbach
Kellermeister Tim Weißbach
Verbände Verband Traditioneller Sektmacher, Vinissima, Weinelf
Rebfläche 21 ha
Produktion 40.000 Flaschen
Verkaufszeiten
An der kleinen Kirche 2, Osthofen (Navi: Ludwig-Schwamb-Straße 2):
Mi–Fr 14–18 Uhr
Sa 10–14 Uhr
und nach Vereinbarung

Wenn es mal ohne Promille sein darf oder muss, findet man bei Isabel Strauch-Weißbach und Tim Weißbach seit 2018 auch zwei alkoholfreie Sekte, die richtig gut schmecken. Ansonsten ist hier alles, was schäumt und prickelt, in Bio-Qualität und aus eigenen Grundweinen produziert, die aus 25 Hektar Weinbergen kommen. Natürlich spielt die klassische traditionelle Flaschengärung die Hauptrolle in der Sekt-Produktion, bis zu 40 Monate liegen die Weine auf der Hefe, bevor sie in den Handel kommen. Entstanden ist die biozertifizierte Manufaktur vor rund zehn Jahren aus der Sektkellerei Dalberger Hof. Neben Investitionen in die Technik wurde eine neue schicke Vinothek mit Sektlounge im Ortskern von Osthofen gebaut.

2012 Reserve Bio brut nature
34,90€ · 12%
Cremig, mit üppiger Perlage, Quitte und frischer Apfel, feine Aromatik in der Nase.

2015 Riesling „Vieilles Vignes Bio" extra brut
24,90€ · 12,5%
Eigensinn der besten Sorte: Apfelschale und Limette treffen sich auf einem Hefebett. Ein Hauch Salz, etwas Kräuter. Kein Gramm Zucker - Balance pur!

2016 Rosé Prestige Bio brut
18,90€ · 12%
Eleganz am Nachmittag: Rhabarberbiskuit mit frischen Erdbeeren, ein Hauch Johannisbeere, fest, kompakt und lang.

2016 Weißburgunder „Zero Bio" brut nature
19,90€ · 12%
Apfelaromen und knackige Säure, muskulös und mit Wucht am Gaumen.

2017 Riesling „Bio“ brut
13,90€ · 12%
Viel Spaß im Glas, stimmig verspielt mit schöner reifer Frucht, unkompliziert, fröhlicher Sekt für heiße Sommertage.

2017 Weißburgunder „Pinot Blanc Bio“ brut
15,90€ · 12%
Der Animateur: süßlich charmant vom Anfang bis zum Schluss, Apfel-Tarte, Weiße Blüten, harmonisch, Cidre-Hauch.

Weingut Weedenborn

Neueinsteiger

Am Römer 4–6,
55234 Monzernheim
T +49 (0) 6244 387
weedenborn.de

Inhaber Gesine Roll
Rebfläche 20 ha
Verkaufszeiten
Mo–Fr nach Vereinbarung

Von Monzernheim, das auf der höchsten Erhebung Rheinhessens liegt, hat man einen wunderbaren Blick über das Rebenmeer des größten deutschen Anbaugebietes. Hier ist Gesine Roll zu Hause, im familieneigenen Weingut bewirtschaftet sie 20 Hektar rund um Monzernheim und Westhofen. Angetan hat es ihr dabei vor allem der Sauvignon Blanc, den sie in verschiedenen Ausbaustilen vinifiziert. Vor der Vermarktung der Guts-, Orts- und Lagenweine stehen die naturnahe Pflege der Reben, ein vollreifes und gesundes Traubengut und eine selektive Ernte von Hand im Fokus. Im Keller überlässt die Winzerin zwar nichts dem Zufall, gibt ihren Weinen aber die Entfaltungsmöglichkeiten, die sie benötigen, um sich zu bemerkenswerten Weinen entwickeln zu können.

2017 Cuvée „Grande Réserve“
45€ · 13%
Mit größtem Fingerspitzengefühl komponierte Cuvée aus Sauvignon mit etwas Chardonnay, der diesem äußerst feinwürzigem Wein sanfte Cremigkeit beisteuert. Ein Festtagswein für die große Tafel.

2018 Chardonnay
32€ · 13%
Berechtigte Hoffnungen auf harmonische Koexistenz in ferner Zukunft von grüngrasige Tönen und phenolischen Noten. Dennoch schon jetzt ein Wein zum Nachschenken.

2018 Sauvignon Blanc „Réserve“
32€ · 13%
Rassiger, energischer Auftritt, die Reifen quietschen beim Vorfahren – dieser Sauvignon hat mehr PS, ist tiefer gelegt, windschnittiger und dabei elegant wie eine Pininfarina-Karosse.

2018 Sauvignon Blanc „Terra Rossa" 🍇🍇🍇
18,50€ · 13%
Dieser Wein braucht Luft, um seine ganze Stärke zu zeigen.

2019 Chardonnay „Westhofen" 🍇🍇🍇
13,90€ · 12,5%
Sehr klarer, etwas karger Rebsortenvertreter mit viel gelben reifen Früchten und Kräuternoten. Viel Grip. Gut zu Grüner Soße mit Eiern und Kartoffeln.

2019 Riesling „Kirchspiel" 🍇🍇🍇
24€ · 13%
Lässt einen so schnell nicht los: feiner, filigraner und animierender Riesling mit Aromen von Kräutern, Apfelschale und etwas Haselnuss. Schön dahinplätschernd mit feiner Mineralik.

2019 Sauvignon Blanc „Terra Rossa" 🍇🍇
18,90€ · 13%
Lässt die Ouvertüre aus grüner Paprika keinen Zweifel, so führt der 1. Akt mit zurückhaltender Frucht die Handlung des Weines in eine andre Richtung, die sich mit pfeffrigen Noten dennoch schlüssig und genussvoll ausgeht.

2020 Chardonnay 🍇🍇
9,90€ · 12,5%
Saubere, runde Sache, sitzt, passt, wackelt und hat Luft als schlankerer Typ mit etwas Würze und Rauchigkeit, die sich prima zu Saltimbocca macht.

2020 Sauvignon Blanc 🍇🍇🍇
9,90€ · 12%
Lechzt mit frischem, zitrischen Auftritt nach Begleitung eines Salats von weißen Pfirsichen und Ziegenkäse und atmet so Sommeratmosphäre.

2016 Chardonnay brut nature (3 Trauben)
16,90€ · 12,5%
Dezente Aromen, leichte Exotik und Honig. Der Wein tritt leise auf, ist ausgewogen und eignet sich damit perfekt für den Einstieg in einen beschwingten Abend.

2016 Sauvignon Blanc brut nature (2 Trauben)
18,90€ · 12,5%
Der perfekte Sekt für den Brunch mit guten Freunden. Harmonisch und zart.

Weingut Weinreich
Riederbachstraße 7,
67595 Bechtheim
T +49 (0) 6242 7675
www.weinreich-wein.de

2018 Perlen vor die Säue brut nature (2 Trauben)
18€ · 12,5%
Feine Noten von grüner Walnuss gepaart mit Mirabelle, ein ungewöhnlich animierender Auftakt in einen schönen Abend unter Freunden.

Pinot brut (2 Trauben)
23,50€ · 12,5%
Intensive erstaunliche Nase, kräftiger Ausdruck, überraschend deutliche Säure, zurückhaltende Perlage.

Weingut Wernersbach

Spitalstraße 41,
67596 Dittelsheim-Hessloch
T +49 (0) 6244 4477
www.wernersbach-weine.de

Inhaber
Stephan Wernersbach
Verbände Maxime Herkunft Rheinhessen
Rebfläche 12 ha
Produktion 130.000 Flaschen
Verkaufszeiten
nach Vereinbarung

Aus ein paar wenigen Weinbergen, die Senior Hans Wernersbach mehr oder weniger als Hobbywinzer in seiner Freizeit pflegte und bearbeitete, hat Sohn Stephan mit Weitsicht und Geschick ein stattliches Weingut geformt, das heute über eine Anbaufläche von rund zwölf Hektar verfügt. Weinmachen versteht er als einzigartiges Handwerk und entsprechend spielen die Intuition und das Bauchgefühl neben der modernen Technik eine entscheidende Rolle in Weinberg und Keller. Das Angebot der Wernerbachs ist breit aufgestellt, neben einer ganzen Reihe an saftigen, erfrischenden und teils tiefgründigen und mineralisch geprägten weißen und roten Weinen wird man im ambitionierten Hesslocher Betrieb auch gut mit Sekt bedient.

2019 Sauvignon Blanc (2 Trauben)
8,50€ · 12,5%
Kraftvoll und kompromisslos geradlinig mit würzigem Kern.

2020 Grauburgunder (2 Trauben)
6,90€ · 12,5%
Säure holt das Obstportfolio ab und bringt es zielsicher in den Gaumen. Salzige Charmeoffensive, die den Trinkfluss animiert und mit gutem Nachhall überzeugt.

2020 Hesslocher Muskateller „vom Kalkstein" 🍇
8,90€ · 13%

2020 Hesslocher Scheurebe „vom Kalkstein" 🍇
8,90€ · 13%

2020 Sauvignon Blanc 🍇🍇
8,50€ · 12%
Feiner, filigraner Sauvignon Blanc, sehr typisch mit exotische Aromatik, geprägt von Maracuja und Limette.

2018 Hessloch Edle Weingärten Blauer Portugieser 🍇🍇
15,90€ · 13,5%
Kraftvoller Portugieser mit festen Gerbstoffen und einem Säurerückgrat das in die Zukunft zeigt.

Weingut Winter
Heilgebaumstraße 34,
67596 Dittelsheim
T +49 (0) 6244 7446
www.weingut-winter.de

Pure brut nature 🍇🍇🍇🍇
49€ · 12%
Ein Traum von Champagner – oder von grünen Feigen und gelben Pflaumen. Etwas Sauerteig, komplex, toll!

Weingut Wittmann

Mainzer Straße 19,
67593 Westhofen
T +49 (0) 6244 9050 36
www.wittmannweingut.com

Inhaber Philipp & Günter Wittmann
Betriebsleiter Philipp Wittmann
Kellermeister Georg Rieser
Verbände VDP, Respekt-Biodyn, Maxime Herkunft Rheinhessen
Rebfläche 30 ha
Produktion 200.000 Flaschen
Verkaufszeiten
Mo–Fr 9–17 Uhr
Sa 11–15 Uhr
und nach Vereinbarung

Mit Philipp Wittmann hat Rheinhessen nicht nur eine charismatische Winzerpersönlichkeit, sondern auch einen Winzer, der mit seinen Weinen Aushängeschild der Region und in vielen Dingen Vorreiter und Wegbereiter war und ist. Bereits seit 1990 ist das Weingut biozertifiziert, seit 2004 werden die Weinberge biodynamisch bewirtschaftet. Wittmann hat sich ganz dem Ausbau trockener Weine verschrieben, restsüße Gewächse gibt es im 30 Hektar großen Weingut nur noch, wenn die Natur perfekt mitspielt. Seine trocken ausgebauten Weine – Rieslinge und Burgundersorten – zeichnen sich durch eine nachhaltige Tiefe und elegante Komplexität aus. Als Paradelage des Familienbetriebes gilt der Westhofener Morstein, einer der ältesten Weinberge des Weinguts. Die Weine präsentieren sich anfangs etwas verschlossen, zeigen dann aber ihre stattliche Größe und verfügen über enormes Reifepotenzial.

2019 Aulerde Riesling GG

40€ · 12,5%

Der Great Gatsby unter den Weinen. Mit seiner zupackenden und charmanten Art blüht er in großer Runde erst richtig auf. Ein geselliger Typ mit richtig vielen Freunden, auf dessen Party man dringend eingeladen werden will.

2019 Brunnenhäuschen Riesling GG

58,50€ · 12,5%

Ist das der perfekte Riesling? Der Wein versprüht am Gaumen ein kraftvolles Leuchten. Cremige Exotik, reifer Pfirsich, Salz und feiner Feuerstein verbinden sich in einer Linie – zusammen mit der rassigen, erfrischenden Säure der Rebsorte. Aufwachen! Nachschmecken! Alles sitzt und ist am Punkt bis hinein in den unendlichen Abgang. Ein Meisterwerk!

2019 Chardonnay & Weisser Burgunder „Der Berg" Réserve

50,50€ · 13%

Ungemein stoffige, immens harmonische Burgunder-Komposition aus Toplagen. Dieser wirklich große Weißwein wirkt dabei keineswegs breitschultrig und hat einen hervorragenden Zug durch eine belebende Würze. Dies macht ihn zum idealen Essensbegleiter, wobei pochierter Seefisch in Beurre blanc seine absolute Domäne sein dürfte.

2019 Kirchspiel Riesling GG ♣♣♣♣♣
48,50€ · 12,5%
Die Quintessenz des Rieslings: edel und feingliedrig mit etwas Feuerstein, Limette und Steinobst. Dichtgewoben, intensiv und dennoch leichtfüßig. Alles eingefasst in eine fast unsichtbare Struktur. Unglaublich lang und schön. Eine Klasse für sich.

2019 Morstein Riesling GG ♣♣♣♣♣
58,50€ · 12,5%
Der Wolf im Schafspelz. Kühle Noten von Salzzitrone und Majoran im Auftakt, am Gaumen dann zupackend mit viel Extrakt und saftiger Frucht. Bleibt im Gedächtnis und sollte in Gesellschaft getrunken werden.

2019 Niersteiner Riesling 1. Lage ♣♣♣♣
22,50€ · 12,5%
Die Holznote ist leichter als Balsa und biegsamer als Bambus, sie ist stiller Diener einer schönen tiefgründigen Frucht und elegant führenden Säure.

2019 Riesling „vom Kalkstein" ♣♣♣
16,40€ · 12,5%
Ein puristischer Wein mit Eleganz und Länge, der mit Noten von Feuerstein und Ciabatta im Gedächtnis bleibt und eine sehr vitale Säure mitbringt.

2019 Weißburgunder ♣♣
12€ · 12,5%
Sehr lebhaft mit seiner Saftigkeit, am Gaumen fast sämig wirkend. Dazu leicht krautige Noten. Spannungsvoll und sehr freudig.

2019 Westhofener Riesling 1. Lage ♣♣♣
22,50€ · 12,5%
Sorgsam dressierte Säure, die Kunststücke vollführt in einer Manege aus Holz und Substanz für ein schönes Leben im Keller, bevor im Jahr die Reife-Rendite erlebt werden kann.

Essen

LANDHAUS AM HEIDENTURM

Hauptstraße 10,
67596 Dittelsheim-Heßloch
T + 49 (0) 6244 9195 544
www.landhaus-am-heidenturm.de

Seinen Namen hat dieses Restaurant vom benachbarten Turm der evangelischen Kirche, der wegen seiner orientalisch anmutenden Form „Heidenturm" genannt wird. Die Gasträume befinden sich in der Scheune des ehemaligen landwirtschaftlichen Anwesens. Hier werden Kräuter-Lammkeule, Pilz Wellington als veganer Braten, Rinderroulade oder Tafelspitz angeboten, es gibt auch Schnitzel und Burger. Das Landhaus lädt zudem zum Feiern von Hochzeiten oder Geburtstagen ein.

Empfohlen von
Weingut Spies

STÖCKBAUERS WEINKASTELL

Am Kloppberg 1,
67596 Dittelsheim-Heßloch
T + 49 (0) 6244 57111
www.stoeckbauers-weinkastell.de

Hier kann auf der höchsten Erhebung im rheinhessischen Hügelland, dem Kloppberg, gegessen, getrunken und vor allem gefeiert werden. Peggy Stöckbauer und ihr Team wollen eine „entspannte Wohnzimmeratmosphäre" anbieten – egal, ob im Kastell oder im Turm. Auf der Karte stehen kreativ-regionale Gerichte, die Weine stammen zum großen Teil aus der Nachbarschaft.

Empfohlen von
Weingut Spies

GENUSSWERKSTATT MENGES

Langgasse 55, 55234 Flomborn
T + 49 (0) 6735 2697 004
https://genusswerkstattmenges.eatbu.com

Der Lachs wird auf Linsen-Algen-Salat serviert, Vegetarier bekommen ein Gratin von Artischocken, Kartoffeln und Tomaten, der Fleischesser darf zwischen Sauerbraten vom Glanrind oder einem Wildgulasch wählen: Bei allen Gerichten ist es den Gastgebern Jutta und Armin Menges wichtig, dass der Genuss mit all seinen Aromen und Gerüchen im Mittelpunkt steht. Die Inhaber des kleinen Fachwerk-Restaurants mitsamt dem Kachelofen legen Wert auf Handwerk, Kräuter aus eigenem Anbau, Brot aus dem eigenen Backofen und große Gastfreundschaft.

Empfohlen von
Gutgallé Rheinhessen

LANDHAUS DUBS

Am Mühlpfad 10,
67574 Osthofen
T + 49 (0) 6242 9125 205
www.dubs.de

Inmitten der Osthofener Weinberge wird hier Gourmetküche mit rheinhessischen Spezialitäten serviert. Gastgeber Wolfgang Dubs, mehrfach ausgezeichneter Grand Seigneur der regionalen Spitzenküche, legt großen Wert auf heimische Produkte, die er immer wieder neu oder modern interpretiert. In der Rheinhessen-Vinothek hält er zahlreiche Tropfen aus der Region vor – offen, als Flaschenwein oder zum Mitnehmen. Ein besonderer Platz ist bei gutem Wetter die wunderschöne Terrasse.

Empfohlen von
Weingut Sander

RESTAURANT VIS-À-VIS

Friedrich-Ebert-Straße 53,
67547 Osthofen
T + 49 (0) 6242 5012 973
www.spiess-osthofen.de/restaurant

Die Kuhkapelle wurde ausgeräumt, das Mauerwerk im Kreuzgewölbe freigelegt: Heraus kam ein schickes Restaurant, das sich modern und locker in traditionellem Gewand präsentiert. Familie Spieß, die auch das gleichnamige Weingut betreibt, bietet eine typisch rheinhessische Küche an. „Bodenständig in Feinschmeckerqualität zu kochen", ist ihr Anspruch. Es gibt Rindertatar genauso wie Thunfisch-Sashimi oder Rindfleischsalat mit gebratenen Kartoffeln.

Empfohlen von
Spieß Weinmacher
Haus Eichrodt

GUT LEBEN AM MORSTEIN

Mainzer Straße 8-10,
67593 Westhofen
T + 49 (0) 6244 9198 660
www.am-morstein.de

Restaurant, Hotel, Tagungshaus, Event-Location und Kochschule unter einem Dach: So bietet sich diese Location an. Auf der Karte steht innovative Fine-Dining-Küche – zum einen im Schlösschen, zum anderen im Weingarten, in dem auch ein komplett pflanzenbasiertes Menü angeboten wird. Zudem können Tagungen und private Feiern auf Gut Leben stattfinden und es stehen Übernachtungsgästen hinter alten Fachwerkmauern komfortable Zimmer zur Verfügung.

Empfohlen von
Hirschhof

AMBIENTE

Weckerlingplatz 6,
67547 Worms
T + 49 (0) 6241 3049 888
www.ambiente-worms.de

Wer hier sitzt, hat den Blick auf Dom und Andreasstift inklusive – und das noch in einer früheren Baptistenkirche. Mehr Tradition geht kaum – und „on the top" gibt es dann noch die mediterrane Küche in gemütlicher Atmosphäre. Serviert werden ganz klassische Antipasti, Pizza und Pasta, Dorade oder Piccata alla milanese.

Empfohlen von
Boxheimerhof

RESTAURANT „ALTES RUDERHAUS"

Floßhafenstraße 7,
67547 Worms
T + 49 (0) 6241 3086 202
www.restaurant.altes-ruderhaus.de

Kann es einen schöneren Platz geben als hier – direkt am Rhein? Das Alte Ruderhaus lädt bei Matjes, Kartoffelsuppe, Maultaschen oder einem Ruderhaus Burger zum entspannten Aufenthalt ein. Zum Restaurant gehört auch ein Biergarten mit mehr als 100 Plätzen.

Empfohlen von
Weingut Julius

RESTAURANT ZUM PFRIMMPARK

Wehrgasse 25,
67549 Worms
T + 49 (0) 6241 75427
www.zum-pfrimmpark.de

Seit 1930 ist dieses Restaurant in Familienbesitz und wird jetzt in vierter Generation geführt. Besonderes Kennzeichen sind der Park und der 200 Jahre alte Weiher direkt am Haus, der mit seiner Wasserfontäne immer wieder alle Besucher erfreut. Tradition und Regionalität bestimmen die Gerichte, die auch wegen der großen Portionen gelobt werden.

Empfohlen von
Fritz & Peter May

ZUM KLAUSENBERG

Wonnegaustraße 68,
67550 Worms-Abenheim
T + 49 (0) 6242 4633
www.zum-klausenberg.de

Ganz klassische Rinderkraftbrühe, Schnitzel schwäbische Art oder ein Rumpsteak nach Förster Art: Deutsche Küche mit Kräutern aus eigenem Anbau steht hier im Mittelpunkt des gemütlichen Restaurants, das sich auch für private Feiern eignet.

Empfohlen von
Boxheimerhof

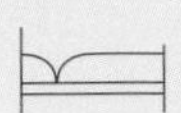

Schlafen

KRAFT HOTEL

An der Weidenmühle 9,
67598 Gundersheim
T +49 (0) 6244 57632
www.kraft-hotel.de

Dieses Haus liegt verkehrsgünstig zwischen Mainz und Ludwigshafen und trotz seiner Nähe zur Autobahn doch ruhig. 16 Zimmer stehen Übernachtungsgästen zur Verfügung; ein kleines Außen-Schwimmbad mit Liegewiese gehört ebenfalls zum Betrieb, von dem aus man Worms, Gundersheim oder die Weinregion in der Umgebung entdecken kann.

Empfohlen von
Weingut Julius

WINZERHOTEL KINGES-KESSEL

Langgasse 30,
67591 Mörstadt
T +49 (0) 6247 377
www.kinges-kessel.de/winzerhotel

Zehn Gästezimmer, zwei Appartements und zwei Gästewohnungen gehören zu diesem Drei-Sterne-Hotel mit angeschlossenem Weingut und Restaurant. Die meisten Zimmer haben Balkon und Terrasse und geben den Blick frei in die rheinhessische Hügellandschaft.

Empfohlen von
der Redaktion

GÄSTEHAUS STEINMÜHLE
Eulenberg 39,
67574 Osthofen
T +49 (0)) 6242 9908 666
www.gaestehaus-steinmuehle.de
Spätburgunder und Dornfelder, Grauburgunder und Riesling: So heißen die modern eingerichteten gemütlichen Zimmer in diesem Haus, das von Familie May geführt wird und sich unterhalb der Weinberge in der Altstadt von Osthofen befindet. Im alten Pferdestall des Weinguts entstanden zwei Appartements, ein Doppelzimmer und der Frühstücksraum.
Empfohlen von
der Redaktion

LANDGUT SCHILL
Am Mühlpfad 10,
67574 Osthofen
T +49 (0) 6242 822
www.landgut-schill.de
Direkt inmitten von Weinbergen lässt es sich hier in einem der zwölf Zimmer oder Suiten in unterschiedlichen Kategorien zentral und trotzdem nah zur Natur übernachten. Zum Hotel gehört das Restaurant Landhaus Dubs, in dem regionale Gourmetküche serviert wird.
Empfohlen von
Weingut Julius

LANDHOTEL ZUM SCHWANEN
Friedrich-Ebert-Straße 40,
67574 Osthofen
T +49 (0) 6242 9140
www.zum-schwanen-osthofen.de
In diesem historischen Gutshof aus dem 18. Jahrhundert lässt es sich in der Mixtur aus Tradition und Moderne gut entspannen. 30 Zimmer, darunter auch Appartements mit Küchenzeilen, stehen den Gästen zur Verfügung. Das Restaurant Marvin sowie der Wein- und Biergarten bieten mediterrane Gourmetküche mit täglich wechselnden Gerichten.
Empfohlen von
Cisterzienser Weingut

HOTEL WEIN- UND GÄSTEHAUS FALKENHOF
Wonnegaustraße 102,
67550 Worms-Abenheim
T +49 (0) 6242 2427
www.wein-falkenhof.de
Gemütliche, mit viel Holz eingerichtete Zimmer, benannt nach Bacchus, Traminer oder Rivaner, stehen Übernachtungsgästen in diesem Ortsteil von Worms zur Verfügung. Gastgeber in fünfter Generation ist die Familie Kercher, die auch ein Weingut betreibt.
Empfohlen von
Boxheimerhof

Einkaufen

Es gibt viele kleine oder große Hofläden in der Region. Eine Übersicht liefert die Internetadresse www.direktvermarkter-rheinhessen.de

AUGENWAIDE
Alzeyer Straße 36,
67592 Flörsheim-Dalsheim
T +49 (0) 6243 229
www.augenwaide-floersheim-dalsheim.de
Blumen in allen Variationen für drinnen oder draußen, Geschenke, Deko-Artikel, Kleinmöbel: In der Augenwaide gibt es fast alles. Die schönsten Produkte findet man in einem umgebauten Stall aus dem 19. Jahrhundert im Kreuzgewölbe. Im Hofladen kann man Früchte und Gemüse, Senf, Öl oder Gewürzmischungen kaufen. Besucher können aber auch Kaffee und Kuchen oder ein Frühstück genießen. Wer einen Spaziergang durch den Garten macht, sollte sich nicht über die Hofschweine wundern: Hugo und Hilde gehören zum lebenden Inventar.
Empfohlen von
Cisterzienser Weingut

HOF NEBER

Hof Neber,
67294 Mauchenheim
T +49 (0) 6352 4726
www.hof-neber.de

Im Herbst steht hier eine runde, orangefarbene Frucht im Zentrum: der Kürbis. Familie Neber züchtet Speise- und Zierkürbisse, verkauft sie ab Hof und bietet gleich viele praktische Rezepte zur Weiterverarbeitung von Suppen, Chutneys oder Konfitüren an. Auf dem Feld der Familie kann man sich auch Pfingstrosen, Sonnenblumen oder Dahlien zum Selbstschneiden mitnehmen, im Hofladen werden außerdem Kartoffeln sowie Saatgut verkauft.

Empfohlen von
der Redaktion

SPARGELHOF SIMMET

Untere Mühle,
55234 Ober-Flörsheim
T +49 (0) 6735 345
www.spargelhof-simmet.de

Auf 50 Hektar baut Familie Simmet ihren Spargel an – ab 2022 dann auch biozertifiziert. Der Betrieb liegt inmitten von Feldern bei Ober-Flörsheim – malerisch an einer ehemaligen Getreidemühle. Den Spargel gibt es während der Saison bis zum 20. Juni ab Hof sowie an vielen Verkaufsständen in der Umgebung.

Empfohlen von
der Redaktion

HOF AM MÜHLPFAD

Am Mühlpfad 9,
67574 Osthofen-Mühlheim
T +49 (0)) 6242 7187

Familie Heichel bietet alle vier bis sechs Wochen frisch geschlachtetes Putenfleisch an, verarbeitet die Tiere auch zu Putenwurst oder Putenschinken. Eier von Freilandhühnern, Nudeln, Öle, Gewürze, Honig und Stutenmilchprodukte sowie Wein gehören ebenfalls zum Sortiment dieses Betriebs, der auch eine Pferdepension betreibt.

Empfohlen von
der Redaktion

BÖRSCHINGERS NUDELN

Neubachstraße 87a,
67551 Worms-Horchheim
T +49 (0) 6241 34960
www.boerschingers-nudeln.de

Seit mehr als 30 Jahren widmet sich Familie Heyne in ihrer Manufaktur nun schon der Nudel-Produktion. Mittlerweile ist der Betrieb biozertifiziert, verkauft neben den verschiedenen Nudelsorten aber noch viel mehr: Maultaschen, Pesto, Aufstriche oder Chutneys sind im Hofladen, auf Märkten und online erhältlich.

Empfohlen von
der Redaktion

KAISER FEINKOST

Brückenweg 5,67551 Worms
T +49 (0) 174 9524 409
www.kaiser-feinkost.de

Chutneys, Saucen, Essig, Aufstriche, Nudeln, Pesto, Wein oder Bier: In diesem gut sortierten Geschäft wird jeder Feinschmecker und jeder Hobbykoch fündig. Das Team des Feinkostgeschäfts bietet außerdem Catering für Feiern an, ebenso werden Kindergärten und Schulen mit Mahlzeiten beliefert. Donnerstags und samstags werden die Produkte zusätzlich auf dem Wormser Wochenmarkt angeboten.

Empfohlen von
Boxheimerhof

Vinothek

WONNEGAUER ÖLMÜHLE

Herrnsheimer Hauptstraße 1, 67550 Worms-Herrnsheim
T +49 (0) 6241 5062 177
www.wonnegauer-oehlmuehle.de

Am Anfang wurde nur aus den Walnüssen aus der Region Öl gepresst, daraus ist ein immer stärker wachsendes Unternehmen geworden. Der Familienbetrieb will die Tradition der Ölmühlen wieder aufleben lassen. Und so sind heute Leinöl, Mandelöl oder Traubenkernöl im Angebot. Pesto, eingelegte Zitronen und andere Früchte oder Gewürzmischungen werden außerdem im Laden in der Remise des Herrnsheimer Schlosses verkauft.

Empfohlen von
der Redaktion

Empfehlenswerte Metzgerei

Metzgerei David
Worms-Hochheim,
(Binger Straße 23)
www.metzgerei-david.de

Viele Winzer in Rheinhessen öffnen die ganze Woche über Tor und Tür, um ihre Weine in hauseigenen Vinotheken verkosten zu lassen. Ein Besuch (nach dem Blick auf die Internetseite oder einem kurzen Anruf) lohnt in jedem der Weinorte. Weitere Infos zu Vinotheken auch auf der Internetseite www.rheinhessen.de/ausgezeichnete-vinotheken

TO:MAS – DIE WEINBAR

Rossmarkt 4, 55232 Alzey
T +49 (0) 6731 9479 410
www.to-mas.de

Die Leidenschaft für Wein war es, die Thomas Heinicke und seine Mitstreiter dazu ermunterten, diese Weinbar zu eröffnen. Sie bieten Weine aus der Region, aber auch aus anderen deutschen Anbaugebieten oder Frankreich, Italien und Spanien zum Verkosten und Mitnehmen an; außerdem wird dienstags bis samstags eine kleine Karte mit Hummus, Focaccia, Ziegenkäse, Leberwurst oder Winzer-Vesper angeboten.

Empfohlen von
Weingut Steitz

WORMSER VINOTHEK

Parmaplatz 2b, 67547 Worms
T +49 (0) 6241 9117 4700
www.wormser-vinothek.de

Im historischen Gebäude des ehemaligen Verkehrsvereins, in der Nähe des Luther-Denkmals, befindet sich diese Vinothek. 16 Winzer aus Worms haben sich mit dem Stadtmarketing und einigen Geschäften zusammengeschlossen und bieten ihre Weine – egal, ob in der Flasche oder offen im Glas – sowie Feinkost und andere Getränke an.

Empfohlen von
Weingut Spohr

Rheingau & Hessische Bergstraße

1 UNTERER RHEINGAU
2 MITTLERER RHEINGAU
3 OBERER RHEINGAU

4 HESSISCHE BERGSTRASSE

1 UNTERER RHEINGAU

Einer Laune der Natur verdankt der Rheingau sein außergewöhnliches Klima, denn der Rhein verändert seinen Lauf in Richtung Westen, bevor er wieder zwischen Rüdesheim und Assmannshausen Richtung Norden abbiegt. Und genau diese beiden Orte sind es auch, die den Unteren Rheingau prägen. Rüdesheim ist ein beliebtes touristisches Ziel, Assmannshausen ist bekannt für seine perfekten Spätburgunder. Letzte Rheingau-Station ist schließlich Lorch, das zum UNESCO Welterbe Oberes Mittelrheintal gehört.

2 MITTLERER RHEINGAU

Auch hier spielt natürlich der Rhein landschaftlich eine große Rolle, denn in Eltville fließt er so breit wie sonst nicht mehr. Die Weinberge in Oestrich-Winkel, Kiedrich oder Geisenheim sind wie im restlichen Rheingau in Richtung Süden ausgerichtet und bringen Spitzen-Rieslinge hervor. Ein besonders schönes Fleckchen Erde am Mittleren Rheingau ist die Rheininsel Mariannenaue, wo auf 24 Hektar Wein angebaut wird. Mit dem Kloster Eberbach befindet sich Deutschlands größtes Weingut in dieser Region.

3 OBERER RHEINGAU

In diesem letzten Drittel des Rheingaus hat der Weinbau eine besonders lange Tradition. Hochheim galt schon unter den Römern als wichtiges Anbaugebiet und auch heute entstehen hier allerbeste Rheingau-Rieslinge. Der Weinerlebnisweg Oberer Rheingau lädt rund um Hochheim, Wicker, Kostheim und Massenheim dazu ein, die Weinkulturlandschaft mit ihren Winzern und Weinen zu entdecken. Auch in Wiesbaden wird Wein angebaut. Eine der besten Lagen hier ist der Neroberg, der zudem ein beliebtes Ausflugsziel ist.

4 HESSISCHE BERGSTRASSE

Die Hessische Bergstraße liegt eingebettet zwischen Neckar, Rhein und Main im Schutz des Odenwalds. Sie ist seit 1971 ein eigenständiges Weinanbaugebiet, dessen Rebfläche von 467 Hektar sich auf zwei Bereiche verteilt: Die Region „Starkenburg" beginnt südlich von Darmstadt mit vereinzelten Weinbergen und nach Süden hin werden ab Zwingenberg die Rebflächen geschlossener. Haupt-Weinorte sind Heppenheim, Bensheim und Alsbach. Der Bereich „Umstadt" umfasst die Weinlagen rund um Groß-Umstadt und die Einzellage Roßdorfer Roßberg.

DIE BESTEN WEINE BIS 10€

Die hier vorgestellten Weine laden ein, die Region, ihre Winzer und Spezialitäten auf unkomplizierte wie köstliche Weise kennenzulernen. Es sind sehr preiswerte Weine **für jeden Tag**, die unsere ganz besondere Wertschätzung haben.

RIESLING

2020 Riesling 🍇🍇🍇🍇
7€ · 12.5% ·Weingut im Weinegg

2019 Oestricher Doosberg Riesling Kabinett trocken 🍇🍇🍇
6,60€ · 12% · Sechzehn ein&vierzig

2019 Hattenheimer Schützenhaus Riesling 🍇🍇🍇
9,50€ · 13% · Hans Bausch

2020 Riesling „R3 Rheingau Riesling Remastered" 🍇🍇🍇
9,50€ · 12.5% · Weingut Corvers-Kauter

2019 Riesling „Primus Maximus" 🍇🍇🍇
9,50€ · 13% · Heinz Nikolai

2019 Riesling „Rheingau" 🍇🍇🍇
5,90€ · 12.5% · Weingut Höhn

2020 Riesling „Eins-Zwei-Dry" 🍇🍇🍇
8,90€ · 12% ·Weingut Leitz

2019 Riesling „vom Tonmergel" 🍇🍇🍇
9€ · 13.5% · Rebenhof – Willi Orth

2020 Riesling „Lorch" 🍇🍇🍇
9,80€ · 12.5% · Joachim Flick

2019 Riesling „Gentleman" 🍇🍇🍇
9,90€ · 12% · Bernhard Mehrlein

SPÄTBURGUNDER

2018 Oestricher Doosberg Spätburgunder 🍇🍇🍇
9€ · 13% · Kaspar Herke

2018 Spätburgunder 🍇🍇🍇
9€ · 13.5% · Weingut Kunz Dries

2018 Spätburgunder 🍇🍇🍇
9,90€ · 14% · Graf von Kanitz

2018 Pinot Noir 🍇🍇
6,80€ · 13.5% · Weingut Kunz Dries

2019 Rauenthaler Steinmächer Spätburgunder 🍇🍇
8,50€ · 14% · Ernst Rußler

WEIL DER FLUSS EINEN KNICK MACHT UND EIN BOTE ZU SPÄT KOMMT

Von Anke Kronemeyer

Mit knapp 3.200 Hektar Rebfläche belegt der Rheingau Platz acht der 13 Anbaugebiete. Ganz weit vorn liegt er dafür mit anderen Daten und Fakten: So befindet sich das größte deutsche Weingut im Rheingau und mit der Drosselgasse in Rüdesheim eines der schmalsten Sträßchen. Und beim Riesling ist der Rheingau sowieso ganz weit oben.

Versprochen: Die Geschichte vom Spätlese-Reiter kommt. Aber erst später. Zuerst muss man andere Geschichten aus dem Rheingau erzählen. Dass eigentlich der Rhein dafür verantwortlich ist, dass es hier so ist, wie es ist. Denn der macht einen Knick, ändert kurz vor Wiesbaden seinen Lauf, wandert erst nach Westen, dann dreht er wieder ab nach Norden. Und so entstand praktisch in einem rechten Winkel der Rheingau. Er zieht sich von Ost nach West als schmales Band in der hessischen Landschaft. Und dann war da noch Kaiser Karl der Große, der angeblich angewiesen hat, dass bei Schloss Johannisberg ein Weinberg angelegt werden soll. Also alles ziemlich geschichtsträchtig zwischen Hochheim und Lorch. Hieße das, dass der Wein dann auch eher „old school" wäre und dass es im Rheingau altmodisch, konventionell und wie von früher zuginge? Pah. Nix dergleichen. Alle Orte strahlen eine erfrischend-stilvolle Leichtigkeit und viel Freundlichkeit aus. Die Winzerinnen und Winzer im Rheingau stehen für Riesling und Spätburgunder, wenn man es auf den Punkt bringen möchte. Es gibt wie in allen deutschen Anbaugebieten natürlich eine große Vielfalt in den Regalen der Vinotheken. Der Rheingauer Riesling strahlt als Jungwein und überzeugt als gereifte Persönlichkeit: Nicht nur die bemerkenswerte Sammlung alter Jahrgänge von Kloster Eberbach liefert hier den Beweis für das grandiose Reifepotenzial der Rheingau-Rieslinge.

Also: der Wein. Das größte Thema im Rheingau – wirtschaftlich, aber auch kulturhistorisch, touristisch. Um fast nichts anderes dreht es sich hier. In jedem Ort wird Wein angebaut, gibt es Gaststätten, Hotels, Ferienwohnungen, Campingplätze. Egal, ob in Eltville, Flörsheim, Hattenheim, Oestrich-Winkel, Geisenheim, Hochheim, Rüdesheim oder Assmannshausen. Überall dominieren die Weinberge, die hier allesamt Richtung Süden ausgerichtet sind. Das liegt wieder am Knick des Rheins. Wein wächst auf 3.185 Hektar, zu 80 Prozent werden Riesling, zu zwölf Prozent Spätburgunder angebaut. Hier wachsen fast ausnahmslos Spitzenweine, die einen legendären Ruf im eigenen Land und im Ausland haben. Wein aus Hochheim ist seit Jahrzehnten zum Beispiel am englischen Königshof sehr beliebt. Man nannte ihn dort früher schon „The Hock" und schwor darauf, dass er die beste Medizin bei allen möglichen Zipperlein sei. Skandinavier lieben den Riesling aus dem Rheingau ebenso wie Amerikaner und Chinesen. Geschätzt wird der Rheingauer Wein, weil er „nordisch trocken" ist. Für die Winzer ist das ein Beweis, dass sie mit dem Ziel, aus ihrem Riesling über alle individuellen Weingutsgrenzen hinweg eine internationale Marke zu etablieren, auf dem richtigen Weg sind. Eines der großen bedeutenden Weingüter ist Kloster Eberbach, mit seinen 250 Hektar das größte Weingut in ganz Deutschland. Weil die Mauern der ehemaligen Zisterzienserabtei immer noch die Atmosphäre des mittelalterlichen Klosterlebens widerspiegeln, wurde nicht nur für den Film „Der Name der Rose" hier gedreht. Das Kloster stammt aus dem 12. Jahrhundert. Schon die ersten Mönche hatten burgundische Weinreben gesetzt; der Weinbau wurde im Laufe der Jahrhunderte zum wichtigsten wirtschaftlichen Faktor. 1803 verließen die letzten Mönche das Gelände, 1998 wurde die Anlage in eine Stiftung überführt. Im Sommer 2008 wurde der Steinbergkeller als eine der modernsten Weinproduktionsstätten Europas in Betrieb genommen. Heute verwalten die Staatsweingüter sechs Staatsdomänen im Rheingau und an der Hessischen Bergstraße.

Rheingau Riesling ist eine internationale Marke

Ein weiteres, für den Rheingau wichtiges Weingut ist Schloss Johannisberg, das auf einem Quarzithügel thront und früher ein Benediktinerkloster war. 1716 wurde der

Fuldaer Fürstabt Konstantin von Buttlar der Hausherr. Dort wurde dann Wein angebaut, es brauchte aber immer eine Genehmigung des Fürstbischofs in Fulda. So auch im Jahr 1775, als die Trauben eigentlich schon längst reif waren, der reitende Bote mit der Genehmigung in der Tasche aber auf sich warten ließ. Ganze zwei Wochen, er hatte sich wohl auf der langen Strecke verlaufen beziehungsweise verritten. Auch wenn es eigentlich zu spät war für die Lese, ernteten die Helfer die Trauben und entdeckten, dass der Wein daraus ganz wunderbar schmeckte. Trotz (oder eben wegen) der leicht geschrumpften und schon etwas verfaulten Trauben. Die Spätlese ward geboren und nahm von dort ihren Triumphzug in die Wein-Welt.

Segensreiche Verspätung: die Geburt der Spätlese

Wer als Tourist in den Rheingau kommt, will Wein trinken und eventuell mit nach Hause nehmen, aber auch eine gute Zeit in der Natur verbringen. Dazu hat er zahlreiche Gelegenheiten. Der 30 Kilometer lange Rheingauer Klostersteig zum Beispiel ist ein Premiumwanderweg, der an sechs Klöstern vorbeiführt, die Etappen des Rheinsteigs sind ebenso beliebt. Auch der Wald spielt im Rheingau eine große Rolle, denn hier liegt das größte Waldgebiet Hessens, das sich ebenfalls gut durchwandern lässt. Und dann sind da noch die Wisper-Trails, benannt nach dem Nebenfluss des Rheins. Sie sind unterschiedlich lang und führen immer durch traumhafte Natur mit Bäumen, Orchideen, Felsen oder Gewässern. Und dann gibt es noch die ganz normalen Spazierwege durch die Weinberge, die jederzeit und überall zu gehen sind. Hauptsache, man geht raus und guckt, wie es den Reben geht.

Der Rheingau-Gast liebt auch die Kultur, die ihm übers ganze Jahr geboten wird. Das Rheingau-Musikfestival ist nur eins von vielen Beispielen, das Gourmet- und Weinfestival ein anderes, es gibt das Rheingauer Weinmuseum oder die kurfürstliche Burg in Eltville. Dort war übrigens auch Johannes Gutenberg zu Gast, als er 1465 vom Mainzer Erzbischof zum Hofedelmann ernannt wurde. Daran erinnert noch heute eine Gedenkstätte.

Auch die jungen Winzer im Rheingau verbinden sich in Vermarktungsgemeinschaften und einer dieser Zusammenschlüsse nennt sich „Fingerprint“. Frei nach dem Motto: Jeder hat seinen eigenen Fingerabdruck. Die hier zusammengeschlossenen 40 Jungwinzer reden miteinander, tauschen sich aus, profitieren voneinander. Ihr Ziel: den Rheingau-Wein ganz generell besser zu machen und noch besser zu vermarkten. Gemeinsame Basis: ihr Stolz, im Rheingau Wein anbauen zu können. Denn Stolz auf die eigene Herkunft ist eine Eigenschaft, die die Rheingauer gerne – und auf sehr sympathische Art und Weise – nach außen tragen.

INTERNETADRESSE
www.rheingau.com

Zahlen & Fakten

ANBAUFLÄCHE
3.187 Hektar

KLIMA
Der Rhein bestimmt maßgeblich das Klima. Fast alle Hänge im Rheingau sind nach Süden ausgerichtet.

WICHTIGSTE REBSORTEN
Riesling, Spätburgunder

REGIONEN
Unterer Rheingau mit Lorch, Assmannshausen, Rüdesheim
Mittlerer Rheingau mit Geisenheim, Eltville, Hattenheim
Oberer Rheingau mit Wiesbaden, Flörsheim-Wicker und Hochheim

Fotocredit: Deutsches Weininstitut

EINE WEISE STANDORTENTSCHEIDUNG DER ZISTERZIENSER

Von Melanie Wagner

Welch eine Fügung muss es gewesen sein, dass die Zisterzienser im Zuge zahlreicher Klosterneugründungen im 12. Jahrhundert auch in den Rheingau, genauer gesagt in die Abgeschiedenheit des Klosters Eberbach kamen. Und mit ihnen ein großes Stück Kulturgut aus ihrer französischen Heimat, dem Kloster Cîteaux im Burgund, der Wiege des Pinot Noirs. Die in sozialer Hinsicht und vor allem im landwirtschaftlich-weinbaulichen Bereich unheimlich kenntnisreichen Mönche bewiesen hier einmal mehr ein Händchen dafür, äußerst kluge Standortentscheidungen mit viel Weitsicht zu treffen. Damit haben sie eine enorme Rolle als ausschlaggebende Keimzelle des Weinbaus im Rheingau gespielt. Sie bescherten letztendlich diesem gesegneten Landstrich zwischen dem Mainzer Becken und dem Rheinischen Schiefergebirge unter anderem die Kultivierung des Spätburgunders, der damals auch als „Klebrot" bezeichnet wurde und heute als Synonym der internationalen Bezeichnung Pinot Noir gilt.
Was könnte also näher liegen, als die dafür prädestinierten, warmen und relativ trockenen Klimabedingungen in dem knapp über 3.100 Hektar großen Weinbaugebiet gerade hier für dessen Anbau zu nutzen? An Rebhängen, die in Richtung Süden und Südwesten zum Rheinufer hin abfallen, zum Teil im Schutz der Wälder der westlichen Taunusausläufer – und dazu noch eine nahezu optimale Sonneneinstrahlung, gleichmäßige Temperaturen und Wärme bieten. Im Idealfall mit kühlen Nächten während und kurz vor der Lesezeit, die eine frische Säure in der Struktur bewahren – das liebt der Pinot Noir, was ihm gleichzeitig eine gute Balance und Spannung verleiht.
Zwar macht der Spätburgunder dem Riesling seine eindeutige Vormachtstellung nicht streitig, bezieht aber über Jahrhunderte hinweg in friedvoller und ehrfürchtiger Koexistenz Platz Nummer 2 mit knapp über zwölf Prozent der Rheingauer Rebfläche direkt hinter dem Riesling. Eine durchaus berechtigte Position, auf der er sein Potenzial, gerade auch im Hinblick auf seine Lager- und Reifefähigkeit, beweist – sowohl mit der richtigen Menge an Traditionsbewusstsein als auch an Zukunftsperspektive.
Er begeistert mit ganz vielfältigen Charaktereigenschaften, die je nach Lage von gehaltvoll, dicht, intensiv, vollmundig, würzig bis hin zu finessenreich, expressiver Frucht, rassiger und rescher Struktur

oder erfrischenden Tanninen tendieren. Immer auch qualitätserhaltend wird unterstützend im Ausbau eine Feinjustierung vorgenommen, sei es in klassischen Stückfässern oder durch die Reifung im Barrique. In jedem Fall gibt es neben dieser großen Bandbreite an Spätburgunder-Stilistiken und Geschmäckern einige sehr wertvolle Langstreckenläufer, die ganz distinguiert mit ertragsreduzierter Struktur und viel Sensibilität wieder an den Weltruf anknüpfen, der in den 1980er- und 1990er-Jahren kurzzeitig vielleicht etwas ins Wanken geraten war. Das glückte nicht zuletzt auch Dank einer kompromisslosen Qualitätsoffensive der Erzeuger und einer strengen Klassifizierung.

Die Rheingauer präsentieren uns heute ihre Spätburgunder – die dort auf relativ kleinem Raum wachsen – in großer Diversität. Diese Weine müssen den Vergleich mit internationalen Spitzengewächsen absolut nicht scheuen. Beste Beispiele dafür sind etwa die Toplagen in Assmannshausen – allen voran natürlich der Assmannshäuser Höllenberg, unweit davon der Lorcher Schlossberg, die Rüdesheimer Berglagen, der Wallufer Walkenberg oder etwa das Hochheimer Reichestal.

Die aromatische Palette ist dabei je nach Lage und Boden recht weit gefächert. Oft liegen Kraft, Kräutrigkeit, Spannung und Eleganz dennoch ganz nah beieinander. Auf der einen Seite haben wir tolle Schiefer- und Quarzit-Böden mit leicht sandig-kiesigem Einfluss im unteren Rheingau. Im oberen Teil des Rheingaus auch deutlich schwerere, tiefgründigere und kalkhaltige Lössböden, die dann eher die vollmundigeren, konzentrierter wirkenden Pinot Noirs hervorbringen.

Die Spätburgunder-Traube ist anspruchsvoll und liebt große Aufmerksamkeit: im Weinberg, im Keller und zu unserer Freude auch im Glas. Kaum zu einem anderen Zeitpunkt war das Interesse an dieser Rebsorte so im Fokus wie aktuell: ihre Klone, deren Selektion, ihr An- und Ausbau. Und auch im Rheingau bestimmen die Themen Nachhaltigkeit, Ökologie und das bestmögliche Verständnis für das Terroir den Blick in die Zukunft. Mit Stolz darf gezeigt werden, wo deutsche Spätburgunder-Tradition mitunter ihren Ursprung hat: genau hier.

TOP 12 – SPÄTBURGUNDER

Große Vielfalt auf kleinem Raum: Die Rheingauer Winzer bieten Spätburgunder, die im internationalen Vergleich locker mithalten. **Beeindruckende Spitzengewächse!**

2018 „Cuvée Max“

August Kesseler,
Rüdesheim am Rhein

Der „primus inter pares“: Ganz und gar dunkel kühle wie tiefgründige Aromatik, unterlegt von feinem Zedernholz mit würzigen Havanna-Noten, seidig am Gaumen, ungemein harmonisch langer Nachhall – mythisch.

75€ · 14%

2018 Assmannshäuser Höllenberg GG

Weingut Künstler,
Hochheim am Main

Viel Frucht und dunkle Schokolade bieten elegante Kombinationsmöglichkeiten etwa zu Geschmortem oder sehr reduzierten Soßen. Aber noch geduldig sein, er ist auf Zukunft ausgelegt.

55€ · 14%

2018 Assmannshäuser Höllenberg GG

Familie Allendorf,
Oestrich-Winkel

Die reine Pinot-Essenz: feine Kirschnote, saftig, würzig, kompakt und mit Potenzial – prädestiniert zum geschmorten Ochsenschwanz.

48€ · 13%

2017 Wallufer Walkenberg

J. B. Becker, Walluf

Klassischer, leger-kräuteriger Pinot für alle Tage, den man auch hervorragend zu deftigeren Speisen kombinieren kann.

16,50€ · 12,5%

2018 Rüdesheim Drachenstein

Chat Sauvage, Johannisberg

Packender, animierender Spätburgunder mit mundfüllendem, präzisem Druck am Gaumen – perfekt für Wildgerichte. Er beweist auch Zukunftsperspektive.

60€ · 14%

2018 Rüdesheimer Drachenstein 1. Lage

Weingut Corvers-Kauter, Oestrich-Winkel

Klassischer Vertreter des Spätburgunder, äußerst filigran und nahezu intellektuell.

48€ · 13,5%

2018 Rüdesheimer Berg Rottland GG

Kloster Eberbach, Eltville am Rhein

Intensive, nahezu kühl wirkende Aromatik, dabei tiefgründig mit samtigen Gerbstoffen am Gaumen. Ein echter Charakter-Wein.

39€ · 13%

2014 „Juwel“

Krone Assmannshausen, Assmannshausen

Dieses Juwel wiegt viel. Sehr wuchtiger Pinot-Stil, der mit Rassigkeit, Strenge und Dichte punktet und nichts für Fans der leisen Töne ist. Wildheit und Rohheit sind hier Programm. Ein sehr eigenständiger Wein, der lange im Gedächtnis bleibt.

63€ · 13,5%

2017 Assmannshäuser Höllenberg

Meine Freiheit, Oestrich-Winkel

Modern interpretiert, mit konzentrierter Frucht sowie durchaus prägnantem Holzeinsatz offenbart sich hier ein Stil, der schnurstracks geradeaus zeigt und dabei Frische und Schmelz grandios, fast „tanzend“ vereint.

18€ · 13%

2018 „Artist Edition Guimarães“

Georg Müller Stiftung,
Hattenheim

Transparent schimmernd, distinguiert, runder Saftkörper, viele feine Tannine. Nomen est omen – der zeitgenössische portugiesische Künstler Guimarães steht mit seinen ausdrucksstarken Werken Pate.

28€ · 13%

2018 Erbacher Siegelsberg GG

Schloss Reinhartshausen,
Eltville-Erbach

Tiefgründige, wundervoll reife Aromatik, gefolgt von viel Druck am Gaumen mit einem süßen Kern, daneben feine Salzigkeit. Ein Wein, der zu kraftvollen Klassikern wie Rehrücken „Baden-Baden“ oder Côte de Bœuf mit Sauce béarnaise zur Höchstform aufläuft.

34,95€ · 13%

2018 Rüdesheimer Berg Schloßberg „66 Grad“ Auslese trocken

Michael Schön,
Rüdesheim am Rhein

Abwechslungsreicher, „fester“ Wein mit holzgeprägter, dunkel-würziger und kräuteriger Tendenz.

59€ · 14,5%

UNTERER RHEINGAU

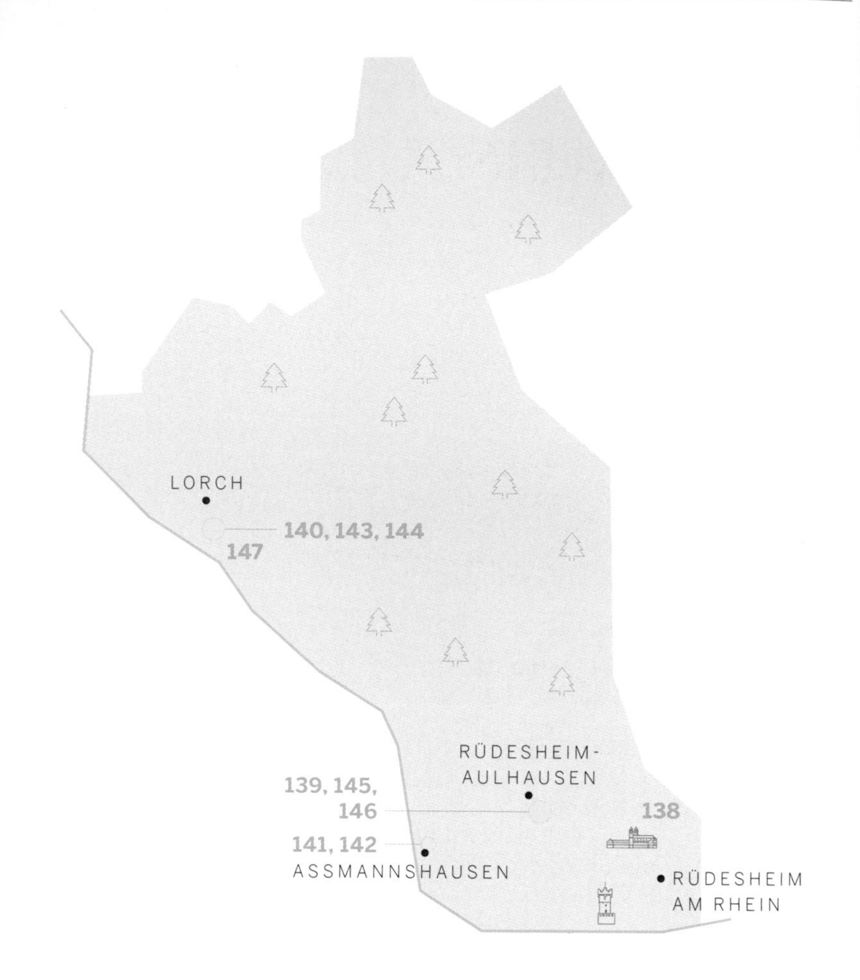

Rüdesheim mit seinem Stadtteil Assmannshausen sowie Lorch mit seinem Ortsteil Lorchhausen: Das sind die berühmten Orte, die den Unteren Rheingau prägen.

Lorch am Rhein gehört zum UNESCO Welterbe Oberes Mittelrheintal und bei Stromkilometer 542 liegt mit Lorchhausen der tiefste Ort von ganz Hessen. Dort beginnt die Rheingauer Riesling Route, die bis nach Wicker führt. Schöne Stationen sind hier auch der Welterbe-Weinberg und der Rheinhöhenweg mit seinen spektakulären Ausblicken.
Rüdesheim präsentiert sich mit Burgen, Kirchen, Klöstern und der Drosselgasse. Zum Niederwalddenkmal kann man mit einer Seilbahn fahren und weit über den Rhein schauen. Assmannshausen ist eine bekannte Rotweingemeinde: Hier wird traditionell mehr Spätburgunder angebaut als im Vergleich zu anderen Weinbaugemeinden im Rheingau.
Berühmte Lagen sind Bischofsberg, Klosterberg und Drachenstein in Rüdesheim, Höllenberg in Assmannshausen oder Krone in Lorch.

WEINGÜTER

138
GEORG BREUER
Grabenstraße 8
65385 Rüdesheim am Rhein

139
WEINGUT FRIESENHAHN
Am Fichtenkopf 22
65385 Rüdesheim am Rhein

140
GRAF VON KANITZ
Rheinstraße 49
65391 Lorch

141
AUGUST KESSELER
Lorcher Straße 16
65385 Rüdesheim am Rhein
(OT Assmannshausen)

142
KRONE ASSMANNSHAUSEN
Niederwaldstraße 2
65385 Assmannshausen

143
PAUL LAQUAI
Gewerbepark Wispertal 2
65391 Lorch

144
WEINGUT MOHR

Rheinstraße 21
65391 Lorch

145
MICHAEL SCHÖN

Hauptstraße 80
65385 Rüdesheim am Rhein
(OT Aulhausen)

146
THILO STRIETH

Hauptstraße 43
65385 Rüdesheim am Rhein

147
WEINGUT WURM

Binger Weg 1
65391 Lorch

Georg Breuer

Grabenstraße 8,
65385 Rüdesheim am Rhein
T +49 (0) 6722 1027
www.georg-breuer.com

Inhaber Marcia & Theresa Breuer
Betriebsleiter Hermann Schmoranz
Kellermeister Markus Lundén
Verbände dieGueter.de, Fair'n Green
Rebfläche 38 ha
Produktion 280.000 Flaschen
Gründung 1880
Verkaufszeiten Mo–So 10–18 Uhr

Zwar gibt es den Familienbetrieb der Breuers schon seit 1880, doch erst hundert Jahre später trat das Weingut unter Bernhard Breuer ins Rampenlicht der Rheingauer Weinszene. Der visionäre Winzer setzte mit seinen trocken ausgebauten Weinen Anfang der 1980er-Jahre neue Akzente, veränderte und prägte damit die Region und ihre Rieslinge nachhaltig. Dieses Erbe wird heute von seiner Tochter Theresa mit Unterstützung des langjährigen Betriebsleiters Hermann Schmoranz und Kellermeister Markus Lundén fortgeführt. Herzstück des renommierten Betriebs sind beste Lagen im Rüdesheimer Berg, aber auch Parzellen in Lorch und Rauenthal. Selbstverständlich werden die Weinberge ökologisch bewirtschaftet, im Ausbau setzt man nach wie vor auf trockene Spitzenweine. Dazu gehören auch markante Gewächse aus den historischen Rebsorten Orléans und Heunisch, die Theresa Breuer neben Rieslingen und Burgunder in ihren Weinbergen stehen hat.

2019 Riesling „Estate Lorch"
16,50€ · 12%
Üppig-reife Tendenz, die ein breites Spektrum bedient. Wie wäre es mit einem Flammkuchen „Elässer Art" oder einer Quiche Lorraine dazu?

2019 Riesling „Estate Rüdesheim"
16,50€ · 12%
Überzeugt mit Grip, Dynamik und straffem Säuregerüst, fast spielerisch.

2019 Riesling „Lorcher Pfaffenwies"
49€ · 12%
Pfaffenwies, der „Neuzugang" in Theresa Breuers Riesling-Universum von auf Schiefer und Quarzit durchzogenen Böden wurzelnden 60 Jahre alten Reben. Ungemein fest, fast linear, mit kräftigem Zug und feinen reifen Noten, die von Wiesenkräutern bis hin zur Aprikose reichen. Ganz große Klasse!

2019 Riesling „Rauenthaler Nonnenberg"

59€ · 12%
Nonnenberg (Monopol), ein Monument mit schier unergründlichem Tiefgang, sowohl in der komplex verwobenen Aromatik als auch in der Herzhaftigkeit des Geschmacks mit saftig süßem Kern und einem ultrafeinen Finale, mit einer jahrzehntelangen Perspektive. Wer nicht warten kann, dem sei ein gekochtes Schulterstück vom Rind mit leicht salziger Salsa verde dazu empfohlen.

♥ **2019** Riesling „Terra Montosa"

24€ · 12%
Zugänglicher, abgerundeter Stil, selbst für „Nicht zu trocken"-Trinker und alle, die es eher unaufdringlich mögen.

2018 Pinot Noir „Spätburgunder"

23€ · 12%
Vegetabile Noten und ein wenig Grafit. Ein schlanker Wein, der für seinen Jahrgang bemerkenswert in sich ruht und einen straffen Spannungsbogen hat. Über diesen Wein kann man lange sprechen, er bleibt auf jeden Fall im Gedächtnis.

2008 Georg Breuer brut

38€ · 12,5%
Ein gereifter Sekt der schönsten Art besticht mit einem verführerischen Duft nach kandierter Orange, Honig, Brioche, etwas Vanille, frisch gemähtem Gras. Im Mund spürbar feine Säure.

Weingut Friesenhahn

Neueinsteiger

Am Fichtenkopf 22,
65385 Rüdesheim am Rhein
T +49 (0) 6722 9376 47
www.weingut-friesenhahn.de

Die Höhengemeinde Aulhausen, nur wenige Kilometer entfernt von Rüdesheim gelegen, ist ein beschaulicher gastlicher Weinort, der immer einen kleinen Abstecher lohnt. Zum Beispiel sollte man hier das Weingut Friesenhahn besuchen, das seine Reben im Nebenerwerb bewirtschaftet. Dennoch ist man hier mit viel Herzblut bei der Sache und konzentriert sich auf naturnahes und umweltschonendes Arbeiten im Weinberg. Die wenigen Parzellen liegen im Rüdesheimer Berg, einem mineralischen Fels-Giganten mit zum Rhein hin steil abfallenden Rebzeilen. Eine echte Herausforderung für „Teilzeit-Winzer", die nach Feierabend noch ins Feld oder in den Keller müssen. Doch die Friesenhahns lieben ihr Hobby, entsprechend qualitativ engagiert und bestens in Form sind auch ihre Terroir-betonten Weine.

Verbände Rheingauer Weinbauverband
Rebfläche 1,7 ha
Produktion 10.000 Flaschen
Gründung 1965
Verkaufszeiten nach Vereinbarung

2018 Riesling „A"
8,20€ · 12%
Charmant, ohne sich anzubiedern, konzentriert im Mund, etwas balsamisch, die Säure ist straff.

2019 Katerloch Riesling
8,50€ · 12%
Charmant, weinig und balanciert. Eine tolle Reise ins Reich der Exotik mit „Karibik-Feeling für zu Hause".

2018 Spätburgunder
14,50€ · 13%
Kraftvolle Struktur, feinwürzige Nase, Süßkirsche, begeisternd: der perfekte Kaminzimmerwein.

2018 Auxerrois extra brut
12,50€ · 12,5%
Frisch und appetitlich am Gaumen, ein wunderbarer Auftakt zur Sommerparty.

Graf von Kanitz

Rheinstraße 49, 65391 Lorch
T +49 (0) 6726 346
www.weingut-kanitz.de

Inhaber
Sebastian Graf von Kanitz
Betriebsleiter Marc Leitis
Kellermeister Jens Pape
Verbände Ecovin
Rebfläche 14 ha
Produktion 50.000 Flaschen
Verkaufszeiten
Mo–Sa 12–16 Uhr
Jan.–April jeden letzten Samstag im Monat
und nach Vereinbarung

An der westlichen Grenze des Rheingaus gelegen, stehen rund um Lorch die letzten Weinberge des Anbaugebietes, bevor die Weinregion Mittelrhein beginnt. Der kleine Weinort Lorch ist die Heimat des Weingutes, das seit rund 100 Jahren im Besitz der Grafen von Kanitz ist. In dieser Zeit hat der Betrieb Höhen und Tiefen erlebt, seit ein paar Jahren ist er unter Kellermeister Jens Pape wieder Schrittmacher für feine, mineralische Rieslinge, die in ihrer Stilistik den Mittelrhein-Gewächsen sehr nahe kommen. Viel aufwendige Handarbeit ist in den steilen Hängen am rechten Rheinufer notwendig, um die Reben das ganze Jahr über zu kultivieren und im Herbst die Ernte einzubringen. Wer sich in den verträumten Weinort Lorch aufmacht, findet abseits des lärmenden Rheintourismus auch Weine mit Tiefgang, die über individuelle Klasse verfügen.

2016 Lorcher Krone Riesling 1. Lage
20,50€ · 12%
Sehr schlanker Zeitgenosse mit zarten Aromen von nassem Stein und Mandarine. Vibriert sich dann am Gaumen entlang, ohne laut zu werden. Dazu unbedingt Fisch, am liebsten ein gebratener Hecht mit Süßkartoffelpüree.

2019 Lorcher Kapellenberg Riesling Kabinett
9,90€ · 11%
Ein gelassen, ruhiger Geselle, der Säureschub indessen ist hoch.

2019 Lorcher Pfaffenwies Riesling 1. Lage

8,90€ · 12,5%

Sehr duftiger Auftakt mit Grapefruit und grünen Kräutern. Dazu ein Salat von hauchdünn gehobelter Cedro-Zitrone mit Olivenöl und Estragon und das Lob der Gäste ist Ihnen garantiert.

2019 Riesling halbtrocken

7,80€ · 12%

Zitronenfalter auf Tour – grüne, fein herbale, doch saftige Struktur. Der Apéro par excellence.

2018 Lorcher Schloßberg Spätburgunder 1. Lage

13,90€ · 14,5%

Das spannende Säuregerüst und die süß-kirschige Nase wirken charmant. Zum Feldsalat mit Nüssen und Speck.

2018 Spätburgunder

9,90€ · 14%

Noch jugendlicher, sehr würzig strukturierter Wein mit Potenzial, der gut zu kräftigen Gerichten funktioniert. Ihn im Glas wünscht man sich in einem guten Steakhouse.

August Kesseler

Lorcher Straße 16,
65385 Rüdesheim am Rhein
(OT Assmannshausen)
T +49 (0) 6722 9099 200
www.august-kesseler.de

Inhaber August Kesseler
Betriebsleiter Simon Batarseh
Kellermeister Max Himstedt
Verbände VDP
Rebfläche 33 ha
Produktion 250.000 Flaschen
Gründung 1977
Verkaufszeiten
nach Vereinbarung

Schaut man in die Historie, dann war der Assmannshäuser Höllenberg schon immer mit Rotweinreben bestockt. Für August Kesseler ist das ohnehin die beste Lage, um im Rheingau gehaltvolle und tiefgründige Spätburgunder zu kultivieren. Seinen guten Ruf als Winzer hat er darauf begründet, mittlerweile spielt in seinem Weingut aber der Riesling die Hauptrolle. Dennoch, Kesselers Rotweine, für die seit vielen Jahren Kellermeister Max Himstedt verantwortlich ist, sind bis heute eine besondere Klasse und waren lange Zeit Vorbild für ambitionierte junge Rotweinwinzer im Rheingau. Kesselers Rieslinge stehen vorwiegend im Rüdesheimer Berg, was ihnen dank der Schieferverwitterungsböden einen mineralischen Charakter quasi garantiert. Dazu kultiviert das 33 Hektar große Assmannshäuser Weingut auch Steillagen in Lorch und Lorchhausen.

2019 Lorchhausen Seligmacher Riesling GG
50€ · 13%
Zunächst zurückhaltend, später eher süßlich zart. Aber aktuell schon sehr offen und trinkig, z. B. zu gebratener Leber mit Chicorée.

2019 Rüdesheim Berg Roseneck Riesling GG
45€ · 13%
Besticht durch seine extrem komplexe und spannungsgeladene salzige Struktur, füllig. Super Begleiter zum Salzwiesenlamm.

2019 Rüdesheim Berg Schlossberg Riesling GG
60€ · 13,5%
Dieser Wein sprengt Grenzen: aromatisch, überbordende Kraft, energiegeladen und mit unendlichem Schmelz. Ein außergewöhnlicher Charmeur.

2017 Pinot Noir „Momentum Gaudeo"
30€ · 14%
Klassische Strenge und feine Süße zugleich lassen tiefgründiges Potenzial bereits erahnen.

2018 Assmannshausen Höllenberg Pinot Noir GG
165€ · 14%
Komplex, zukunftsorientiert, international. Ein strahlender, intensiver Spätburgunder mit viel Gefühl und großem Durchhaltevermögen.

2018 Pinot Noir „Cuvée Max"
75€ · 14%
Der „primus inter pares": Ganz und gar dunkel kühle wie tiefgründige Aromatik, unterlegt von feinem Zedernholz mit würzigen Havanna-Noten, seidig am Gaumen, ungemein harmonisch langer Nachhall – mythisch.

Krone Assmannshausen

Niederwaldstraße 2,
65385 Assmannshausen
T +49 (0) 6722 2525
www.weingut-krone.de

Inhaber
Familie Wegeler-Drieseberg
Betriebsleiter
Michael Burgdorf
Kellermeister
Dominic Borgwardt
Verbände VDP
Rebfläche 5,5 ha
Produktion 20.000 Flaschen
Verkaufszeiten
Fr ab 16 Uhr
Sa ab 14 Uhr
So ab 13 Uhr (Sommer, Herbst)

Die bewegte Geschichte des Weinguts beginnt vor fast 500 Jahren. Heute gehört der Betrieb Anja und Tom Driesberg, die auch Inhaber des Weingutes Wegeler in Oestrich-Winkel sind. Im Fokus des weinbaulichen Geschehens steht schon immer der Spätburgunder: Kellermeister Dominic Borgwardt hat dafür das richtige Händchen. Die vollreifen Trauben aus der Spitzenlage Assmannshäuser Höllenberg spielen ihm dabei in die Karten. Reifen dürfen die roten Burgunder in einem in den Fels gehauenen Naturkeller, der sich rund 60 Meter unter der Lage Frankenthal befindet. Dass sie auch nach Jahren auf der Flasche eine gute Figur machen, spricht für die Qualität des Weinguts und das Können seiner Mitarbeiter.

2019 Riesling „Krone" feinherb
16,50€ · 12,5%

2019 Weißburgunder „Hallgartener"
21€ · 13%
Apfeliger Auftakt mit viel Saft, Nuancen von Heu und Bitterorange sorgen für ein facettenreiches Aromenspiel. Funkelnder Wein mit Tiefgang und Anspruch.

2014 Spätburgunder „Juwel"
63€ · 13,5%
Dieses Juwel wiegt viel. Sehr wuchtiger Pinot-Stil, der mit Rassigkeit, Strenge und Dichte punktet und nichts für Fans der leisen Töne ist. Wildheit und Rohheit sind hier Programm. Ein sehr eigenständiger Wein, der lange im Gedächtnis bleibt.

♥ **2015** Spätburgunder „Höllenberg" GG
42€ · 13%
Seidig-samtiger Typ mit saftigem Kern aus Schwarzer Johannisbeere. Ein Typ, der überall zu Hause sein könnte und auch überall gut ankommt.

2016 Frankenthal Spätburgunder 1. Lage
32€ · 13%
Cassisblatt und Schwarze Johannisbeere im Auftakt, am Gaumen eine geradezu fleischige Saftigkeit. Dieser Wein hat viel von allem und wirkt in seinem überbordenden Stil dennoch charmant.

2017 Spätburgunder „Assmannshäuser"
21€ · 12,5%
Wilder, animalischer Charakter mit durchaus präsenter Säure, gleichzeitig dicht am Gaumen und herrlich zu Wildgerichten.

2016 Spätburgunder „Rosé" brut
26€ · 12%
Reife Frucht mit Noten von Erdbeere, Johannisbeere, fest am Gaumen mit einem erfrischend animierenden Finale.

Paul Laquai

Gewerbepark Wispertal 2,
65391 Lorch
T +49 (0) 6726 8308 38
www.weingut-laquai.de

Inhaber Gundolf & Gilbert Laquai
Betriebsleiter Gundolf & Gilbert Laquai
Kellermeister Gilbert Laquai
Verbände Wine in Moderation
Rebfläche 24 ha
Produktion 140.000 Flaschen
Gründung 1716
Verkaufszeiten
Mo–Sa 8–18 Uhr

Die Laquais sind im kleinen Weinort Lorch eine Genuss-Dynastie: Neben dem Bäcker Laquai gibt es den Winzer, dessen Weine auch in Wiesbaden in der schicken neuen Vinothek probiert werden können. Das lohnt in jedem Fall, denn die Gewächse, für die Gilbert Laquai im Keller verantwortlich ist, sind beeindruckend. Ihre Trauben kommen sämtlich aus den Steillagen, die rund um Lorch in Querterrassen angelegt sind. Insgesamt kultiviert Familie Laquai rund 24 Hektar Rebfläche. Ausgebaut werden vor allem Rieslinge und Burgundersorten.

2019 Lorcher Schloßberg Riesling „Rheingau Großes Gewächs"
21,50€ · 13,5%
Ein kraftvoller Wein mit selbstbewusster Würze, gepaart mit aromatischer Verspieltheit am Gaumen.

2019 Lorcher Schloßberg Riesling „vom Schiefer"
9€ · 12,5%
In der Nase Noten von getoastetem Brot, Speck und Schießpulver, am Gaumen dann eine dezente Bitternote. Wir servieren ein Basilikumrisotto mit Ziegenkäse dazu und freuen uns auf die Reaktionen der Gäste.

2018 Lorcher Bodental-Steinberg Spätburgunder
11,50€ · 13,5%
Klassischer, eher barocker Stil mit feiner Süße, bereits guter Trinkreife und ausgeprägtem Ledercharakter.

2018 Lorcher Bodental-Steinberg Spätburgunder „Rheingau Großes Gewächs"
25€ · 14,5%
Mit Veilchenduft, satter Sauerkirsche, zarter Bitterschokolade und feinsten reifen Tannine zeigt der Wein vornehme Länge.

2017 Pinot Noir brut
12,50€ · 12,5%
Kein Sekt für Anfänger! Die Vielfalt der außergewöhnlichen Eindrücke wird angeführt von Aprikose und Bratapfel, gefolgt von Comtérinde, Umami und Schießpulver. Das ist im besten Sinne old fashioned.

2017 Riesling brut
12,50€ · 12%
Reduktiv, apfelmostig, gut balanciert, schöne Länge, mineralisch, salzig.

Weingut Mohr

Rheinstraße 21, 65391 Lorch
T +49 (0) 6726 9484
www.weingut-mohr.de

Inhaber Jochen Neher
Verbände Ecovin
Rebfläche 9,5 ha
Produktion 60.000 Flaschen
Gründung 1875
Verkaufszeiten
Mo–So 9–12
und nach Vereinbarung

Jochen Neher ist ein Macher und hat sich nie davon abbringen lassen, Lorch und seine Weine immer wieder in den Fokus der Rheingauer Weinszene zu rücken. Lange Zeit standen diese Gewächse nämlich im Schatten des Rüdesheimer Berges, doch auch dank Winzern wie Jochen Neher gehört die kleine Weinbaugemeinde am westlichen Rand des Rheingaus wieder zu den vinologischen Hotspots der Region. Denn die Trauben wachsen hier in den extremsten Steillagen des Anbaugebietes auf Schiefer- und Quarzböden und garantieren Jahr für Jahr elegante mineralisch geprägte Weine. Um diese filigranen Feinheiten nachhaltig ins Glas zu bringen, arbeitet Neher in seinem Weingut seit rund zehn Jahren biologisch und setzt dabei nicht nur in seinen Spitzenlagen auf zeitintensive Handarbeit.

2019 Lorcher Bodental-Steinberg Riesling „GG"
28€ · 13%
Dieser Wein trägt seine Herkunft stolz in sich. Aprikose satt, dazu eine klare Mineralik mit straffem Zug am Gaumen. Ein Klassiker, der mit viel Potenzial aufwartet und lange Freude bereiten wird.

2019 Lorcher Krone Riesling „GG"
24€ · 13%
Delikater, selbstbewusster Wein, der mit seiner energischen Art und Präzision als Langstreckenläufer punktet.

♥ **2019** Lorcher Schlossberg Riesling „34"
34€ · 13%
Samten und seidig, verströmt einen Hauch von Rosenblättern, Litschi und saftiger Ananas.

2019 Riesling „Alte Reben"
16,90€ · 12,5%
Kräuterig, straff, mit einem Hang zum Vegetabilen. Ideal etwa zu überbackenem Blumenkohl.

2018 Assmannshäuser Höllenberg Spätburgunder „Alte Reben"
28€ · 14%
Der distinguierte Klassiker verführt mit eleganten Waldbeeren-Aromen und seidigen Tanninen.

Michael Schön

Neueinsteiger

Hauptstraße 80,
65385 Rüdesheim am Rhein
(OT Aulhausen)
T +49 (0) 6722 3201
www.weingut-schoen.de

Inhaber Klaus Schön
Verbände Rheingauer Weinbauverband
Rebfläche 3,5 ha
Produktion 20.000 Flaschen
Gründung 1882
Verkaufszeiten Sa–So ab 17 Uhr und nach Vereinbarung

Aulhausen, ein Stadtteil von Rüdesheim, liegt zwar etwas abseits der belebten Rheinuferstraße, doch die kleine Höhengemeinde ist seit Jahren eine Pilgerstätte für Rotweinfans. Das liegt vor allem am Weingut Schön, das schon seit acht Generationen hier ansässig ist und zu dem der viel frequentierter Gutsausschank „Zum Schöne Michel" gehört. Klaus Schön, der den nicht einmal vier Hektar großen Betrieb seit rund 30 Jahren führt, hat sich in den letzten Jahren immer mehr auf seine Spätburgunder konzentriert und ist zum Rheingauer Rotwein-Spezialisten avanciert. Unter dem Label „66 Grad Limited Edition" werden rote Premiumweine aus einer Steillage mit 66 Grad produziert, Pinot Noirs in Champions-League-Qualität. Dennoch hat der quirlige Winzer auch Rieslinge aus dem nahen Rüdesheimer Berg im Portfolio, schließlich fühlt man sich im Familienbetrieb der Rheingauer Wein-Tradition besonders verbunden.

2018 Rüdesheimer Bischofsberg Riesling Spätlese trocken
7,60€ · 13%
Fruchtbetont, konzentriert, distinguierte Gestalt, straight und ungekünstelt, die Textur ist cremig – wenn Käse, dann Brillat Savarin.

2019 Rüdesheimer Drachenstein Pinot Noir Spätlese trocken
7,50€ · 12%

2017 Rüdesheimer Berg Roseneck Pinot Noir Spätlese trocken
12€ · 14%
Feingliedriger „Einstiegs-Pinot" mit einer gut dosierten Portion Röst- und Gerbstoffen sowie würzigen Akzenten.

2017 Rüdesheimer Berg Schloßberg Pinot Noir „66 Grad"
59€ · 14%
Zum dichten Charakter dieses Weins mit adstringend-mineralischer, dunkel-würziger Note braucht es nur eins: ein gegrilltes T-Bone-Steak.

2018	Rüdesheimer Berg Roseneck Pinot Noir Auslese trocken	3 Trauben

19,50€ · 14,5%
Cassis, Bitterschokolade und Schwarzkirsche in der Nase, dann am Gaumen eine so samtene Struktur, dass man fast an cremigen Blütenhonig denkt. Sehr charmant in seiner Wucht mit einem langen Abgang.

♥ **2018**	Rüdesheimer Berg Schloßberg Pinot Noir „66 Grad" Auslese trocken	4 Trauben

59€ · 14,5%
Abwechslungsreicher, „fester" Wein mit holzgeprägter, dunkel-würziger und kräuteriger Tendenz.

2018	Rüdesheimer Drachenstein Pinot Noir Spätlese trocken	2 Trauben

15€ · 14%
Beschwingter Pinot Noir mit feinen Tanninen, Mandelaromatik, äußerst mild und damit auch bestens für Wein-Einsteiger geeignet.

Thilo Strieth

Neueinsteiger

Hauptstraße 43,
65385 Rüdesheim am Rhein
T +49 (0) 6722 4646
www.weingut-strieth.de

Als Fred Strieth in den 1990er-Jahren das kleine Weingut in Aulhausen, einem Stadtteil von Rüdesheim, übernahm, hat er mit der Produktion eines Blanc de Noirs die heile Rieslingwelt des Rheingaus auf den Kopf gestellt. Heute gehören solche „Experimente" zum guten Ton eines Weingutes. Sohn Nico Strieth weiß das nur zu gut, denn er hat sich nach dem Weinbaustudium auf der ganzen Welt umgeschaut, bevor er als vinologischer Globetrotter in den heimischen Keller zurückgekehrt ist. Dort vinifiziert er heute vor allem Spätburgunder, trocken ausgebaut und mit viel Reifepotenzial versehen. Ganz auf den Riesling verzichtet auch dieses Weingut nicht, die Trauben dafür wachsen im Rüdesheimer Berg und stehen für mineralisch fruchtige Weine mit lebendiger Säure.

Inhaber Fred Strieth
Rebfläche 3,5 ha
Produktion 20.000 Flaschen
Gründung 1874
Verkaufszeiten
Mai–Sept.
Sa, So ab 17 Uhr
und nach Vereinbarung

♥ **2020** Rüdesheim Riesling „Saxum"
8,50€ · 11,5%
Floral, jugendlich, kalkig, frisch und sauberer Spring-insfeld, so zeigt sich der charmante Alleinunterhalter.

2018 Assmannshausen Frankenthal Spätburgunder
11€ · 14%
Die feine Aromatik wird zart vom Holz unterstützt, mit ausgeprägter Mineralität und Eisennoten am Gaumen. Für alle, die gerne „saignant" oder rosa gebratene Taube und Ente essen.

2018 Assmannshausen Höllenberg Spätburgunder
18€ · 14%
Verspielter Auftakt mit Noten von Waldbeeren und Wacholder. Sehr vitale Säure und deutliche Herbe im Abgang. Spannender Spätburgunder für kräftige Fischgerichte wie gegrillten Thunfisch mit Ofengemüse.

Weingut Wurm

Binger Weg 1, 65391 Lorch
T +49 (0) 6726 8300 83
www.weingut-wurm.de

Inhaber Robert Wurm
Rebfläche 8 ha
Produktion 45.000 Flaschen
Verkaufszeiten
nach Vereinbarung

Ein Abstecher nach Lorch lohnt immer, denn allein die spektakuläre Landschaft des Mittelrheintals, von der das malerische Städtchen eingerahmt ist, bietet ausreichend Postkarten-Motive. Doch auch die Lorcher Weine verdienen Beachtung. In den steilen Rebhängen wachsen vorwiegend Rieslinge, die aufgrund der Schieferböden für ihre schlanke Mineralität bekannt sind, wie etwa die Gewächse von Robert Wurm, der im Jahre 2014 das Weingut Ottes übernommen hat und unter seinem Namen fortführt. Dass die Ausstattung der Flaschen etwas asiatisch anmutet, ist eine Reminiszenz an Robert Wurms Zweitheimat Korea. Der Inhalt ist aber Rheingau pur, natürlich Riesling, dazu einige Partien weiße und rote Burgunder.

2019 Lorcher Kapellenberg Riesling
16,50€ · 13,5%
Strukturiert und langatmig mit kräuteriger Komponente.

♥ **2019** Lorcher Pfaffenwies Riesling „GG"
23,50€ · 14%
Ein mächtiger Tropfen mit Länge, Fülle und Reife – absolut charming.

2019 Lorcher Schlossberg Riesling
16,50€ · 13%

DIE TIPPS DER WINZER

Handkäs mit Musik oder ein Fine-Dining-Menü? Die Bandbreite der kulinarischen Spezialitäten im Rheingau ist groß. **Wo gibt es** die schönsten Restaurants oder die besten Hotels? Wer, wenn nicht **der Winzer vor Ort** kennt sich bestens in seiner Region aus? Darum haben wir Winzer und ihre Familien nach **ihren persönlichen Tipps** gefragt.

P.S. Prüfen Sie bitte vor Ihrem Besuch, ob alle Lokale und Geschäfte wieder geöffnet haben und welche aktuellen Öffnungszeiten gelten.

Essen

GASTHOF DORFSCHÄNKE

Laukenmühler Weg 9,
65391 Lorch
T +49 (0) 6775 9699 756
www.gasthof-dorfschaenke.de

Ein rustikales Gasthaus mit schönem Biergarten, herzlichem Service und einer Speisekarte, die nicht nur Wandersleute erfreut: Schänkenburger, Schnitzel, Frikadelle mit Püree oder Bärlauch-Käse-Knödel versprechen dem Gast, dass er zufrieden und gut gesättigt das Haus verlässt. In diesem Lokal, das zu einem der zehn ältesten Gasthäuser Deutschlands gehört, wird der Herd noch mit Holz befeuert. Viele Produkte stammen aus der Nachbarschaft, so hat das Wild vorher im Taunus gelebt und schwamm die Forelle in der Wisper. Zum Haus gehören auch einige Zimmer.

Empfohlen von
Weingut Mohr

BREUER'S RÜDESHEIMER SCHLOSS

Steingasse 10,
65385 Rüdesheim am Rhein
T +49 (0) 6722 90500
www.ruedesheimer-schloss.com

Ein gemütliches Weingasthaus mit Tradition, gelegen in direkter Nähe zur historischen und weltbekannten Drosselgasse: Das ist das Rüdesheimer Schloss, das von Familie Breuer geführt wird. Hier wird gefeiert, treffen sich Gruppen auf der großen Terrasse, wird jeden Tag Musik gemacht – mittags Klavier, abends mit Salonorchester. Auf der ausgesprochen unterhaltsamen Speisekarte stehen Rheingauer Spezialitäten, modern inspiriert: hessische Tapas, Handkäs mit Rheingauer Musik, Stangenspargel von Bauer Hemmes aus der Nachbarschaft, Regenbogenforelle aus dem Wispertal, Bratwurst vom Rüdesheimer Wildschwein oder Rumpsteak vom Simmentaler Rind. Dazu werden Weine aus dem familieneigenen Weingut oder von befreundeten Winzern eingeschenkt. Das Besondere: Auf der Raritätenkarte findet man Weine bis zu den Jahrgängen 1902 bis 1929 zurück. Schlafen kann man hier auch: Zum Schloss gehören 26 Zimmer, die mit viel Liebe zu modernem Design eingerichtet wurden und den Blick auf Weinberge und Altstadt freigeben.

Empfohlen von
der Redaktion

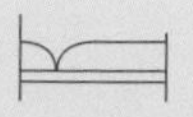

Schlafen

HOTEL ZUM TURM

Zollstraße 50, 56349 Kaub
T +49 (0) 6774 92200
www.rhein-hotel-turm.de

Sechs gemütliche Zimmer sowie eine ungewöhnliche Suite im Mainzer Torturm stehen den Gästen hier im Oberen Mittelrheintal in dem Ort mit weniger als 1.000 Einwohnern zur Verfügung. Das Drei-Sterne-Hotel wurde um den Wachturm aus dem 13. Jahrhundert gebaut. Von hier aus lässt es sich gut wandern und die Region entdecken oder mit dem Fahrrad durch die Lande fahren. Oder mit dem Oldtimer: Denn die vermieten die Hotelbetreiber übrigens auch. Zum Haus gehört außerdem ein Restaurant, in dem hauptsächlich regionale Zutaten verwendet werden.

Empfohlen von
Weingut Mohr

HOTEL IM SCHULHAUS

Schwalbacher Straße 41,
65391 Lorch
T +49 (0) 6726 8071 60
www.hotel-im-schulhaus.com

Bis 2007 war es eine Schule – jetzt kann man hier in einem der 44 wohnlich in warmen Erdtönen eingerichteten Zimmern eine Auszeit nehmen, zur Wanderung auf den Wisper-Trails oder zu einer Radtour aufbrechen und das Mittelrheintal entdecken. Die frühere „Wisperschule“, wie sie hieß, ist ein Kulturdenkmal aus dem Jahr 1933 und wird in seiner Ausführung dem späten Bauhaus-Stil zugeschrieben. Und so kann man heute im früheren Rektorzimmer übernachten und das Frühstück in der Aula einnehmen.

Empfohlen von
Paul Laquai

HOTEL ALTDEUTSCHE WEINSTUBE

Grabenstraße 4,
65385 Rüdesheim am Rhein
T +49 (0) 6722 94230
www.hotel-altdeutsche-weinstube.de

Schon in der fünften Generation begrüßt Familie Ehrhard-Malgouyres ihre Gäste hinter dieser historischen Fassade im schönen Rüdesheim. Den Gästen werden unterschiedliche Arrangements angeboten: Dazu gehören Weinproben, Wandern, Schifffahrt, Gourmetmenüs oder Winzerbesuche. Zum Drei-Sterne-Hotel gehört auch ein Restaurant, in dem mit südbretonischer Fischsuppe, Meeresfrüchten oder Perlhuhn in Pommes de Bretagne ein Mix aus französischer und deutscher Küche geboten wird. Gefeiert werden kann auch im historischen Gewölbekeller aus dem Jahr 1882.

Empfohlen von
Weingut Sohns

HOTEL ZWEI MOHREN

Rheinuferstraße 1,
653845 Rüdesheim am Rhein
T +49 (0) 6722 9020
www.hotel-zweimohren.de

Näher am Rhein geht kaum: In diesem Drei-Sterne-Hotel aus dem 19. Jahrhundert stehen 30 Zimmer in unterschiedlichen Kategorien zur Verfügung. Von hier lässt sich nicht nur die Rotweingemeinde Assmannshausen, sondern auch die nahe Region rund um das Welterbe Oberes Mittelrheintal entdecken. Zum Hotel-Restaurant gehören auch zwei Rheinterrassen mit schönem Ausblick.

Empfohlen von
Weingut Mohr

Einkaufen

WISPERFORELLE
Im Wispertal 2 / Schwalbacher Straße 74, 65391 Lorch
T +49 (0) 6775 9600 32
www.wisperforelle.de
Wie der Name schon sagt: Hier gibt's Forellen. Mitten im Märchenwald zwischen Lorch und Bad Schwalbach liegt der Forellenhof der Familie Seitz. Im mineralhaltigen Wasser des kleinen Flusses werden Wisperforellen gezüchtet – 100.000 Stück pro Jahr sogar. Ein Großteil davon wird direkt auf dem Hof geräuchert, ein anderer Teil wird direkt im Hofladen verkauft.
Empfohlen von
Paul Laquai

KLOSTERLADEN DER ABTEI ST. HILDEGARD
Klosterweg 1, 65385 Rüdesheim am Rhein
T +49 (0) 6722 4991 16
www.abtei-st-hildegard.de
Hier können zwar Bücher, Cremes, Seifen, Liköre, Kalender, Kerzen, Klosterwein und Deko-Artikel gekauft werden – an erster Stelle soll der Klosterladen aber eine Oase der Ruhe sein. Genauso wie die Vinothek und das Kloster-Café gehört es zur Abtei Sankt Hildegard, die Teil des UNESCO Welterbes Oberes Mittelrheintal ist. Sie steht in der Nachfolge der von der heiligen Hildegard von Bingen gegründeten Klöster Rupertsberg und Eibingen.
Empfohlen von
der Redaktion

Empfehlenswerte Bäckerei

Bäcker Dries
Rüdesheim am Rhein, (Fürstbischof-Rudolf-Straße 14)
www.baeckerei-dries.de

Empfehlenswerte Metzgerei

Metzgerei Bach
Rüdesheim am Rhein, (Niederwaldstraße 13)
www.bachs-metzgerei.de

Vinothek

Viele Winzer im Rheingau öffnen die ganze Woche über Tor und Tür, um ihre Weine in hauseigenen Vinotheken verkosten zu lassen Ein Besuch (nach dem Blick auf die Internet-Seite oder einem kurzen Anruf) lohnt in jedem der Weinorte. Infos zu Vinotheken bei den Rheingauer Winzern gibt es auf der Internetseite
www.rheingau.com/vinotheken

VINOTHEK LORCH AM RHEIN
Rheinstraße 48, 65391 Lorch
T +49 (0) 6726 8399 249
www.lorch-rhein.de
Wer sich durch die Weine von Lorcher Winzern probieren will, ist im Hilchenhaus an der richtigen Adresse. Betrieben wird die Vinothek von den städtischen Touristikern, geboten werden Weine aus dem Welterbe-Weinberg, Rheinsteigtropfen, Tränen der Loreley und viele Souvenirs, aber auch Liköre und Wildkonserven.
Empfohlen von
der Redaktion

RHEINWEINWELT
Am Rottland 6,
65385 Rüdesheim am Rhein
T +49 (0) 6722 9440 277
www.rheinweinwelt.de
Das müsste es in jeder Weinregion geben: einen umfassenden Überblick über die heimische Weinszene mit Möglichkeit zum Verkosten und natürlich zum Kaufen, und das alles in richtig cooler und zugleich historischer Atmosphäre. Denn die Rheinweinwelt entstand an geschichtsträchtiger Adresse – auf dem früheren Asbach-Gelände. Immer noch zeugen die Weintanks mit ihren Original-Glasfliesen – Fassungsvermögen 70.000 Liter – von der Zeit, in der der Asbach Uralt den „Geist des Weines" ins Glas brachte. 76 Winzer von Mosel, Mittelrhein, Rheingau und Rheinhessen präsentieren sich heute dort mit jeweils zwei Weinen. Um den Wein zu probieren, wirft man wie im Spielkasino einen Jeton ein und zapft sich am Dispenser kleine Schlucke von den Weinen, die man verkosten will. In der Weinlounge werden Snacks serviert: Sardinen in der Dose, Käseteller, rote Butter zum Brotkorb, Wildschinken, Gemüsecurry oder Rinderragout in Spätburgunder. Und wer kulinarische Mitbringsel kaufen will, wird im kleinen Shop ebenfalls fündig.
Empfohlen von
Weingut Sohlbach

2 MITTLERER RHEINGAU

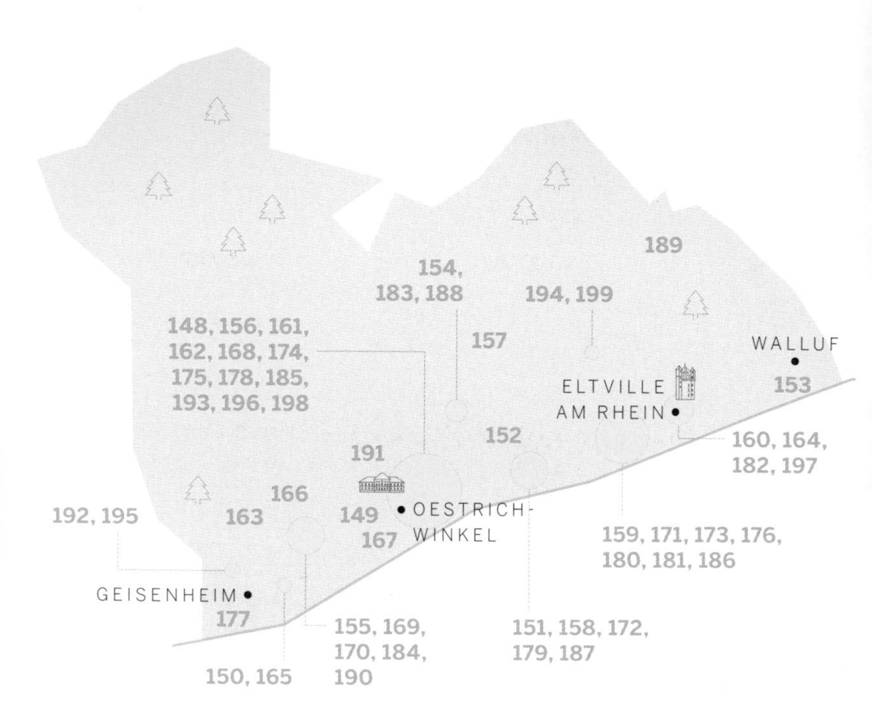

Es sind klangvolle Ortsnamen wie Geisenheim und Johannisberg, Oestrich und Winkel, Mittelheim, Hallgarten, Walluf, Kiedrich und natürlich Eltville mit seinen Ortsteilen Martinsthal, Rauenthal, Erbach und Hattenheim, die den Bereich des Mittleren Rheingaus ausmachen. Bei Eltville zum Beispiel ist der Rhein so breit wie an keiner anderen Stelle sonst.

Geisenheim ist nicht nur berühmt wegen seiner Weinlage, sondern vor allem wegen der Hochschule, an der die meisten Winzer ihr Rüstzeug für den späteren Beruf lernen.

In **Kiedrich**, das auch gotisches Weindorf im Rheingau genannt wird, kann man über Kopfsteinpflaster gehen und mittelalterliches Fachwerk ansehen. Auch der Rheinsteig führt durch diesen Ort.

Oestrich-Winkel, mit insgesamt 70 zum Teil international berühmten Weingütern, ist die größte Weinbaugemeinde, die Mitte der 1970er-Jahre aus den beiden Ortsteilen zusammengewachsen ist. Kloster Eberbach und Schloss Vollrads, der Verladekran am Rheinufer, das Brentanohaus und das älteste steinerne Wohngebäude Deutschlands, das Graue Haus, sind viel besuchte Stationen.

Berühmte Lagen sind beispielsweise in Johannisberg Goldatzel, Hansenberg, Hölle oder Schwarzenstein, in Eltville Rheinberg und Sonnenberg sowie die Monopollage Pfaffenberg oder der Heiligenberg in Hattenheim. Auf der Rheininsel Mariannenaue wird unter Regie des Weinguts Schloss Reinhartshausen in Eltville-Erbach auf 24 Hektar ebenfalls Wein angebaut.

WEINGÜTER

148
FERDINAND ABEL
Mühlstraße 32–34
65375 Oestrich-Winkel

149
FAMILIE ALLENDORF
Kirchstraße 69
65375 Oestrich-Winkel

150
SEKTKELLEREI BARDONG
Bahnstraße 7
65366 Geisenheim

151
WEIN- UND SEKTGUT BARTH
Bergweg 20
65347 Eltville-Hattenheim

152
HANS BAUSCH
Waldbachstraße 103
65347 Hattenheim

153
J. B. BECKER
Rheinstraße 5
65396 Walluf

154
KURT BUG
Eberbacher Straße 1
65375 Oestrich-Winkel

155
CHAT SAUVAGE
Hohlweg 23
65366 Johannisberg

156
WEINGUT CORVERS-KAUTER
Rheingaustraße 129
65375 Oestrich-Winkel

157
KLOSTER EBERBACH
Kloster Eberbach
65346 Eltville am Rhein

158
WEINGUT EGERT
Rheinallee 33
65347 Hattenheim

159
WINZER VON ERBACH
Ringstraße 28
65346 Eltville am Rhein

160
H. J. ERNST
Holzstraße 38–40
65343 Eltville am Rhein

161
AUGUST ESER
Friedensplatz 19
65375 Oestrich-Winkel

162
MEINE FREIHEIT
Rheinstraße 3
65375 Oestrich-Winkel

163
WEINGUT FREIMUTH
Am Rosengärtchen 25
65366 Geisenheim-Marienthal

164
EVA FRICKE
Elisabethenstraße 6
65343 Eltville am Rhein

165
WEINGUT GEORGE
Winkeler Straße 111
65366 Geisenheim

WEINGÜTER

166
GOLDATZEL
Hansenbergallee 1a
65366 Johannisberg

167
WEINGUT HAMM
Hauptstraße 60
65375 Oestrich-Winkel

168
KASPAR HERKE
Langenhoffstraße 4
65375 Oestrich-Winkel

169
SCHLOSS JOHANNISBERG
Schloss Johannisberg
65366 Geisenheim

170
JOHANNISHOF
Grund 63
65366 Johannisberg

171
JAKOB JUNG
Eberbacher Straße 22
65346 Erbach

172
URBAN KAUFMANN
Rheinallee 6
65347 Hattenheim

173
BARON KNYPHAUSEN
Erbacher Straße 28
65346 Erbach

174
PETER JAKOB KÜHN
Mühlstraße 70
65375 Oestrich

175
WEINGUT KUNZ DRIES
Lindenstraße 38
65375 Oestrich-Winkel

176
WEINGUT LAMM JUNG
Eberbacher Straße 50
65346 Eltville-Erbach

177
WEINGUT LEITZ
Rüdesheimer Straße 8a
65366 Geisenheim

178
BERNHARD MEHRLEIN
Rieslingstraße 49
65375 Oestrich-Winkel

179
GEORG MÜLLER STIFTUNG
Eberbacher Straße 7–9
65347 Hattenheim

180
HEINZ NIKOLAI
Ringstraße 16
65346 Erbach

181
ACHIM RITTER UND EDLER VON OETINGER
Rheinallee 1–3
65346 Erbach

182
OFFENSTEIN ERBEN
Holzstraße 14
65343 Eltville am Rhein

183
WEINGUT PRINZ
Im Flachsgarten 5
65375 Hallgarten

WEINGÜTER

184
PRINZ VON HESSEN
Grund 1
65366 Johannisberg

185
WEINGUT QUERBACH
Lenchenstraße 19
65375 Oestrich

186
SCHLOSS REINHARTSHAUSEN
Hauptstraße 39
65346 Eltville-Erbach

187
BALTHASAR RESS

Rheinallee 50
65347 Eltville-Hattenheim

188
BIBO RUNGE
Eberbacherstraße 5
65375 Oestrich-Winkel, Hallgarten

189
ERNST RUSSLER
Vor dem Kaltenborn 3
65345 Rauenthal

190
SCHAMARI-MÜHLE

Grund 65
65366 Johannisberg

191
WEIN- UND SEKTGUT F. B. SCHÖNLEBER
Obere Roppelsgasse 1
65375 Oestrich-Winkel

192
WEINGUT SCHUMANN-NÄGLER
Nothgottesstraße 29
65366 Geisenheim

193
SECHZEHN EIN&VIERZIG
Marktstraße 11
65375 Oestrich-Winkel

194
WEINGUT SOHLBACH
Oberstraße 15
65399 Kiedrich

195
WEINGUT SOHNS
Nothgottesstraße 33
65366 Geisenheim

196
JOSEF SPREITZER

Rheingaustraße 86
65375 Oestrich

197
SEKTMANUFAKTUR SCHLOSS VAUX
Kiedricher Straße 18a
65343 Eltville am Rhein

198
WEINGÜTER WEGELER GUTSHAUS RHEINGAU
Friedensplatz 9–11
65375 Oestrich-Winkel

199
ROBERT WEIL
Mühlberg 5
65399 Kiedrich

Ferdinand Abel

Mühlstraße 32–34,
65375 Oestrich-Winkel
T +49 (0) 6723 2853
www.weingut-abel.de

Inhaber Reiner Abel
Rebfläche 9,7 ha
Produktion 75.000 Flaschen
Verkaufszeiten
nach Vereinbarung

Wenn Reiner Abel von seinem Weingut erzählt, dann spürt man die Leidenschaft und das Herzblut, das der Winzer in jeden seiner Weine legt. Dabei spielt das Handwerk eine zentrale Rolle, denn nur mit Fingerspitzengefühl im wahrsten Sinne des Wortes entstehen Weine, die zupacken und gleichsam handzahm sind. Seit Neuestem steht auf den Etiketten der Zusatz „selektive Handlese", um diese Philosophie noch besser zu kommunizieren. Dazu gehört auch, dass Reiner Abel die weißen trockenen Weine zum Teil im großen Holzfass ausbaut, die Roten kommen zum Feinschliff ins Barrique. Um die Rebsortenvielfalt zu erweitern, wurden 2020 kleine Parzellen Grauburgunder und Scheurebe angepflanzt. Auf die Weine darf man in einigen Jahren gespannt sein.

2019 Oestricher Doosberg Riesling „Tradition" Spätlese trocken (3 Trauben)
8,50€ · 13%
Herrlich direkt und durchaus fein, erfrischend und unkompliziert. Auch für Riesling-Einsteiger – Studentenfutter in flüssiger Form.

2019 Oestricher Lenchen Riesling Kabinett trocken (2 Trauben)
6,50€ · 12,5%
Ein Tropfen für die Zukunft, gutes Mittelgewicht, Rheingau par excellence.

2019 Oestricher Lenchen Riesling Spätlese trocken (2 Trauben)
7,50€ · 13%
Feingliedrig und äußerst animierend mit floralem Touch – purer Spaß im Glas.

2019 Oestricher Lenchen Riesling „Rhg Großes Gewächs" (4 Trauben)
15€ · 13,5%
Klar definiert weißer Tee, Jugendlichkeit und feste Säure schaffen die Balance zu Schmelz, mürber Frucht und verspielter Restsüße.

2019 Riesling „Classic" feinherb (2 Trauben)
6€ · 13%
Sehr aromatisch und süß. Schöner Kitsch für Tage, an denen man nicht viel vor hat, außer im Garten zu sitzen und Vögel zu beobachten.

2019 Spätburgunder „Barrique" (3 Trauben)
11,30€ · 14%
Würze, volle Beere, guter Trinkfluss, straffe Gerbstoffstruktur, stoffig. Perfekter Wein für ein Bœuf bourguignon.

Familie Allendorf

Kirchstraße 69,
65375 Oestrich-Winkel
T +49 (0) 6723 91850
www.allendorf.de

Inhaber Ulrich Allendorf & Christine Schönleber
Betriebsleiter Josef Schönleber
Kellermeister Max Schönleber
Verbände VDP
Rebfläche 70 ha
Produktion 550.000 Flaschen
Verkaufszeiten
Mo–Fr 8–12 Uhr und 13–18 Uhr
Sa 10–16 Uhr
Vinothek Rüdesheim,
Oberstraße 26,
65585, Rüdesheim am Rhein
Mo–Sa 11–19 Uhr

Die Allendorfs verfügen über eine geradezu atemberaubend lange Familiengeschichte, die sich bis ins Jahr 1292 zurückverfolgen lässt. Im Weinbau ist man noch nicht so lange aktiv, obwohl bereits 1773 der Grundstein für den bis heute familiär geführten Betrieb gelegt wurde. Doch erst 1963 wurde der Gutshof, der „Georgshof", erbaut und damit das eigentliche Weingut Allendorf gegründet. Mit knapp 70 Hektar ist das Weingut heute der größte familiengeführte Betrieb im Rheingau. Bei aller Tradition sind Ulrich Allendorf und Christine Schönleber mit ihrem Team Experimenten nicht abgeneigt: seien es der Ausbau im Kirschholzfass oder der Amphore sowie dem Verkostungserlebnis in der Wein-Erlebnis-Welt, in der man unter anderem entdecken kann, wie sehr äußere Eindrücke die Bewertung eines Weins beeinflussen können. Immens interessant ist dazu auch eine Studie der Uni Mainz in Zusammenarbeit mit Allendorf, bei der gezeigt werden konnte, dass Weine, die in einem Raum mit blauen oder roten Wänden verkostet wurden, signifikant besser bewertet wurden als in Räumen mit grünen oder weißen Wänden. Ein Ergebnis, das so manchen versierten Verkoster recht demütig werden lässt, und einmal mehr zeigt, wie respektvoll man dem Thema begegnen sollte. Ein Credo, das auch wir sehr ernst nehmen.

2017 Winkeler Hasensprung Riesling GG
25€ · 12%
Eine ätherische Ouvertüre in der Nase, die durch feine Lakritznoten und eine kräftige Säure am Gaumen ihre Spannung behält. Und der Schlussakkord bleibt richtig lange.

2018 Rüdesheimer Berg Riesling 1. Lage
17,50€ · 12%
Dynamisch mit einem gewaltigen Spannungsbogen, Speck und zarte mineralische Noten im Mund.

2018 Rüdesheimer Berg Roseneck Riesling GG
27,50€ · 12,5%
Direkt, puristisch und zugleich ausladend mit breiten Schultern.

2018 Winkeler Jesuitengarten Riesling GG
25€ · 12,5%
Charmante reife Aromen, dennoch jugendlich und frisch, wunderbar zum Leipziger Allerlei.

2019 Riesling „Charta"
11,95€ · 12%

2019 Rüdesheim Riesling halbtrocken
9,90€ · 12%
Everybody's Darling und Durstlöscher in einem: Obstsalat in flüssiger Form trifft auf animierende Säure.

2019 Winkel Riesling ♦♦
9,90€ · 12,5%

2020 Müller-Thurgau, Gewürztraminer ♦♦
9€ · 12%

2017 Assmannshäuser Frankenthal Spätburgunder 1. Lage ♦♦♦
24€ · 13%
Unkompliziert, zugänglich und finessenreich, nahezu international im Stil. Gut zum Rindercarpaccio mit Roter Bete.

2018 Assmannshäuser Höllenberg Spätburgunder GG ♦♦♦♦
48€ · 13%
Die reine Pinot-Essenz: feine Kirschnote, saftig, würzig, kompakt und mit Potenzial – prädestiniert zum geschmorten Ochsenschwanz.

2018 Spätburgunder „Quercus" ♦♦♦
18,50€ · 13%
Sehr konzentrierter Spätburgunder mit deftigen und muskulösen Tanninen, die richtig beißen. Für Herbstabende mit guten Freunden, gerne ein Gericht mit Kürbis dazu.

2016 Chardonnay „Raffinesse" brut ♦♦♦
14,50€ · 12,5%
Kokos, weiße Blüten, Pfirsich, Vanille, ansprechend feinperlig. Köstlicher Partner zur Käsesahnetorte.

2019 Spätburgunder brut ♦
12,50€ · 12%

2018 Winkeler Hasensprung Riesling Auslese ♦♦♦
29,50€ · 8,5%
Ein üppiger Wein zur Obsttorte. Reife Tertiäraromen wie Petrol, getrocknete Aprikose und Apfelkompott.

Sektkellerei Bardong Neueinsteiger

Bahnstraße 7,
65366 Geisenheim
T +49 (6722) 47136
www.bardong.de

Verkaufszeiten
nach Vereinbarung

Seine Liebe zum Sekt entdeckte Norbert Bardong während des Studiums der Getränketechnologie in Geisenheim und Aufenthalten in der Champagne. Da lag der Entschluss nahe, 1984 im Rheingau eine Sektmanufaktur zu gründen, die Weine aus der eigenen Region veredelt. Und das natürlich nur in der klassischen Flaschengärmethode. Bis heute ist man dieser Idee treu geblieben, alle Weine liegen mindestens 36 Monate auf der Hefe, bevor daran gedacht wird, sie zu degorgieren und auf den Markt zu bringen. Vor allem sind es Riesling-Sekte, die Bardong produziert und auf deren Etiketten die Weinbergslagen stehen, aus denen die gekelterten Trauben stammen. Das Sortiment ist attraktiv und umfangreich, auch Magnum-Flaschen werden in verschiedenen Ausstattungen angeboten.

2001 Riesling „Bardong Reserve" brut
28€ · 13%
Kandierte Zitrusfrucht, die sich in der Süße und der feinen Säure eines Pumpernickels wieder findet. Dazu passen die Aromen von Süßholz, Zimt ohne Zucker und die grüne Haselnuss. Gut integrierte Perlage.

2014 Riesling „Erbacher Honigberg" extra brut
14€ · 12,5%
Dicht mit Dörrobst, reife, saftige Aprikose, weinig, verführerisch, oldschool, zum Käse, am besten Comté.

2015 Chardonnay „Bardong" brut
19€ · 12,5%
Vielschichtiger Sekt, der duftige Pomelo und Limette mit Karamell und Cremigkeit verbindet. Feine Salznote, voluminös.

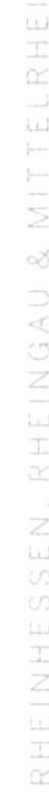

Wein- und Sektgut Barth

Bergweg 20,
65347 Eltville-Hattenheim
T +49 (0) 6723 2514
www.weingut-barth.de

Inhaber Christine & Mark Barth
Betriebsleiter Mark Barth
Kellermeister Sarah Broschart
Verbände VDP, Verband Traditioneller Sektmacher
Rebfläche 20 ha
Produktion 150.000 Flaschen
Gründung 1948
Verkaufszeiten
Mi–Fr 14–18 Uhr
Sa 11–16 Uhr
Mo, Di nach Vereinbarung

Der Rheingau kann auf eine große Sekt-Tradition zurückblicken und hat in Sachen Schaumwein Geschichte geschrieben. An diesem Erfolg beteiligt ist auch das Weingut Barth, das mit seinen klassischen Winzer-Sekten aus traditioneller Flaschengärung und extra langer Hefelagerung weit über die Grenzen des Rheingaus bekannt geworden ist. Darüber kann man fast vergessen, dass der Familienbetrieb auch Stillweine in Bio-Qualität produziert, und zwar Rieslinge aus renommierten und klassifizierten Hattenheimer Lagen, die sich hinter den Sekten nicht verstecken müssen. Beides, Sekt und Wein, bringt Kellermeisterin Sarah Broschart mit Können, Geduld und höchsten Qualitätsansprüchen auf die Flasche, für den gesamten Betrieb ist Mark Barth verantwortlich.

2018 Hattenheim Hassel Riesling „Barth Hassel – Bio" GG
37€ · 12,5%
Ein sehr verspielter Riesling mit feenhafter Leichtigkeit. Verzaubernd und charmant, mineralisch und zugleich floral. Sehr zart.

2020 Oestricher Lenchen Riesling „Lenchen – Bio" Kabinett
15€ · 8%
Feingliedrig, reduziert, brillant – wie ein Florett.

2013 Spätburgunder „Ultra Pinot" brut nature
30€ · 12,5%
Muskulös, dicht und kraftvoll – sehr weinig, exotisch, braucht kulinarisch Gegengewicht. Die Farbe irritiert, weil nicht rosé, sondern weiß.

2014 Riesling „Barth Hassel Riesling – Bio“ brut nature
65€ · 12,5%
Gehaltvoll, fleischig und mit phenolischer Substanz zeigt sich der feste Charakter dieses Sekts. Reif, durchaus differenziert und als herrlicher Essensbegleiter zu asiatischen Gerichten oder Currys.

2014 Riesling „Schützenhaus“ brut nature
36€ · 12,5%
Verführerische Sahnekaramell-Nase trifft karge Mineralik am Gaumen. Sehr geradeheraus.

2018 Cabernet Sauvignon „B-Nat / PetNat“ brut nature
19€ · 12%

Riesling extra brut
15,50€ · 12%
Feuerstein in der Nase lässt auf mineralische Noten im Mund schließen. Der Riesling zeigt, was er kann. Limette, Pfirsich und eine kräftige Säure machen das Bild rund.

Hans Bausch

Waldbachstraße 103,
65347 Hattenheim
T +49 (0) 6723 9992 03
www.weingut-hans-bausch.de

Inhaber Hans Bausch
Kellermeister Katharina Bausch

Traditionelle Handarbeit gehört für Hans Bausch selbstverständlich zum Winzerberuf, doch auch die Technik hat ihren Platz im Hattenheimer Familienbetrieb. Beides steht im Dienste einer naturnahen Bewirtschaftung der Weinberge, die mit dem Mist der hofeigenen Pferde umweltschonend gedüngt werden. Natur pur in einem immer wiederkehrenden Kreislauf, auch das Heu stammt von eigenen Wiesen. Tatkräftige Unterstützung für seine Ideen, aber auch bei seiner Arbeit erhält Hans Bausch von Sohn Maximilian, der für den Außenbetrieb zuständig ist, und von Tochter Katharina, die nach dem Studium an der Hochschule Geisenheim die heimische Kellerwirtschaft übernommen hat. Die Stärke des Familienweingutes liegt im Ausbau des klassischen Rheingauer Riesling, der in allen Geschmacksvarianten angeboten wird.

Verbände
Rheingauer Weinbauverband, Fingerprint_Rheingau
Rebfläche 16,5 ha
Produktion 80.000 Flaschen
Gründung 1981
Verkaufszeiten
Mo–Sa 9–17 Uhr

2019 Hattenheimer Engelmannsberg Riesling „Rheingau Großes Gewächs" 🍇🍇🍇
21,50€ · 12,5%
Gelbe Frucht, saftig, Würze und Grip.

2019 Hattenheimer Rheingarten Riesling „ein PS" Spätlese feinherb 🍇🍇
9,50€ · 12,5%
Feine salzige Mineralik und exotische Frucht, trifft gratinierten Ziegenfrischkäse, zu reifen Kirschtomaten.

2019 Hattenheimer Schützenhaus Riesling 🍇🍇🍇
9,50€ · 13%
Nachhall, kraftvoll, saftig, souverän, das schreit nach Birne, Bohnen, Speck.

2019 Riesling „Hattenheimer" 🍇🍇🍇
7€ · 12,5%
Saftig und puristisch. Vermeintlich einfach, aber sehr, sehr gut – der ideale Durstlöscher.

2019 Riesling „Oestricher – Unser Lenchen" Kabinett 🍇🍇
7€ · 9,5%
Ausgewogen, kraftvoller Kandidat mit Reifepotenzial. Butter, Brioche und seine robuste Art lassen sich gut zum Entenleberparfait kombinieren.

2019 Riesling „Rheingau Classic" feinherb 🍇🍇🍇
7€ · 12%
Schmackhaft, saftig, frisch fruchtige Nase – ideal für den täglichen Genuss.

2019 Riesling „Rheingau" 🍇🍇
6,50€ · 11,5%
Der Wein hat runde Ecken mit viel Textur, er fließt dahin wie Smetanas Interpretation der Moldau.

2019 Spätburgunder feinherb 🍇🍇
7€ · 12%

2019 Hattenheimer Wisselbrunnen Riesling Spätlese 🍇🍇🍇
9,50€ · 8,5%
Salziges Karamell, milder eher barocker Stil. Dazu Blauschimmelkäse oder Gänseleberterrine und Chutney.

J. B. Becker

Rheinstraße 5, 65396 Walluf
T +49 (0) 6123 74890
www.jbbecker.de

Betriebsleiter
Johann Josef Becker
Rebfläche 11 ha
Produktion 45.000 Flaschen
Gründung 1893
Verkaufszeiten
nach Vereinbarung

Johann Josef Becker, den im Rheingau alle nur Hajo nennen, ist ein charismatischer, aber auch eigensinniger Charakterkopf, der seinen Weg immer gerade gegangen ist, ohne sich dabei irgendwelchen Moden oder Trends unterzuordnen. Denn die Schnelllebigkeit der Zeit, die längst auch den Weinbau erreicht hat, ist ihm genauso ein Graus wie das technische Aufpäppeln von Weinen. Hajo Becker ist Traditionalist im besten Sinne des Wortes, seine Rieslinge und Spätburgunder immer auch ein geschmacklicher Blick zurück, als die Winzer ihren Weinen ausreichend Zeit zum Reifen gaben. Das Weingut Becker macht das bis heute und schaut auf stolze 125 Jahre Tradition zurück, in denen man immer konsequent der eigenen Überzeugung treu geblieben ist. Trendig und angesagt in allen Generationen ist allerdings Beckers lauschiger Weingarten direkt am Rhein, in dem bei gutem Wetter Hajos Gewächse ausgeschenkt werden.

2018 Wallufer Walkenberg Riesling Kabinett trocken
13€ · 12,5%
Steinige, fast metallische Aromen treffen auf eine herb-zarte Bitternote.

2019 Eltviller Sonnenberg Riesling Spätlese
15€ · 11%
Finessenreich, auf viele Jahre ein wunderbarer Begleiter thailändisch inspirierter Vorspeisen.

2019 Wallufer Walkenberg Riesling Auslese trocken
39€ · 13,9%
Großer Riesling ohne Glamour, ohne Firlefanz – ganz pur!

2019 Wallufer Walkenberg Riesling Spätlese trocken
15€ · 12,7%
Super trockener Einsatz, feine Bittermandel.

2017 Wallufer Walkenberg Spätburgunder ♣♣♣♣
16,50€ · 12,6%
Klassischer, leger-kräuteriger Pinot für alle Tage, den man auch hervorragend zu deftigeren Speisen kombinieren kann.

2018 Wallufer Walkenberg Spätburgunder Spätlese trocken ♣♣♣♣
35€ · 14,2%
Braucht Zeit im Glas und verführt dann mit Veilchenduft, Lakritze, Lorbeer und Rauch. Unschlagbar zum gebratenen Rebhuhn.

2010 Wallufer Oberberg Riesling Beerenauslese ♣♣♣♣
150€ · 8,6%
Hohe Reife, barockes Gewand, Sultaninen, Clementinenkompott und Kumquatkonfitüre, dazu passen exotische Geflügelgerichte oder feinwürziger Käse.

Kurt Bug Neueinsteiger

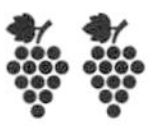

Eberbacher Straße 1,
65375 Oestrich-Winkel
T +49 (0) 6723 9995 85
www.weingut-kurt-bug.de

Inhaber Yvonne Bug & Sebastian Bug
Betriebsleiter Yvonne Bug & Sebastian Bug
Kellermeister Sebastian Bug
Rebfläche 6 ha
Gründung 1680
Verkaufszeiten
Mi 17–19 Uhr
Sa 11–14 Uhr
und nach Vereinbarung

Dass Herr Müller aus Thurgau im Rheingau seine nach ihm benannte Rebsorte gezüchtet hat, ist an der Region fast spurlos vorübergegangen. Nur wenige Partien Müller-Thurgau stehen in den Rheingauer Weinbergen, die fast ausschließlich vom Riesling dominiert werden. Aber die Geschwister Yvonne und Sebastian Bug haben in ihrem Weingut dem Schweizer Züchter ein kleines vinologisches Denkmal gesetzt und einen Teil ihrer Rebfläche sogar mit dem Roten Müller-Thurgau bepflanzt, der in Deutschland ansonsten kaum mehr zu finden ist. Die Rebfläche, von der ein Großteil für die Produktion eines Rheingauer Großen Gewächses klassifiziert ist, verteilt sich über Parzellen in den Lagen Hallgartener Jungfer, Hendelberg, Würzgarten und Schönhell sowie Oestricher Doosberg.

2018 Hallgartener Würzgarten Riesling Spätlese trocken ♣♣♣
14,50€ · 12,5%
Ein Wein, der vor Lebendigkeit und Spannung sprüht: Kokos, Lavendel, Vanille und ein äußerst bewusst gewählter Holzeinfluss verleihen Schmelz und Frische mit bleibendem Eindruck im Abgang. Perfekt z. B. zu Steinpilzen à la Crème.

2019 Hallgartener Jungfer Riesling „Spontane Jungfer" Kabinett feinherb ♣♣
6,50€ · 11%
Floral, Birnensaft, Ananas, Maracuja, von feiner Restsüße geprägt, mit Luft verschlankt sich der Wein, baut Spannung auf und Trinkfluss.

2019 Oestricher Doosberg Riesling „GG" 🍇🍇
19,50€ · 12,5%
Rustikal mit feinem Boskop-Apfel und Haselnussgeschmack.

2020 Rotling Perlwein b.A. 🍇
6,90€ · 11,5%

Chat Sauvage

Hohlweg 23,
65366 Johannisberg
T +49 (0) 6722 9372 586
www.chat-sauvage.de

Inhaber Günter Schulz & Verena Schöttle
Betriebsleiter Verena Schöttle
Kellermeister Verena Schöttle
Rebfläche 8 ha
Produktion 25.000 Flaschen
Gründung 2000
Verkaufszeiten
Mo–Fr 8–16.30 Uhr
Sa 12–17 Uhr
und nach Vereinbarung

Vor 21 Jahren machte Günter Schulz seinen Traum vom eigenen Wein wahr und stieg in die Weinproduktion ein. Am Anfang arbeitete er mit Trauben aus Zukauf und winzigen Mengen, inzwischen hat Schulz über acht Hektar Rebfläche erworben, unter anderem in Spitzenlagen in Rüdesheim und Assmanshausen. Dass er damals wie heute ein besonderes Faible für die Burgundersorten Chardonnay und Pinot Noir hatte und seine Weinstilistik deshalb am großen Vorbild in Frankreich orientiert, ist nach wie vor gut erkennbar. Dennoch sollen die Weine ihren klaren Herkunftsbezug behalten und auf keinen Fall nach Blaupausen schmecken, betont auch Verena Schöttle, die seit 2016 als Betriebsleiterin für den Ausbau und die Stilistik der Weine von Chat Sauvage verantwortlich zeichnet und seit 2019 auch Miteigentümerin ist. Wurde die Fokussierung auf Pinot Noir und Chardonnay am Anfang noch belächelt, die Neubestockung traditionsreicher Lagen mit Chardonnay zum Teil auch kritisch gesehen, gelten die Burgunder von Chat Sauvage heute als Paradebeispiele dessen, was an burgundischem Stil im Rheingau möglich ist.

2019 Chardonnay „Rheingau" 🍇🍇🍇
18€ · 13%
Dichte, Mineralik, Feinheit und Saft – Poulet à la crème mit Morcheln.

2018 Johannisberg Hölle Pinot Noir 🍇🍇🍇🍇
55€ · 13,5%
Elegant, langlebiger Typ, wenn auch zunächst eher kühl und zurückhaltend. Intensiv, nachhaltige Aromatik. In den Weinkeller legen und warten!

2018 Lorch Schlossberg Pinot Noir 🍇🍇🍇🍇
80€ · 15%
In sich ruhend, puristisch, mit dunkler Frucht unterlegt von Kräuternoten. Dieser charismatische Wein verträgt gut Schärfe im Essen wie ein pikantes Gulasch oder ein Entrecôte mit grünem Pfeffer.

2018 Pinot Noir „Lorch" 🍇🍇🍇🍇
28€ · 14,5%
Seidig, geschmeidiger Wein mit feurig süßem Kern, ideal zur Rehkeule mit Steinpilzen.

2018 Pinot Noir „Rheingau"

18€ · 14,5%

Die Kirsche trifft auf ihren Kern. Reife Frucht im Auftakt, am Gaumen seidiger Schmelz. Opulenter und gewichtiger Stil, der seine Balance hält.

2018 Rüdesheim Drachenstein Pinot Noir

60€ · 14%

Packender, animierender Spätburgunder mit mundfüllendem, präzisem Druck am Gaumen – perfekt für Wildgerichte. Er beweist auch Zukunftsperspektive.

Weingut Corvers-Kauter

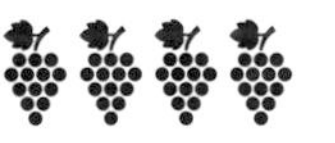

Rheingaustraße 129,
65375 Oestrich-Winkel
T +49 (0) 6723 2614
www.corvers-kauter.de

Inhaber Dr. Matthias & Brigitte Corvers
Betriebsleiter Dr. Matthias Corvers
Verbände Bioland
Rebfläche 31 ha
Produktion 180.000 Flaschen
Verkaufszeiten
Apr.–Okt.
Mo 9–13 Uhr
Mi–Fr 16–20 Uhr
Sa 14.30–20 Uhr
So 10–12 und 14.30–20 Uhr
Nov.–März
Mo-Sa 9–17
und nach Vereinbarung

Ob am viel frequentierten Gutsausschank nun das Weingut hängt oder umgekehrt, spielt hier keine entscheidende Rolle. Entscheidend ist die Qualität in der Flasche und in der Gaststube, und die ist für Genießer in beiden Fällen stimmig. Und das seit langer Zeit, doch um ihre Weinbautradtion macht die Familie kein großes Aufsehen. Die Covers schauen immer nach vorne und setzen auf Zukunft, allerdings nicht, ohne den Blick zurück für das Wesentliche zu verlieren. Mit der Übernahme der Weinberge des legendären Eltviller Weingutes Langwerth von Simmern hat der Betrieb seine Rebfläche deutlich vergrößert, vor allem die Hattenheimer Lagen sind nun echte Sahnestückchen im Portfolio von Matthias Covers. Um das Beste aus dem Angebot der Natur zu machen, werden die Weinberge umweltschonend bewirtschaftet, die von Hand gelesenen Trauben mit Bedacht und Sorgfalt zu charaktervollen Weinen verarbeitet. Schließlich sollen sie ja auch zu den erlesenen Gerichten der Gutsküche passen.

2019 Rüdesheimer Berg Rottland Riesling

31€ · 12,5%

Hier macht das Belüften durch Umgießen in eine Karaffe Sinn und verzaubert den feinen Wein im Handumdrehen.

2019 Rüdesheimer Berg Schlossberg Riesling

31€ · 12,5%

Ein erhabener, harmonisch in sich ruhender Wein mit großem Format, der in sich die ganze Strahlkraft des Schlossbergs bündelt.

2020 Riesling „R3 Rheingau Riesling Remastered"

9,50€ · 12,5%

Ein Tropfen für „jeden Tag" ohne große Ecken und Kanten, animierend kräuterig und weinig.

2018 Assmannshäuser Höllenberg Pinot Noir

68€ · 13,5%

Feiner, sinnlicher Wein mit Emotion und Strahlkraft.

2018 Rüdesheimer Drachenstein Pinot Noir 1. Lage ♣♣♣♣
48€ · 13,5%
Klassischer Vertreter des Spätburgunder, äußerst filigran und nahezu intellektuell.

2019 Erbacher Marcobrunn Riesling Trockenbeerenauslese ♣♣♣♣
230€ · 6,5%
Unglaublich bezaubernde Nase von frischem Weißbrot, Brioche und Akazienhonig. Ein Charmebolzen ohne Allüren, der mit seiner positiven Art, dem hellen Säurespiel und einem leicht kühlenden Abgang den großen Auftritt beherrscht.

Kloster Eberbach

Kloster Eberbach,
65346 Eltville am Rhein
T +49 (0) 6723 60460
www.kloster-eberbach.de

Inhaber Land Hessen
Betriebsleiter Dieter Greiner
Kellermeister Bernd Kutschick
Verbände VDP
Rebfläche 238 ha
Produktion 2.300.000 Flaschen
Gründung 1136

Jeder Stein, jeder Grashalm, jeder Zentimeter dieses Ortes scheint Geschichte zu atmen. Wer schon einmal im Kloster Eberbach zu Besuch war – sei es aus historischem oder vinophilem Interesse – weiß, wovon die Rede ist. Fast seit 1.000 Jahren besteht das ehemalige Zisterzienserkloster, das sich seit der Säkularisation in der Hand des Landes Hessen befindet. Nur mit Glück und Zufall wurden Ereignisse wie der 30-jährige Krieg und der Zweite Weltkrieg unbeschadet überstanden. Die altehrwürdigen Räumlichkeiten sind auch längst in Hollywood angekommen. Nicht nur „Der Name der Rose" mit Sean Connery wurde hier gedreht, auch die Erfolgsserie „Game of Thrones" bediente sich der mittelalterlichen Kulisse. Ein besonderes Highlight ist die Wein-Schatzkammer im Cabinet-Keller, der ehemaligen Fraternei der Mönche. Der älteste hier lagernde Wein ist sage und schreibe über 300 Jahre alt und zeigt laut Dieter Greiner, dem Leiter des Weinguts, sein Alter deutlich. „Der wahre Genuss beginnt in der Schatzkammer im 19. Jahrhundert", so Greiner, und man wünscht sich nichts mehr, als selbst zum auserwählten Kreis derjenigen zu gehören, die in einen solchen Genuss kommen. Blind verkostet würde man etwa eine 1953er Riesling-Trockenbeerenauslese aus dem Erbacher Marcobrunn locker 30 Jahre jünger

Verkaufszeiten
Apr.–Okt.
Mo–So 10–19 Uhr
Nov.–März
Mo–So 10–18 Uhr
Vinothek Domäne Bergstraße,
Darmstädter Straße 133,
64646 Heppenheim
Apr.–Okt.
Mo–Do 11–19 Uhr
Fr–So ab 11 Uhr
Nov.–März
Mo–Fr 11–18 Uhr
Sa, So, Feiertag 11–16 Uhr

schätzen. Neben der Historie des Gewölbes beeindruckt der Wein, der einem einmal mehr klarmacht, warum er eine Faszination ausübt wie sonst kein Genussmittel der Welt.

2018 Steinberg Riesling GG ♣♣♣♣
35€ · 13%
Dieser Wein fährt ohne Halt von Bingen bis nach Frankfurt. So präzise und geradlinig, straff und selbstbewusst, dass man nach dem ersten Schluck erst einmal durchatmen muss. Sehr spannend und kein Jedermann.

2019 Hochheimer Dompräsenz Riesling GG ♣♣♣
33€ · 13%
Toll, wie der Wein dahin schwebt, sich entwickelt und dem Rheingau alle Ehre macht.

2019 Rauenthaler Baiken Riesling „Crescentia" Spätlese 1. Lage ♣♣♣
16,50€ · 8%
Dieser Wein tanzt auf der Messerklinge. Süße und Säure sind perfekt ausbalanciert, die leichte Herbe am Gaumen sorgt für Spannung und Ausgleich.

2019 Rüdesheimer Berg Roseneck Riesling feinherb ♣♣
14,50€ · 11,5%
Süßwürziger Riesling mit Roibusch-Charakter, den man rund um die Uhr genießen kann.

2018 Rüdesheimer Berg Rottland Spätburgunder GG ♣♣♣♣
39€ · 13%
Intensive, nahezu kühl wirkende Aromatik, dabei tiefgründig mit samtigen Gerbstoffen am Gaumen. Ein echter Charakter-Wein.

2014 Spätburgunder „Assmannshäuser Höllenberg Crescentia Blanc de Noirs" extra brut ♣♣
21€ · 12,5%

2015 Weißburgunder „Schönberger Herrnwingert Crescentia" brut ♣♣
15€ · 11,5%
Zum Auftakt begeistert die reife exotische Frucht, am Gaumen mit guter Dichte und würzigen Noten, feine Perlage.

2019 Erbacher Marcobrunn Riesling „Goldkapsel – Auktionsrarität" Trockenbeerenauslese ♣♣♣♣
auf Anfrage · 8%
Viel Ananas und ein Hauch von Waldboden, dann Noten von Pampelmuse und Karamell. Sehr saftig am Gaumen mit vitaler Säure. Ein Klassiker.

Weingut Egert

Rheinallee 33,
65347 Hattenheim
T +49 (0) 6723 5557
www.weingut-egert.shop

Inhaber Manfred Egert
Verbände Fingerprint Rheingauer Jungwinzer, Rheingauer Weinbauverband, Generation Riesling
Rebfläche 9,5 ha
Produktion 45.000 Flaschen
Verkaufszeiten
Mo–Sa 10–13 und 15–18 Uhr
So 11–15 Uhr
und nach Vereinbarung

Manfred Egert kann sich glücklich schätzen: Im Herbst 2020 sind beide Kinder, Max und Sophie, nach ihrer weinbaufachlichen Ausbildung in Weinsberg und Geisenheim in den Familienbetrieb eingestiegen und unterstützen ihren Vater im Weinberg und Keller. Das kommt gerade recht, denn der Betrieb hat in den letzten Jahren seine Rebfläche nahezu verdoppelt, heute stehen fast 10 Hektar in besten Hattenheimer Lagen unter Reben. Bestockt ist die Fläche mit klassischen Rieslingen, weiter angepflanzt werden noch Weißburgunder und Spätburgunder. Zum Weingut gehören vier gemütliche Ferienwohnungen, idealer Ausgangspunkt für eine Tour durch den Rheingau.

2019 Hattenheimer Hassel Riesling Spätlese trocken (3 Trauben)
10,80€ · 13%
Nase nach Karamell, hohe Spannung, stabiler fester Riesling. Schmarren mit Birnenkompott und karamellisierter Walnuss.

2019 Hattenheimer Wisselbrunnen Riesling „Hommage à Jean" Spätlese trocken (3 Trauben)
12,80€ · 13%
Tänzelnd und präsent mit einem Frucht-Säure-Gespann, das Grip verleiht.

2019 Hattenheimer Wisselbrunnen Riesling „Rheingau Großes Gewächs" Spätlese trocken (4 Trauben)
21,50€ · 13%
Süße Frucht, saftige Säure, Fenchel und Anis Würze, hoher Extrakt und Länge im Nachhall, Zug und Druck – klassische Rheingau-Romantik.

2019 Oestricher Lenchen Riesling Spätlese trocken (2 Trauben)
9,80€ · 13%
Wenn das Lenchen kochen könnte, dann gäbe es am Sonntag Huhn süßsauer.

2018 Riesling brut (3 Trauben)
13,80€ · 12,5%
Fordernde Riesling-Nase, Karamell, Steinobst, Rauch, prägnante Säure und eine feste Perlage. Voilà! Perfekter Begleiter zur Gockelterrine mit Brunoise.

2018 Riesling brut nature (3 Trauben)
13,80€ · 12,5%
Druckvoll und kompakt, ohne fett zu werden. Knochentrocken und ernsthaft.

♥ **2018** Riesling „Schwarze Linie" brut nature (2 Trauben)
13,80€ · 12,5%
Äußerst knackiger und energischer Zitrusfrucht-Mix gepaart mit guter Cremigkeit am Gaumen – funktioniert damit auch als Speisebegleiter wie etwa zu Rösti mit Forellenkaviar.

Winzer von Erbach

Neueinsteiger

Ringstraße 28,
65346 Eltville am Rhein
T +49 (0) 6123 62414
www.winzer-von-erbach.de

Kellermeister Steve Eberding
Rebfläche 33 ha
Produktion 200.000 Flaschen
Gründung 1953
Verkaufszeiten
Mo–Fr 9–12 Uhr und 13–18 Uhr
Sa 10–13 Uhr

Der Zusammenschluss von kleineren Winzern hat auch im Rheingau Tradition, die Erbacher Genossenschaft wurde in ihrer heutigen Form im Jahre 1953 gegründet. Aktuell sind es 31 Weinbaubetriebe, die ihre Trauben Kellermeister Steve Eberding anvertrauen, der daraus fruchtbetonte Rieslinge und samtige Spätburgunder produziert. Das Lagenpotenzial der Winzer umfasst insgesamt 33 Hektar im vorderen Rheingau, die Trauben kommen aus Weinbergen in Erbach, Kiedrich und Rauenthal, gut ein Drittel der Rebfläche gehört zu den klassifizierten Rheingauer Spitzenlagen. Das alles gut unter einen Hut zu bringen, gelingt den Genossen seit ihrer Gründung vor rund 70 Jahren trefflich, die vielen Auszeichnungen für ihre Weine sind der stolze Beweis für eine solide Qualitätsarbeit im Weinberg und Keller.

2020 Cabernet blanc
7,80€ · 12%
Da er neben seiner Zartheit und Leichtigkeit auch nicht die Saftigkeit vermissen lässt: ein Alleskönner für den täglichen Bedarf.

2020 Müller-Thurgau, Ehrenfelser und Kerner „3 mal 3 Cuvée" feinherb
5,90€ · 10,9%

2020 Riesling „Classic" feinherb
6,90€ · 12%
Jung-pfiffig-floral-süffig. Eine Spur von Restzucker schmeichelt der kräftigen Säure.

♥ **2015** Pinot Noir Auslese trocken
19,90€ · 14,5%
Pinot auf Breitreifen. Sehr internationale Stilistik mit einem ätherisch geprägten Aromenspiel von Eukalyptus und Bittermandel. Für Fans von Ripasso-Weinen eine Offenbarung.

2018 Riesling extra brut
10,90€ · 12,4%
Grüne animierende Aromen, herrlich sonnengereiftes Steinobst, Mineralität, kräftige CO_2-Attacke. Im Hintergrund frisch gebackene Brioche.

2020 Spätburgunder „Weißherbst" Auslese
9,80€ · 10%

H. J. Ernst

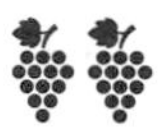

Holzstraße 38–40,
65343 Eltville am Rhein
T +49 (0) 6123 2363
www.weingut-ernst.de

Inhaber Johannes Ernst
Rebfläche 36 ha
Produktion 275.000 Flaschen
Gründung 1912
Verkaufszeiten
Mo–Fr 8–12 und 13–18 Uhr
Sa 10–17 Uhr

Mit Johannes Ernst ist die vierte Generation in dem ambitionierten Familienbetrieb am Ruder, der mit rund 36 Hektar Rebfläche zu den größeren Weingütern im Mittleren Rheingau gehört. Entsprechend vielfältig ist das Rebsorten-Portfolio und umfangreich das Angebot an geschmacklich unterschiedlich ausgebauten Weinen. Natürlich steht der klassische Rheingauer Riesling im Fokus des Weinguts, doch mit seinem Roten Riesling, der nur im Rheingau und an der hessischen Bergstraße angebaut werden darf, kultiviert Johannes Ernst auch eine fast vergessene Rebsorte. Eine gute Gelegenheit, die Weine von Johannes Ernst kennenzulernen, sind die Rheingauer Schlemmerwochen, wenn es in den beiden Höfen des Weingutes kulinarisch und vinologisch hoch hergeht.

♥ **2019** Cuvée „Kernstück" (3 Trauben)
8€ · 12%
Herzhaft frisch mit anregender Säure, passend zur groben Bratwurst mit Semmel und Senf.

2019 Eltviller Langenstück Riesling Spätlese trocken (2 Trauben)
8€ · 12%
Weitgefächerte, vielschichtige Aromatik von exotisch über minzig-herbal bis hin zu gedecktem Apfelkuchen. Dank ausgewogener Phenolik und Holz bietet er auch beste Substanz, um etwa ein Fondue oder ein Gericht mit Frankfurter Grüner Sauce zu begleiten.

2019 Eltviller Langenstück Riesling halbtrocken (2 Trauben)
6€ · 11,5%
Zünftig, weltoffen und einfach zu verstehen. Herrlich, so ein „Maul voll Wein".

2019 Eltviller Sonnenberg Riesling „Selection" feinherb (2 Trauben)
10€ · 12%

2019 Eltviller Taubenberg Riesling Spätlese (3 Trauben)
8€ · 9%
Kräuterig, rauchig, steinig, absolut spannend und mit ordentlich Druck, demonstriert dieser Wein, dass er stolz drauf ist, „anders" zu sein. Perfekt für Tapas oder auch eine Crema catalana.

2019 Gewürztraminer (2 Trauben)
8€ · 13%
Er polarisiert, zeigt teils aromatisch-opulente Würze, viel Spiel und Entwicklung im Glas und damit seine Berechtigung als vielseitiger Speisebegleiter. Zum klassischen Raclettekäse.

2019 Riesling „Classic" feinherb (1 Traube)
6,50€ · 11,5%

2019 Sauvignon Blanc (1 Traube)
8€ · 12%

2018 Eltviller Langenstück Spätburgunder Auslese trocken

16€ · 14,5%
Deutlich fruchtbetonter Stil mit Nuancen von Kirsche, Brombeere und sogar grünen Kaffeebohnen. Perfekt für die Grillparty mit vielen Freunden.

2018 Sauvignon Blanc brut

12€ · 13%
Die vitale Nase zeigt schmackhafte, gut gereifte Grundweine, exotische Früchte und florale Anklänge, die Kohlensäure ist hervorragend eingebunden und macht den Schaumwein zum guten Begleiter von kräftigen Vorspeisen.

August Eser

Friedensplatz 19,
65375 Oestrich-Winkel
T +49 (0) 6723 5032
www.eser-wein.de

Inhaber Désirée Eser Freifrau zu Knyphausen
Betriebsleiter Dodo Freiherr zu Knyphausen & Désirée Eser Freifrau zu Knyphausen
Verbände VDP, Charta, Rheingauer Jungwinzer
Rebfläche 11 ha
Produktion 75.000 Flaschen
Gründung 1759
Verkaufszeiten
Mo–Fr 9–12 Uhr und 13–17 Uhr
Sa 9–12 Uhr

Mit über 260 Jahren schaut das Weingut Eser auf eine weinglorreiche Vergangenheit zurück, heute wird der im historischen Ortskern von Oestrich liegende Betrieb in zehnter Generation von Désirée Eser Freifrau zu Knyphausen und ihrem Mann Dodo Freiherr zu Knyphausen geführt. Dass die beiden Rheingauer Winzer auf bedingungslose Qualität setzen, versteht sich von selbst. Schließlich verpflichtet nicht nur der Adel, sondern vor allem die stolze bürgerliche Rheingauer Weinbautradition. Die Anbaufläche verteilt sich über acht Gemeinden, entsprechend unterschiedlich sind die Bodenstrukturen, die jeweils individuelle Weine hervorbringen. Ein buntes geschmackliches Potpourri an Riesling-Facetten, quer durch den Rheingau von Rüdesheim bis Rauenthal, und kombiniert im Holz und Edelstahl ausgebaut. Ein bewährtes Konzept, das die Esers im Rennen hält.

2015 Hattenheimer Nussbrunnen Riesling

25€ · 12,5%
Ein zarter Wein, der mit seiner Noblesse und Eleganz fast adelig wirkt. Ein Wein für ruhige Momente, der sowohl als Solist als auch zu feinwürzigen Wildgerichten eine tolle Figur macht und seine Reife optimal ausspielt.

2018 Riesling „Veritas Vincit“

15€ · 13%
Ein ganz typischer Eser, hocharomatisch mit guter Reife und feinem Süße-Säure-Spiel, aus Kernparzellen der Oestricher Lagen Doosberg und Lenchen. Benannt nach dem Wappenspruch der Freiherren von Innhausen und zu Knyphausen.

2019 Hattenheimer Nussbrunnen Riesling GG

35€ · 12,5%
Großartig, wie sich hier feine Aromen, eine animierende Säure und Mineralität zu einem eleganten Kunstwerk vereinen.

2019 Oestricher Doosberg Riesling GG
33€ · 12,5%
Fantastischer Aufbau, Fruchtaromen, Salzigkeit und Säure hoch, aber gut eingebunden.

2019 Riesling „Charta“
11,90€ · 12,5%
Viel Exotik, dennoch weiniger, maskuliner Stil, einfach unaufgeregt vollmundig.

2019 Riesling „VDP.Auktion.Réserve.“
auf Anfrage · 12,5%
Welch selbstbewusster Auftritt, ungemein harmonisch orchestrierte Riesling-Aromatik von punktgenau, optimal reif gelesenen Trauben, die man in ihrer Strahlkraft förmlich vor dem geistigen Auge sehen kann – köstlich zum geräuchertem Schweinebauch.

2015 Mittelheimer St. Nikolaus Spätburgunder
14,90€ · 13,5%
Blauer Flair in Auge und Nase. Brombeere und Heidelbeere machen sich schick, ein leiser Duft von Rauchigkeit ergänzt die Frucht. Am Gaumen straff mit sehr vitaler Säurestruktur.

2018 Hattenheimer Hassel Riesling brut
14,90€ · 12,5%
Herbe Züge unterlegt mit Bitternoten, auch reife Petrolnoten. Belüftet im großen Glas erscheinen auch gelbfleischige Aromen.

2019 Oestricher Doosberg Riesling Auslese
25€ · 8%
Konzentrierte Frucht und hoher Extrakt begleiten ein Aromenspiel von Orangenblüte, getrockneten Trauben und Salzigkeit. Élégance comme il faut.

Meine Freiheit

Rheinstraße 3,
65375 Oestrich-Winkel
T +49 (0) 6723 9980 420
www.weingutmeinefreiheit.de

Inhaber Sascha Magsamen
Betriebsleiter Susanne Ossendorf
Kellermeister Sabrina Schach
Verbände Wine in Moderation, Verband historischer Rebsorten
Rebfläche 22 ha
Produktion 90.000 Flaschen
Gründung 2010
Verkaufszeiten
Mo–Fr 9–15 Uhr
Sa–So 12–18 Uhr

Hinter dem ungewöhnlichen Namen des Betriebs steckt die Idee, nach eigenen Vorstellungen eigene Weine zu produzieren. Seit der Gründung im Jahre 2010 geht das Weingut von Sascha Magsamen diesen Weg, eine gelungene Symbiose von Natur, Wissenschaft und Kunsthandwerk. Im Herbst 2019 kam Sabrina Schach als weinbauliche Betriebsleitung an Bord und ist seitdem für den Keller zuständig. In den Weinbergen, zu denen auch Parzellen im Assmannshäuser Höllenberg und im Rüdesheimer Berg gehören, arbeitet man nach strengen biologischen Richtlinien, eine Zertifizierung wird angestrebt. Neu im rund 22 Hektar großen Betrieb sind die Sekte, die in traditioneller Flaschengärung hergestellt werden, handgerüttelt sind und erst Mitte 2020 in den Handel kamen.

2019 Chardonnay Spätlese trocken
11€ · 13%
Offensiv, doch diskret, mineralisch, großer Auftritt.

2019 Hallgartener Würzgarten Grauburgunder „im Barrique gereift" Spätlese trocken
11€ · 13,5%
Ein leiser Begleiter für kräftige Speisen, der Lust auf mehr macht. Wir würden dazu ein cremiges Geschnetzeltes vom Kalb mit Spätzle empfehlen.

2017 Assmannshäuser Höllenberg Spätburgunder 
18€ · 13%
Modern interpretiert, mit konzentrierter Frucht sowie durchaus prägnantem Holzeinsatz offenbart sich hier ein Stil, der schnurstracks geradeaus zeigt und dabei Frische und Schmelz grandios, fast „tanzend" vereint.

2013 Riesling „Rüdesheimer Berg Roseneck Réserve" brut
28€ · 12,5%
Mollig und geschmeidig mit saftiger Frucht.

2015 Chardonnay „Blanc de Blancs" brut
15€ · 12%
Kann denn Schlemmen Sünde sein? Die Plat de fruits de mer kann nicht eleganter begleitet werden, hier liegt der Geschmack von Austernschale schon im Grundwein.

2015 Chardonnay „Rheingau" brut nature
23€ · 12%
Vielschichtiges Fruchtbild, Earl Grey und reife Walnuss, dadurch entsteht eine elegante Bitternis. Gute Balance von Frucht, Säure und Perlage vollendet das ausgewogene Mundgefühl.

2016 Pinot Meunier „Rheingau" brut nature 🍇🍇🍇
45€ · 13%
Feiner Schaumwein mit Potenzial und Klasse, rotbeerig, besonders Erdbeere, guter Trinkfluss, zum Auftakt eines Festessens.

2016 Riesling „Geisenheimer Rothenberg Réserve" brut 🍇🍇🍇
28€ · 12,5%
Rauchig, rass und kantig am Gaumen, wilder grüner Apfel und eine kräftige, gut eingebundene Säure bestimmen den Geschmack. Das ist kein Schmeichler, aber ein ehrlicher Tropfen zum Wachwerden.

2016 Spätburgunder „Rheingau Blanc de Noirs" brut nature 🍇🍇
23€ · 12,5%
Apfel, Rosmarin und Nelke bringen die Aromenfülle, die cremig-flauschige Struktur sorgt für Trinkfreude.

2017 Roter Riesling brut nature 🍇🍇🍇
15€ · 12,5%
Mineralisch, rauchig und in sich geschlossen. Dieser Sekt will erobert werden.

Weingut Freimuth

Am Rosengärtchen 25,
65366 Geisenheim-Marienthal
T +49 (0) 6722 9810 70
www.freimuth-wein.de

Inhaber Alexander Freimuth
Kellermeister Jonas Freimuth
Verbände VDP
Rebfläche 13 ha
Produktion 60.000 Flaschen
Gründung 1960
Verkaufszeiten
nach Vereinbarung

Dass ein Rheingauer Weingut Reben in Rheinhessen stehen hat, ist außergewöhnlich. Doch Familie Freimuth ist neben ihrem Betrieb in Marienthal auch auf der anderen Rheinseite präsent, ihre Monopollage „Goldene Luft" liegt im Roten Hang in Nierstein. Grenzgänger in Sachen Wein, dafür ist seit Kurzem Sohn Jonas Freimuth verantwortlich, der nach dem Wirtschaftsingenieur-Studium und einem Job in Singapur zurück in die Heimat kam und den elterlichen Betrieb übernommen hat. Ihn reizt das gesamte Spannungsfeld des Weinbaus und natürlich auch die Chance, Jahr für Jahr vinologische jahreszeitliche Spuren in Flaschen zu hinterlassen, die niemals statisch, dafür immer in Bewegung sind und Heimat auf unterschiedlichste Art und Weise geschmacklich interpretieren.

2018 Unterer Bischofsberg Riesling GG
23€ · 13,5%
Orientalische Würze, die kraftvolle Farbe, feine Röstaromen und eine buttrig-kräuterige Tendenz lassen es bereits erahnen: Dies ist ein Essensbegleiter par excellence, zu Couscous-Salat, Geflügel oder dem Sonntagsessen mit der Familie.

2019 Geisenheim Riesling „Alte Reben"
9€ · 12,5%
Ein optimaler Begleiter ins Wochenende, am besten direkt am Freitag zum Feierabend genießen. Dieser Wein fühlt sich auch nebenbei getrunken sehr wohl und sorgt für Entspannung.

2019 Riesling „Rotschiefer"
19€ · 13,5%
Viel Körper, sehr ruhiger Geselle, der Eintopf von weißen Bohnen anderen Genüssen vorzieht.

2017 Rüdesheim Spätburgunder „Lignum"
11,50€ · 14%
Feine Reifenote trifft auf elegant-parfümierte Würzigkeit und verleitet zum unmittelbaren Trinkgenuss.

Eva Fricke

Elisabethenstraße 6,
65343 Eltville am Rhein
T +49 (0) 6123 7036 58
www.evafricke.com

Wenn es in den letzten Jahren im Rheingau einen Shootingstar gegeben hat, dann ist es Eva Fricke. Ohne große Aufsehen hat die gebürtige Bremerin nach erfolgreich absolviertem Weinbaustudium in Geisenheim und einigen Stationen als Kellermeisterin ihr eigenes Weingut gegründet. Und dann losgelegt. Bereits ihr erster Jahrgang machte in der Weinszene Furore, es folgten in verlässlicher Regelmäßigkeit bemerkenswerte charaktervolle Rieslinge, die heute ganz oben im Rheingauer, aber auch im nationalen Ranking stehen. Die Nachfrage nach einem „Fricke" ist groß, das Angebot aus 17 Hek-

Inhaber Eva Fricke
Betriebsleiter Eva Fricke
Kellermeister Reinhardt Illigen
Verbände Rheingauer Weinbauverband, Vegan Society
Rebfläche 17 ha
Produktion 80.000 Flaschen
Gründung 2006
Verkaufszeiten nach Vereinbarung

tar Rebfläche überschaubar. Glücklich, wer einen jeder Rieslinge ergattert, der Eva Frickes simpler Weinphilosophie folgt: puristisch, rein und dabei das Maximum an Ausdruck und Eleganz im Blick.

2019 Riesling „Kiedrich" (3 Trauben)
19€ · 12%
Feiner Stoff, cremige Textur, feinste Riesling Art, im besten Sinne ein Festtagswein.

2019 Riesling „Mélange" (3 Trauben)
25€ · 13,5%
Kompakter Exot mit Hang zu süßlich-cremigen und auch reifen Noten wie Karamell, Honig und Marzipan. Zum Kaiserschmarrn mit Zwetschgen.

2020 Riesling „Rheingau" (2 Trauben)
14€ · 12%
Ein absolut strukturierter Wein mit Biss, mineralischer Strenge und Finesse – packend, anregend und ideal als Vesper-Wein am Rhein.

Weingut George

Winkeler Straße 111,
65366 Geisenheim
T +49 (0) 6722 9803 43
www.weingut-george.de

Inhaber J. J. Wagenitz
Betriebsleiter Jürgen Wagenitz
Kellermeister Jens Wagenitz
Verbände Rheingauer Weinbauverband, Fingerprint Rheingauer Jungwinzer, Generation Riesling
Rebfläche 3 ha
Produktion 22.000 Flaschen
Gründung 1993
Verkaufszeiten nach Vereinbarung

Manchmal führen euphorische Träumereien und Faszination in die berufliche Realität, so geschehen bei Jürgen Wagenitz und seiner Frau Jutta. Die beiden haben nach dem Studium damit begonnen, ihre ersten Weinberge zu bewirtschaften und Weine ganz nach ihren Vorstellungen zu produzieren. Daraus geworden ist ein kleines Weingut mit drei Hektar Rebfläche, mittlerweile werden Jürgen und Jutta Wagenitz von Sohn Jens unterstützt, der 2017 sein Studium Weinbau und Önologie in Geisenheim abgeschlossen hat. Ein bisschen frischer Wind tat dem Geisenheimer Familienbetrieb gut, das Trio setzt vermehrt auf trocken, meist im Holzfass ausgebaute Rieslinge, die ihren Lagencharakter in vollem Umfang geschmacklich ausspielen.

2019 Rüdesheimer Bischofsberg Riesling „GG"
18€ · 12,5%
Ein Wein, der sehr stark vom Holz und dem langen Hefelager geprägt wird. Für experimentelle Riesling-Fans, die schon alles kennen.

♥ **2020** Rüdesheimer Berg Rottland Riesling „Schiefertraum"
12,50€ · 12%
Puristisch, exotisch, ruhend und fordernd zugleich. Dieser Wein beweist, was Gleichgewicht bedeutet: Balance, Spannung, das richtige Maß an Röstaromen ergibt Vielseitigkeit sowie Ausdrucksstärke.

2020 Rüdesheimer Bischofsberg Riesling „Big Fish" feinherb
8,90€ · 12%

Goldatzel

Hansenbergallee 1a,
65366 Johannisberg
T +49 (0) 6722 50537
www.goldatzel.de

Inhaber Familie Groß
Betriebsleiter Gerhard & Johannes Groß
Rebfläche 13 ha
Produktion 90.000 Flaschen
Verkaufszeiten
Di–So 10–18 Uhr
März–Nov. im Gutsausschank

Wenn das Weingut seinen weit über die Grenzen des Rheingaus bekannten Gutsausschank geöffnet hat, drängen sich hier Einheimische und Touristen gleichermaßen, um einen der begehrten Plätze mit Blick ins Rheintal zu erhaschen. Natürlich kommen die Gäste auch wegen der hausgemachten Spezialitäten und nicht zuletzt wegen der Weine, für die der junge Johannes Groß zuständig ist. Gut zwei Drittel der Rebfläche des Familienbetriebes sind mit Rieslingen bestockt, dazu kommen die für den Rheingau in dieser Konstellation typischen Spätburgunder. Johannes Groß ist mit seinen Weinen in der Region längst eine verlässliche Größe, dabei müssen es nicht immer die trockenen Versionen sein, die zu den Wein-Favoriten zählen. Auch seine fruchtsüßen Gewächse zeigen Format und Klasse und sind im Gutsausschank beliebte Begleiter zur herzhaften Küche.

2016 Johannisberger Goldatzel Riesling „Kellerreserve" feinherb
20€ · 11,5%
Mit seiner wuchtigen Exotik und der zarten Süße will dieser Wein nur eins: auf einer Terrasse an einem heißen Tag getrunken werden, wenn möglich mit Blick aufs Wasser.

♥ **2019** Johannisberger Goldatzel Riesling „Bestes Fass" Spätlese trocken
11,20€ · 12,5%
Bilderbuch-Riesling mit pikanter Säurestruktur, gutem Gerbstoffgerüst, leichter Reife und betörend klarer Art.

2019 Winkeler Hasensprung Riesling „Hasensprung" 🍇🍇🍇🍇
20€ · 12,5%
Komplexe Rheingauer Riesling-Eleganz, braucht noch etwas Flaschenreife, um alle großartigen Anlagen zeigen zu können.

2019 Winkeler Hasensprung Riesling Auslese 🍇🍇🍇
16,50€ · 7,5%
Exotische Frucht und saftiges Säurespiel mit klarer Süße und Tiefgang. Dazu gibt es, ganz klassisch, eine Auswahl von salzigen Käsesorten.

Weingut Hamm

Neueinsteiger

Hauptstraße 60,
65375 Oestrich-Winkel
T +49 (6723) 2432
www.hamm-wine.de

Betriebsleiter
Aurelia Wehrheim-Hamm
Kellermeister
Aurelia Wehrheim-Hamm
Verbände VDP
Rebfläche 7 ha
Produktion 50.000 Flaschen
Verkaufszeiten
Mi–Sa ab 18 Uhr
So, Feiertag ab 12 Uhr

Das stolze barocke Patrizierhaus an der alten Hauptstraße ist die angestammte Heimat des Weingutes, hier ist auch der familiengeführte Gutsausschank, der mit seiner herzhaften Küche weit über die Grenzen des Rheingaus bekannt ist. Bei Hamms trifft man sich aus nah und fern, bei gutem Wetter im lauschigen Innenhof, ansonsten in der gemütlichen Gaststube. Wein ist hier schon seit Generationen das Thema, ebenso die Verantwortung für die Natur und deren Früchte. Seit mehr als 30 Jahren arbeitet der Bio-Betrieb ökologisch zertifiziert, Senior Karl-Heinz Hamm war im naturnahen und umweltschonenden Weinbau Pionier im Rheingau. Heute ist Tochter Aurelia Wehrheim-Hamm am Ruder und widmet sich mit Passion und Können den Weinen, die gekonnt zwischen Tradition und Moderne changieren.

2019 Dachsberg Riesling 1. Lage 🍇🍇
16,90€ · 13%
Saftigkeit trifft Schmelz. Gelbfleischige Frucht gepaart mit Buttercreme, Karamell und Vanille. Prädestiniert z. B. für asiatische Speisen mit intensiver Würze.

2019 Riesling „Alte Reben"
15,90€ · 13%
Betörende Nase, elegant und seidig, leicht reduktiv. Trotzdem enorm dicht am Gaumen, intensiv nussig – aus unserer Sicht mit reichlich Potenzial ausgestattet.

♥ **2020** Riesling „Junge Reben" halbtrocken
10,50€ · 12%
Banane und Holunder im Auftakt geben gleich ein Sommergefühl mit. Dieser Wein hat Pep und Spiel und freut sich, auf Partys für Unterhaltung zu sorgen.

2020 Riesling „feinfruchtig" Kabinett
9,80€ · 9,5%
Zu Matjes von der Bachforelle passt der feine Kabinett mit super filigranem Spiel von Frische, Mineralik und Cremigkeit

2020 Hasensprung Riesling Beerenauslese
auf Anfrage · 8,5%
Zunächst schlanker Auftritt, glasklar, vibrierend. Mit Geduld: großes Süßwein-Kino für die Ewigkeit – Zeit geben und sich darauf freuen.

Kaspar Herke

Neueinsteiger

Langenhoffstraße 4,
65375 Oestrich-Winkel
T +49 (0) 6723 3440
weingut-kaspar-herke.de

Verbände
Rheingauer Weinbauverband
Rebfläche 12,5 ha
Produktion 100.000 Flaschen
Gründung 1770
Verkaufszeiten
Mo, Do, Fr 13–19 Uhr
Sa, So 15–18

Caroline und Lukas Herke sind noch jung, doch sie stammen beide aus alteingesessenen traditionsreichen Winzerfamilien. Caroline von der Nahe, Lukas aus dem Rheingau. Zusammen bewirtschaftet das Winzerpaar den etwa 13 Hektar großen Betrieb im mittleren Rheingau, der seit Generationen Weinberge in den exponierten Lagen Oestricher Lenchen, Oestricher Doosberg und Winkeler Hasensprung kultiviert. Nicht nur Rieslinge sind dort gepflanzt, auch Burgundersorten gehören zum Portfolio der Herkes. Damit ihre Weine frisch und spritzig ins Glas kommen, wird das gesunde Lesegut selektiv von Hand geerntet und die Moste in einer gezügelten Gärung zu Wein verwandelt. Kein Hexenwerk oder Zauberei, aber sauberes Handwerk zwischen Tradition und moderner Technik.

2019 Sauvignon Blanc
8€ · 11,8%
Unkompliziert, straff mit schönem Mundgefühl.

2020 Hallgartener Jungfer Riesling Kabinett trocken
6,20€ · 11%
Sommerlicher Terrassenwein, erfrischend, leicht, jugendlich, ein Schmeichler und Leichtfuß zum Apéro.

2020 Sauvignon Blanc
8,10€ · 11%
Aromatisch duftender Weinbergpfirsich und Stachelbeere, Rose, knackige Säure, fein, dezent und ruhig, wie ein sonniger Nachmittag unter schattigen Bäumen.

2020 Silvaner „Alte Reben"
6€ · 12,5%
Anspruchsvoller, phenolisch geprägter Essensbegleiter, besonders zu Ziegenkäse mit Olivenöl und Zucchini.

2018 Oestricher Doosberg Spätburgunder
9€ · 13%
Griffiger Spätburgunder dank seines Tanningerüsts. Ausladende dunkle Kirscharomatik und Erdigkeit. Ideal zu Wildgerichten.

Schloss Johannisberg

Neueinsteiger

Schloss Johannisberg,
65366 Geisenheim
T +49 (0) 6722 70090
www.schloss-johannisberg.de

Betriebsleiter Stefan Doktor
Kellermeister Gerd Ritter
Verbände VDP
Rebfläche 50 ha
Produktion 300.000 Flaschen
Gründung 1100
Verkaufszeiten
Mo–So 10–18 Uhr

Zu übersehen ist das majestätisch auf einem vorstehenden Bergrücken liegende Schloss auf keiner Tour durch den Rheingau. Auf Schloss Johannisberg hat Weinbaugeschichte stattgefunden, hier schlug die Geburtsstunde des Rieslings, der seit 1720 ausschließlich rund um das Schloss angebaut wird. Und hier wurde wenige Jahrzehnte später die Spätlese entdeckt, die bis heute zur den bekanntesten deutschen Wein-Prädikaten zählt. Schloss Johannisberg ist Riesling-Urgestein, ein sehenswertes Wein-Château, aus dessen 50 Hektar Reben unter der Verantwortung von Kellermeister Gerd Ritter Weine entstehen, deren Qualitätsstufen mit verschiedenfarbigen Lacken gekennzeichnet sind. Ein Besuch der legendären Schatzkammer im Schlosskeller lohnt immer, dazu sollte man eine kleine Weinprobe buchen, um den Geist dieses historischen Ortes und des Rheingauer Rieslings besser zu verstehen.

2019 Schloss Johannisberg Riesling „Rosalack" Auslese
35€ · 8%
Verspielte, äußerst zarte, vielversprechende Aromatik, ungemein kontrastreich wie animierend und unterlegt von mineralisch-salzigen Noten. Ideal zu Blauschimmelkäse.

♥ **2019** Schloss Johannisberg Riesling „Rotlack" Kabinett feinherb 
25€ · 11,5%
Üppig und selbstbewusst. Noten von Ananas, Pfirsich und Karamell sind genau das Richtige für Freunde der krachend gelben Aromatik und machen gute Laune auch an verregneten Sommertagen.

2019 Schloss Johannisberg Riesling „Silberlack" GG
45€ · 13%
Ein reifer Auftritt mit Biss, Steinobst-Phenolik, gutem Holzeinsatz – viel Riesling!

2020 Schloss Johannisberg Riesling „Gelblack"
15€ · 13%
Unkompliziert-fruchtbetont mit balancierter Säure und reichhaltigem Gusto, ein „Everybody's Darling".

2019 Schloss Johannisberg Riesling „Blaulack" Trockenbeerenauslese
325€ · 7%
Waldhonig, ein wenig Harz und dunkler Karamell im ersten Antrunk, dann kommt das Körnchen Salz an den Gaumen, das diesen Wein in andere Sphären hebt. Meisterhaft, vielschichtig, konzentriert.

Johannishof

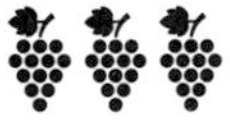

Grund 63, 65366 Johannisberg
T +49 (0) 6722 8216
www.weingut-johannishof.de

Inhaber Johannes Eser
Verbände VDP, Charta
Rebfläche 20 ha
Produktion 120.000 Flaschen
Gründung 1900
Verkaufszeiten
Mo–Fr 9–12 Uhr und 13–17 Uhr
Sa 10–13 Uhr
Weintempel neben dem Gut:
Sa 13–18 Uhr, So 11–17 Uhr

Familien mit dem Namen Eser gibt es im Rheingau viele, einige davon sind seit Generationen mit dem Weinbau verbunden. So wie Johannes und Sabine Eser, die das Weingut seit etwas mehr als 20 Jahren in zehnter Generation führen und es mit Können und qualitativer Kontinuität in der Spitzengruppe des Anbaugebiets positioniert haben. Unterhalb des Johannisberger Schlosses gelegen, fällt ihr Weintempel ins Auge, eine architektonisch interessante und sehenswerte Vinothek, in der die Eser-Gewächse probiert werden können. Das sind nicht nur trocken ausgebaute Weine, aus großen Rheingauer Lagen stammen auch die klassischen restsüßen und edelsüßen Prädikatsweine, die aus besonders vollreifen Beeren, Rosinen oder edelfaulem Lesegut entstehen und für die das Weingut deutschlandweit bekannt ist.

2019 Johannisberger Auf der Höll Riesling 1. Lage
12,30€ · 12,5%
Ausgewogen und unbeschwert. Zusammen mit straffer Mineralität genau das, was man sich als „Brot & Butter"-Wein wünscht.

2019 Riesling „Charta Riesling Fass 94" feinherb
15,70€ · 12%

2019 Riesling „Johannisberger S" Kabinett feinherb
11€ · 11,5%

2019 Riesling „Johannisberger V" Kabinett
10,60€ · 10%
Frischer fruchtiger Gesamteindruck, zu feinen vegetarischen Speisen passend, vom Kräutersalat über Käsesoufflé bis hin zur Karottencremesuppe mit Estragon.

2019 Riesling „Rüdesheim K" Kabinett feinherb
11€ · 11,5%

2019 Riesling „Terra Nostra"
8,40€ · 12%
Apfelfrische, Lebendigkeit, Finesse, Präzision und Salzigkeit. Summa summarum: sehr viel Wein fürs Geld.

2019 Rüdesheimer Ramstein Riesling 1. Lage
12,30€ · 11,5%
Unaufgeregt, fast brav ohne „Ecken und Kanten", dennoch mit spürbarem Extrakt.

2019 Winkeler Jesuitengarten Riesling „Alte Reben"
15€ · 11,5%
Super Schoppen mit Balance, saftiger gelber Frucht, ein Nachmittagsvergnügen als Prä-Apéro.

2016 Berg Rottland Riesling „Eser Cabinet" brut nature
18,50€ · 12,5%
Williamsbirne, reif und süß, fest.

2019 Johannisberger Klaus Riesling Spätlese
15,40€ · 9,5%
Frisch, fordernd, kühl. Ein guter Kern, ohne überbordend zu wirken.

2019 Rüdesheimer Berg Rottland Riesling Spätlese
17,20€ · 10%
Frisch am Gaumen, süffig, saftig – zeigt Eleganz, behält Kurs, Extrakt und Salzigkeit. Servieren bitte zu Skrei und karamellisiertem Knoblauch.

Jakob Jung

Eberbacher Straße 22,
65346 Erbach
T +49 (0) 6123 9006 20
www.weingut-jakob-jung.de

Inhaber
Alexander Johannes Jung
Betriebsleiter
Alexander Johannes &
Ludwig Jung

Wie so oft im Rheingau steckt auch hinter dem Weingut Jakob Jung in Erbach eine Familie mit langer Riesling-Tradition. Mehr als 220 Jahre ist der Betrieb im Familienbesitz, mit Alexander Johannes Jung ist seit dem Jahre 2008 ein Winzer am Ruder, der natürlich in erster Linie für typische Rheingauer Rieslinge steht. Deren Trauben kommen aus besten Lagen rund um Erbach, die Weinberge bewirtschaftet Jung konventionell, naturnah und umweltschonend. Schonend geht es im Keller mit der Traubenverarbeitung weiter, in die gärenden Moste wird so viel wie nötig und so wenig wie möglich eingegriffen. Wenn sich das Weingut zur Gutsschänke verwandelt, die Termine stehen auf der Homepage, sollte man unbedingt reservieren, denn dann gehen Jungs Weine und hausgemachte Spezialitäten aus der Küche eine genüssliche Liaison ein.

Verbände VDP
Rebfläche 20 ha
Produktion 130.000 Flaschen
Verkaufszeiten
Mo–Fr 13–18 Uhr
Sa 10–17 Uhr

2018 Hohenrain Erbach Riesling GG ◆◆◆◆
26,40€ · 13%
So voluminös er auch zunächst in der Nase durch die Holz- und Röstaromatik wirken mag, so elegant, fein und vielseitig, fast feminin fällt er am Gaumen aus. Frisch, animierend, perfekt für einen Abend unter Freunden.

2019 Erbacher Steinmorgen Riesling 1. Lage ◆◆
13,40€ · 13%
Mineralisch geprägter Auftakt mit viel Zitrusfrucht dabei. Am Gaumen dann eher streng und bei sich, zieht voll durch und beschäftigt den Gaumen lang.

2018 Erbacher Steinmorgen Spätburgunder 1. Lage ◆◆◆
15,40€ · 14,5%
Wilder Charakter wie eine Paarung von geschmacks-intensivem Lammfleisch mit Wurzelgemüse.

Urban Kaufmann

Rheinallee 6,
65347 Hattenheim
T +49 (0) 6723 2475
www.kaufmann-weingut.de

Inhaber Urban Kaufmann
Verbände VDP, Demeter
Rebfläche 20 ha
Produktion 120.000 Flaschen
Verkaufszeiten
Mo–Fr 9–17 Uhr
Sa 9–13 Uhr

Käse und Wein sind für Urban Kaufmann nicht nur eine spannende kulinarische Liaison, die Kombination hat auch sein Leben geprägt. Denn der gebürtige Schweizer war lange Jahre Chef einer Appenzeller-Käserei, bevor er 2013 das Hattenheimer Weingut Lang kaufte, ihm seinen Namen gab und im Rheingau Winzer wurde. Jetzt steht er zusammen mit seiner Partnerin Eva Raps im Weinberg und im Keller und schickt Weine ins Rennen, die nicht nur aus Rieslingen gekeltert werden. Urban hat auch ein Faible für weiße und rote Burgundersorten, die er neben den Rheingauer Klassikern im seit 2017 Demeter zertifizierten Betrieb biodynamisch ausbaut. Und weil Urban Kaufmann auch seine Schweizer Wurzeln pflegt, gibt es auf dem Weingut immer wieder unterhaltsame Veranstaltungen rund um das original Walliser Raclette vom Grill.

2019 Cuvée „Uno“
18,50€ · 13%
„Entspannt und lässig“ soll er sein und genau das ist er, gepaart mit Schmelz, Eleganz und guten Grip, der ihn zum perfekten Essensbegleiter, durchaus auch zum Käse-Fondue, macht.

2019 Riesling „Hattenheim Riesling“
14€ · 13%
Ruhiger Wein, glasklar und süffig im wahren Wortsinn, angenehme Säure. Perfekt zum Spargelsalat.

2019 Riesling „Tell“
18,50€ · 12,5%
Speck, saftige Noten, klassisch, archetypisch, dezent, elegant, zitrisch helle Aromen, krönt jedes Königin-Pastetchen.

2019 Wisselbrunnen Riesling GG
25€ · 13%
Wie eine Stereoanlage auf voller Lautstärke. Saftiger Pfirsich, schmelziger Marzipan, richtig fleischig am Gaumen. Ein Wein zum Feiern mit lauter Musik und richtig guten Freunden.

2019 Pinot Noir „Hattenheim +++“
35€ · 13,5%
Dick gepackt, ätherische Aromen, Minze, straffe Gerbstoffe.

2013 Pinot Noir „Rosé“ brut
15€ · 12%
Reifer, rustikaler Sekt, sehr intensiv mit einer zitrischen Sequenz, gute Struktur, deutscher Stil.

2014 Riesling brut
15€ · 12%
Ein richtiger Grand Seigneur. Dieser Sekt mag die französisch inspirierte Küche.

Baron Knyphausen

Erbacher Straße 28,
65346 Erbach
T +49 (0) 6123 7907 10
www.baron-knyphausen.de

Inhaber Frederik zu Knyphausen
Betriebsleiter Arne Wilken
Kellermeister Arne Wilken
Verbände VDP
Rebfläche 12 ha
Produktion 80.000 Flaschen
Gründung 1141
Verkaufszeiten
Mo–So 10–18 Uhr

Die Ostfriesen am Rhein? Im Rheingau sind sie schon seit mehr als 200 Jahren als Winzer aktiv, denn 1818 erwarb die Familie des ostfriesischen Adelsgeschlechtes zu Knyphausen den Draiser Hof, eine ehemalige Dependance des Klosters Eberbach. Heute ist hier die achte Generation zugange, Baron Frederik zu Knyphausen bewirtschaftet nicht nur zwölf Hektar Rebfläche, sondern betreibt dazu auch ein Gutshotel mit 15 Zimmern sowie die „Weinlounge 1141" im historischen Gutspark und die „Weinbar 1818" im sogenannten knypHAUS. Besonders verdient gemacht hat sich das Winzer-Adelsgeschlecht um die autochthone Rebsorte Roter Riesling, die als Mutter des heutigen Rieslings gilt. Mit dem Anbau eines historischen Rebensatzes, in dem sieben alte Rheingauer Rebsorten wie Gelber Orleans, Weißer Heunisch, Elbling Silvaner, Riesling, Roter Riesling und Gewürztraminer enthalten sind, haben die Knyphausens einen weiteren Schritt in Richtung traditionellen und historischen Weinbau gewagt.

2018 Erbacher Steinmorgen Riesling 1. Lage
19€ · 12,5%
Exotischer Mix aus Gewürzen und Früchten, hohe Reife, mit einem feinen Hauch von Kaffee.

2018 Riesling „Charta"
12€ · 11,5%

2019 Cuvée „Knyphausen 7"
15€ · 11%

2019 Hohenrain Riesling GG
35€ · 13%
Ein kraftvoll aromatischer wie elegant balancierter Wein, der mit seinem überaus harmonischen Säure-Süße-Spiel mit Blick in eine goldene Zukunft zu beeindrucken weiß. Ein distinguierter Grand Seigneur, der zum Austern-Schlemmen einlädt.

2019 Riesling „1141" ♦♦
9,30€ · 12%
Ein offenherziger Typ, mit dem man sich schnell sehr gut versteht. Seine leicht zugängliche Art macht ihn zu einem wunderbaren Gesprächsanreger auf der nächsten größeren Feier.

2019 Riesling „Erbach" ♦♦♦
11€ · 12%
Verhalten, karg, mineralisch, Balance und Eleganz. Ein Fest zum Wolfsbarsch in der Salzkruste.

2016 Spätburgunder ♦♦
14,50€ · 13,5%
Mit seinen Noten von Wacholder, Lorbeer, Rosinen und Portwein kann dieser Spätburgunder für Überraschungen am Tisch sorgen, wenn es darum geht, die Rebsorte richtig zu erraten. Für Fans des internationalen Rotweins.

2018 Riesling brut ♦♦♦
12,90€ · 12,5%
Feine Eleganz, federleicht, animierend, gut definierte Säure, feingliedrige Aromen und cremige Perlage formen ein Masterpiece mit sehr langem Nachhall.

Peter Jakob Kühn

♦♦♦♦♦

Mühlstraße 70, 65375 Oestrich
T +49 (0) 6723 2299
www.weingutpjkuehn.de

Inhaber
Peter Bernhard Kühn
Verbände VDP, La Renaissance des Appellations, Demeter
Rebfläche 20 ha
Produktion 100.000 Flaschen
Verkaufszeiten
Mo–Fr 9–12 und 13–17 Uhr
Sa 11–17 Uhr

Als Anfang September Peter Jakob Kühn das Weingut an seinen Sohn Peter Bernhard übergeben hat, ist nicht nur im Familienbetrieb eine Ära zu Ende gegangen. Kühn hat über Jahrzehnte mit seinen Weinen im Rheingau Akzente gesetzt, hat viele Weinkenner geschmacklich herausgefordert, Geduld verlangt und zukunftsweisende Ideen für den naturnahen Weinbau auf den Weg gebracht. Ein ganz Großer des Rheingauer Weinbaus, der natürlich seinem Weingut erhalten bleibt und nach wie vor mit Rat und Tat zu Hause aktiv ist. Gott sei Dank! Denn Kühns Rieslinge sind keine kleinen Kunstwerke, sondern vielmehr facettenreichen Spitzfindigkeiten, die Bodenhaftung ganz neu interpretieren und selbst Sandkörner und Schieferbruchstücke zum Glänzen bringen können. Und das über Jahre hinweg, nur wenige Rheingauer Rieslinge sind so stabil und robust wie die Weine aus dem 20 Hektar großen Familienbetrieb, den Peter Jakob Kühn zusammen mit seiner Frau Angela geformt hat.

2019 Hallgarten Riesling „Rheinschiefer" ♦♦♦
15,50€ · 12%
Feine Frucht, etwas karg, doch cremig am Gaumen, wirkt sehr fein durch die balsamischen Honignoten.

2019 Hallgartener Hendelberg Riesling 1. Lage
27€ · 12,5%
Spannende Kombination mit Kick: saftig und terroirbetont, würzig-herbal, rauchig-mineralisch, straff und dabei unheimlich filigran.

2019 Mittelheim St. Nikolaus Riesling GG
47€ · 12,5%
Ein absoluter Solokünstler, der alles andere ist als langweilig. Er polarisiert, ist rcichhaltig, rcif, eigensinnig und kalkig-kühl zugleich.

2019 Oestrich Doosberg Riesling GG
44€ · 12,5%
Animierend, griffig in der Struktur, Lardo, Speck mit der richtigen Portion Holz: Riesling in seiner intensivsten Form. Zu gebratenen Waldpilzen mit Semmelknödel oder Beuschel.

2019 Oestrich Lenchen Riesling GG
44€ · 12,5%
Duftig floraler Kern mit ausgewogener Balance zwischen Salzigkeit, Säure und Extrakt.

2019 Oestrich Lenchen Riesling Kabinett
17€ · 10%
Duftig mit grünen Nuancen, fast ins Medizinale gehend. Am Gaumen dann reife Frucht mit viel Saft und animierender Säure. Entspannung pur.

2019 Oestrich Lenchen Riesling Spätlese
26€ · 9%
Reife Struktur mit gewisser Strenge, dazu kraftvolle Süße, die dagegen steuert. Gut einsetzbar zum pikanten Hühnerfrikassee.

2019 Oestrich Riesling „Quarzit"
17,50€ · 12,5%
Explosiv, straff, geradlinig, zupackend – spannendes Kino.

2019 Oestricher Klosterberg Riesling 1. Lage
24€ · 12,5%
Präsentes und enorm gut balanciertes Holz trifft auf saftige Säure mit kräuterig-phenolischer Unterstützung. Perfekt für ein Kalbspaillard mit Pilzen.

2019 Riesling „Jacobus"
12,50€ · 12%

2019 Oestrich Lenchen Riesling Auslese
39€ · 7,5%
Verhalten-mineralischer Auftakt, fast noch ein wenig schüchtern präsentiert sich diese sehr junge Auslese. Am Gaumen so leicht, so tänzelnd, so verführerisch. Bemerkenswert leise und mit großer Zukunft. Dieser Wein darf sich noch viel Zeit lassen mit dem Erwachsenwerden.

Weingut Kunz Dries

Neueinsteiger

Lindenstraße 38,
65375 Oestrich-Winkel
T +49 (0) 177 2095 269
www.weingut-kunzdries.de

Inhaber Dagmar Kunz
Betriebsleiter Dagmar Kunz
Kellermeister Oliver Dries
Rebfläche 1,1 ha
Produktion 10.000 Flaschen
Gründung 1900
Verkaufszeiten nach Vereinbarung

Ein Weingut, das rund die Hälfte seiner Rebfläche mit Spätburgunder bestockt hat, ist im Riesling-lastigen Rheingau selten. Ein Weingut, das nur knapp über einen Hektar bewirtschaftet, ist noch seltener. Beides zusammen erfüllt der Betrieb von Dagmar Kunz und Oliver Fries, der aus der Zusammenlegung zweier Weingüter entstanden ist. Klein, aber fein, hier trifft die Binsenweisheit ins Schwarze, denn die beiden Winzer sind mit Leidenschaft und viel Herzblut am Werk. Kaum zu glauben, dass sich bei dieser Betriebsgröße ihre Weinberge von Geisenheim über Winkel bis nach Oestrich erstrecken. Gearbeitet wird draußen im Einklang mit der Natur, im Keller geht alles gelassen seinen Gang, Geduld und Zeit sind die ausschlaggebenden Parameter, an denen sich die Weinproduktion orientiert.

2019 Riesling
6,80€ · 12,5%
Spaßwein – Saft und Kraft, karg und puristisch.

♥ **2019** Weißburgunder
6,80€ · 12,5%
Cremiger Auftakt mit leicht öligen Noten, am Gaumen dicht verwoben und komplex mit leiser Bitternote im Abgang.

2018 Pinot Noir

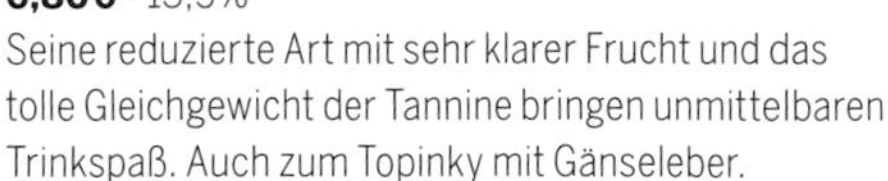

6,80€ · 13,5%
Seine reduzierte Art mit sehr klarer Frucht und das tolle Gleichgewicht der Tannine bringen unmittelbaren Trinkspaß. Auch zum Topinky mit Gänseleber.

2018 Spätburgunder
9€ · 13,5%
So tänzelnd wie eine Ballerina: leichter Gaumen und trotzdem viel Frische, Komplexität und Länge unterstützt von reichlich Johannisbeere.

Weingut Lamm Jung

Eberbacher Straße 50,
65346 Eltville-Erbach
T +49 (0) 6123 7059 300
www.lammjung-wein.de

Inhaber Günther Weisel & Lamm Jung
Betriebsleiter Paul Will
Kellermeister Paul Will
Rebfläche 16 ha
Produktion 100.000 Flaschen
Gründung 2016
Verkaufszeiten
Mi–Fr 14–18Uhr
Sa 10–14Uhr
und nach Vereinbarung

Günther Weisel ist Handwerksmeister und hat als junger Mann die Haustechnik-Firma seines Vaters übernommen. Als echter Rheingauer träumte er schon als kleiner Junge davon, irgendwann man seinen eigenen Wein zu trinken. Rheingauer Träume, die manchmal in Erfüllung gehen. Heute nennt Günther Weisel ein stattliches Weingut sein Eigen, aus rund 16 Hektar Rebfläche kann er den eigenen Wein produzieren. Das macht er zusammen mit Betriebs- und Kellermeister Paul Will und seinem Team, die naturnah bewirtschafteten Weinberge erstrecken sich über den gesamten Rheingau von Eltville, Erbach und Kiedrich über die Steillagen von Rüdesheim und Assmannshausen bis nach Lorch. Ausgebaut werden die Trauben je nach Sorte und Stilistik im gekühlten Edelstahltank, im großen oder kleinen Holzfass. Danach gönnt Handwerksmeister Weisel seinen Weinen noch eine lange Flaschenruhe, bevor sie in den Verkauf kommen.

2017 Riesling „Premium"
15,20€ · 11,5%
Pikante Noten von kandierten Mandeln und Rosinen sowie Orangenschale, am Gaumen dann eine dezente Süße. Das ist Umami pur und freut sich über kräuterwürzige Begleitung.

2017 Riesling „Steillage"
16,20€ · 12%
Mit seiner Aromatik von Bohnenkraut, Mandarinenschale und Limette ist dieser Riesling der perfekte Begleiter zum Ossobuco. Sie werden Ihre Gäste damit überraschen und begeistern.

♥ **2019** Riesling „Meisterwein" feinherb
8,80€ · 12%

2019 Spätburgunder feinherb
8,80€ · 12%

2019 Weißburgunder
8,80€ · 12%

2016 Cuvée brut

17,50€ · 12,5%

Opulente reife Frucht, Ananas, saftig animierend, frische Säure, leicht reduktiv, Karamell, üppige Perlage.

2016 Riesling „Cuvée" brut

17,50€ · 12,5%

Klassische Riesling-Aromen wie Aprikose und reifer Pfirsich stehen im Mittelpunkt, passt perfekt zur Mandelcremetorte.

Weingut Leitz

Rüdesheimer Straße 8a,
65366 Geisenheim
T +49 (0) 6722 9999 100
www.leitz-wein.de

Inhaber Johannes Leitz
Betriebsleiter Johannes Leitz
Kellermeister Johannes Leitz & Manuel Zuffer
Verbände VDP
Rebfläche 110 ha
Produktion 900.000 Flaschen
Verkaufszeiten
Mo–Fr 8–17 Uhr

Noch vor einer Generation kannten nur Insider das kleine Weingut der Familie Leitz in Rüdesheim. Das hat sich frappierend geändert, Johannes Leitz und seine Weine sind heute weltweit bekannt und geschätzt, seine Exportquote entsprechend hoch. Markenzeichen der Leitz-Gewächse ist ihre Herkunft aus dem Rüdesheimer Berg, hier bekommen sie ihren mineralischen Schliff und ihre Eleganz, die sie auszeichnet. Ausgebaut wird, je nach gewünschter Stilistik und Zustand der Trauben, zu einem Teil im klassischen Rheingauer Stückfass, aber auch im temperaturgesteuerten Edelstahltank. Lesegut aus rund 110 Hektar wird jährlich durch den Keller geschleust, damit gehört das Weingut zu den größten Betrieben der Region. Und Leitz baut fast ausschließlich Riesling an und aus, nur zwei Prozent seiner Rebfläche gehören dem Spätburgunder.

2016 Rüdesheimer Berg Roseneck Riesling „Katerloch" GG

40€ · 12,5%

Gezügelte Opulenz. Dieser Wein tanzt auf dem Drahtseil und balanciert sich mit reifer Steinfrucht und Vanille optimal aus. Ein tänzelnder Riesling mit einer Reife, die Würde und Gelassenheit verleiht.

2016 Rüdesheimer Rosengarten Riesling „Monopole" GG

40€ · 12,5%

Dieser Riesling beherrscht den Spagat zwischen Reife und Jugend geradezu perfekt. Enorm trocken mit viel Spannung am Gaumen und großem Potenzial für die Zukunft.

2018 Rüdesheimer Berg Kaisersteinfels Riesling „Terrassen" GG

40€ · 13%

Elektrisierend und gleichzeitig mystisch. Ein Riesling mit Tiefgang und Charakter, der einen in seinen Bann zieht. Ausweichen zwecklos.

2018 Rüdesheimer Berg Roseneck Riesling „Katerloch" GG

40€ · 13%

Noten von Zimt und kalter Asche wirken kühlend und fast karg. Am Gaumen schmeichelnd und elegant zugleich. Dieser Wein strahlt Gediegenheit und Ruhe aus und lässt einen nach einem langen Arbeitstag entspannen.

2018 Rüdesheimer Berg Rottland Riesling „Hinterhaus" GG

40€ · 12,5%

Noten von Pekannuss und Pampelmuse werden am Gaumen von einer mundwässernden Bitternis begleitet. Sehr stringent strukturiert und von unaufdringlicher Größe.

2018 Rüdesheimer Berg Schlossberg Riesling „Ehrenfels" GG 

40€ · 12,5%

Feine Mineralik und Zimtwürze treffen auf exotische Noten von Papaya und Mango. Am Gaumen sehr zart und weich, federleicht und sehr charmant.

2018 Rüdesheimer Rosengarten Riesling „Monopole" GG 

40€ · 13%

Komplexer Tiefgang. Ein hintergründiger und charakterstarker Wein, der mit einer Säure, die fast zu schweben scheint, und seiner gleichzeitigen Saftigkeit Gegensätze vereint, die einander sehr anziehend finden.

2019 Riesling „Magic Mountain"

17,50€ · 12,5%

Der Magic Mountain verführt mit geradezu schwebender, sehr lebendiger Säure. Dazu Noten von Orange und ein Zug, der das zweite Glas obligatorisch macht.

2019 Rüdesheimer Drachenstein Riesling 1. Lage 🍇🍇🍇🍇
25€ · 13%
Konzentration ohne Opulenz, aber mit viel Biss, Saft und Länge. Sein würziger Stil verträgt etwa die Kombination mit einer Paella valenciana mit Huhn, Kaninchen, Safran und Rosmarin gut.

2020 Riesling „Eins-Zwei-Dry" 🍇🍇🍇
8,90€ · 12%
Duftig-frisch und herrlich unkompliziert versprüht dieser Wein Sommerlaune pur, entspannt wie im Liegestuhl.

2020 Riesling „Rüdesheimer" 🍇🍇🍇
12€ · 12%
Ein sehr geradliniger und packender Wein, der mit der richtigen Portion rauchiger Mineralität, Cremigkeit und guter Länge punktet.

2020 Weißburgunder 🍇🍇
9,50€ · 13%

2009 Riesling „One of 500" brut 🍇🍇🍇🍇🍇
16€ · 12,5%
Reife und Frische in wunderbarer Balance. Glasklar und weich mit großer Länge.

Bernhard Mehrlein

Neueinsteiger

Rieslingstraße 49,
65375 Oestrich-Winkel
T +49 (0) 6723 2934
www.weingut-mehrlein.de

Inhaber Thorsten Mehrlein
Rebfläche 65 ha
Produktion 800.000 Flaschen
Verkaufszeiten
nach Vereinbarung

Wenn von Riesling-Experten im Rheingau die Rede ist, dann darf Thorsten Mehrlein nicht fehlen. Immerhin baut der Winzer in seinem stolzen 65 Hektar großen Betrieb bis auf wenige Parzellen ausschließlich Riesling an. Dazu liegen seine Weinberge in besten Lagen, ein Großteil gehört zu den für Premiumweine klassifizierten Flächen. Beste Voraussetzungen für das junge Weingut, das mit seinen Rieslingen die gewachsene Tradition des Rheingaus aufgreift und sie zeitgemäß in moderner Stilistik interpretiert. Ein interessanter Betrieb, der sich ohne großes Aufsehen kontinuierlich in die Qualitätsspitze der Region schiebt und von dem sicher noch einiges an bemerkenswerten Weinen erwartet werden darf.

2017 Riesling „Oestrich" 🍇🍇
12,50€ · 12,5%
Im Auftakt Noten von Grafit und Bleistift, dann sogar ein Hauch von Ingwer. Ein facettenreicher Wein mit toller Balance und so mundwässernd, dass das erste Glas schnell leer getrunken ist. Gefährlich gut.

2019 Riesling „Alte Reben"
8,50€ · 12%
Sehr verspielt mit feiner gelber Frucht und zartem Schmelz. Dezent süße Noten am Gaumen freuen sich über eine asiatisch angehauchte Essensbegleitung.

2019 Riesling „Gentleman"
9,90€ · 12%
Der Wein braucht Luft und Zeit, dann tauchen Limette und Minze auf. Feine, kleine Gerichte nach Großmutters Art.

2019 Riesling „Quarzit"
7,90€ · 12,5%
Unkomplizierter und aromatisch ausladender Riesling, der am Gaumen haften bleibt. Der ideale Begleiter als Rucksackwein zum Wandern oder für einen Grillabend auf der Terrasse.

Georg Müller Stiftung

Eberbacher Straße 7–9,
65347 Hattenheim
T +49 (0) 6723 2020
www.georg-mueller-stiftung.de

Inhaber Peter Winter
Betriebsleiter Tim Lilienström
Verbände VDP
Rebfläche 19,5 ha
Produktion 120.000 Flaschen
Gründung 1882
Verkaufszeiten
Mo–Fr 9–12 Uhr und 14–17 Uhr
Apr.–Okt.
Sa–So 14–18 Uhr

Wein und Sekt gehören im Rheingau seit rund 200 Jahre untrennbar zusammen, der Name Müller spielt dabei eine wichtige Rolle. Denn Georg Müller stammte aus der berühmten Eltviller Sektdynastie „Matheus Müller", gründete 1882 in Hattenheim sein Weingut und schenkte es drei Jahrzehnte später als Stiftung seiner Heimatstadt. Vor fast 20 Jahren hat Peter Winter das Weingut übernommen und sich zum Ziel gesetzt, den damals angeschlagenen Betrieb wieder auf Vordermann zu bringen und Rieslinge von besonderer Qualität zu produzieren. Keine leichte Aufgabe im Umfeld renommierter Rheingauer Güter, aber Peter Winter und seinem Team ist tatsächlich der Coup gelungen, die „Georg Müller Stiftung" zu einem klangvollen Namen in Sachen Riesling zu machen. Seit dem Jahre 2020 gibt es im aufwendig restaurierten Weingut eine klassische Rheingauer Straußwirtschaft.

♥ **2018** Hallgartener Jungfer Riesling GG
38€ · 13%
Pures Feuerwerk der Aromen. Schießpulver, Speck, Grafit und Kokosnuss gehen eine fast explosiv wirkende Verbindung ein. Wird am Gaumen kein bisschen leiser, ein sehr sympathischer Zeitgenosse.

2018 Hattenheimer Nussbrunnen Riesling GG
38€ · 13%
Ein selbstbewusster Riesling mit tollem Spiel aus kühlender Minze und saftiger Frucht. Großer Klassiker für sehr anspruchsvolle Gäste, die beeindruckt werden sollen.

2019 Hattenheimer Hassel Riesling GG

27,50€ · 13%

Ein leiser und fein ziselierter Riesling mit dezenter Aromatik von Zitrusfrüchten, zartem Pfirsich und geschnittenem Gras. Drängt sich nicht in den Vordergrund und ist dabei sehr souverän.

2020 Riesling „Gutswein“

8,80€ · 12%

Duft von Minze, Eukalyptus und Zitronengras, der Wein belebt, macht Dampf zur Linsensuppe.

2017 Spätburgunder „Hommage à George“

98€ · 13,5%

Mit verführerischer Süße und Tabak punktet dieser sehr „erwachsene“ Wein, vollmundig, kompakt, beinahe im Stil des Rhône-Tals.

2018 Assmannshäuser Frankenthal Spätburgunder 1. Lage

28€ · 13%

Dunkle Beeren mit Zimt im Auftakt, wie ein Gang über den Weihnachtsmarkt. Tolles Spiel von Frucht und Würze, viel Trinkfreude im Glas. Ein Wein für entspannte Stunden zu zweit.

2018 Spätburgunder „Artist Edition Guimarães“

28€ · 13%

Transparent schimmernd, distinguiert, runder Saftkörper, viele feine Tannine. Nomen est omen – der zeitgenössische portugiesische Künstler Guimarães steht mit seinen ausdrucksstarken Werken Pate.

2018 Hattenheimer Hassel Riesling Trockenbeerenauslese

auf Anfrage · 6%

Schier endlos wirkende hochreife und dichte Aromatik. Zu Stilton-Käse oder einer karamellisierten Tarte Tatin ein Gedicht.

2019 Hattenheimer Nussbrunnen Riesling Spätlese 🍇🍇🍇
25€ · 8,5%
Hier kommen Mineralität und Komplexität in bedachtem Maß ins Spiel, ohne mächtig auszufallen.

2019 Oestricher Lenchen Riesling Auslese 🍇🍇🍇
25€ · 7,5%
Florale Noten im Auftakt, dann gefrorene Erdbeeren und Vanilleeis. Sehr charmant, vor allem im Pairing mit weichen Käsesorten.

Heinz Nikolai

Ringstraße 16, 65346 Erbach
T +49 (0) 6123 62708
www.heinz-nikolai.de

Inhaber Katharina & Frank Nikolai
Betriebsleiter Andreas Dormann
Kellermeister Frank Nikolai
Rebfläche 16 ha
Produktion 135.000 Flaschen
Verkaufszeiten
Mo–Sa 10–18 Uhr
So 10–14 Uhr

Seit Jahren gehört Frank Nikolai zu den Aushängeschildern des Mittleren Rheingaus und seine Weine zu den verlässlichen Qualitäten. Das schafft Nachfrage und Nikolai hat seine Weinbergsfläche auf mittlerweile 16 Hektar erweitert. Gleichzeitig wurde in eine hochmoderne Traubenpresse investiert und neue große Holzfässer angeschafft. Darin baut Frank Nikolai am liebsten seine charaktervollen Rieslinge aus, die ihre individuelle Herkunft widerspiegeln und die Hauptrolle im Weingut spielen. Die Gratwanderung zwischen klassischer und moderner Stilistik gelingt ihm dabei immer trefflich, Frank Nikolais Weine zeichnen sich durch eine ausgedehnte Maischestandzeit und langes Hefelager aus. Neu im Rebsortenspiegel ist der Goldmuskateller.

2019 Erbacher Siegelsberg Riesling „GG" 🍇🍇
17,50€ · 13%
Ein sehr gefälliger und typischer Rheingauer mit krachender Säure und kräftigem Zug. Sehr geradlinig und wenig verspielt.

2019 Erbacher Steinmorgen Riesling „GG"
17,50€ · 13%
Leise rauchig mit feiner Holznote ist dieser Riesling mit feiner Nadel gestrickt. Ein dezenter Begleiter für leichte Vorspeisen mit rohem Fisch.

2019 Riesling „Primus Maximus"
9,50€ · 13%
Straffe klare Nase, strahlend, kompakt, Mineralität und Frucht, ein wenig Lakritze. Dazu geräucherte Forelle aus dem Wispertal servieren, bitte.

Achim Ritter und Edler von Oetinger

Rheinallee 1–3, 65346 Erbach
T +49 (0) 6123 62528
www.von-oetinger.de

Inhaber
Achim von Oetinger
Verbände VDP
Rebfläche 12 ha
Produktion 70.000 Flaschen
Gründung 1828
Verkaufszeiten
nach Vereinbarung

Jeder im Rheingau kennt die Oetingers, die adelige Familie aus Erbach, die lange Zeit zwei legendäre Gutsrestaurants betrieb. Sie sind nicht nur bei Insidern bekannt wie der sprichwörtliche „bunte Hund". Ein Spross des Wein-Clans ist Achim von Oetinger, der eines Tages seinen weit über die Grenzen des Rheingaus bekannten Gutsausschank verpachtete und sich nur noch um seine Weine kümmerte. Eine gute Entscheidung, denn Oetinger hat das richtige Händchen für charaktervolle Rheingauer Rieslinge, keine Everybody's Darlings, aber markante Gewächse abseits des Mainstreams, die in Erinnerung bleiben. „Keinen Riesling", wie Achim von Oetinger sagt, hat er auch im Portfolio, dann sind es weiße oder rote Burgundersorten.

2019 Erbach Hohenrain Riesling GG
40€ · 13%
Brioche trifft Aprikosenkerne. Am Gaumen hefegeprägt, weich und mollig mit sehr kräftiger Säure. Harte Schale und weicher Kern.

2019 Erbach Marcobrunn Riesling GG
100€ · 13%
Ein schmelziges Monument, kraftvoll und wärmend. Sehr intensive Säure, die den Gaumen in Anspruch nimmt und zupackt. Dieser Riesling fordert Aufmerksamkeit!

2019 Müller-Thurgau „Jott"
25€ · 12,5%
Dieser Müller will partout keiner sein. Er zeigt im Auftakt hefige Noten und ein deutliches Apfelaroma, am Gaumen gesellt sich eine sehr vitale Säure hinzu. Ein Wein, mit dem Gäste überrascht werden können.

2019 Riesling „Mineral"
13€ · 13%
Der Name ist hier Programm: ein sehr mineralisch geprägter Riesling mit karger Art und sehr kühler Ausstrahlung. Das richtige Mitbringsel für Puristen.

Offenstein Erben

Neueinsteiger

Holzstraße 14,
65343 Eltville am Rhein
T +49 (0) 6123 2137
www.offenstein-erben.de

Inhaber Thomas Schumacher
Verbände Generation Riesling, Fingerprint – Jungwinzer Rheingau
Rebfläche 10 ha
Produktion 90.123 Flaschen
Gründung 1883
Verkaufszeiten
Mo–Fr 10–19 Uhr
Sa 9–19 Uhr
Apr.–Dez.
So, Feiertag 9–13 Uhr

Zwar gibt es das Weingut bereits seit fünf Generationen, doch erst Thomas Schumacher Junior hat es in den vergangenen fünf Jahren mit seinen Weinen kräftig aufpoliert. Waren die Weine bis dahin solide und verlässlich, sind sie heute gut und sehr gut. Luft nach oben ist sicherlich noch vorhanden, aber die vielen nationalen Auszeichnungen zeigen, dass sich der Jungwinzer, der seit 2018 auch Chef im Weingut ist, auf einem guten Weg befindet. Zwei Drittel der Rebfläche gehört dem Riesling, die restliche Fläche ist mit Spätburgunder bestockt. Seit rund 20 Jahren gehört zu dem Weingut in der verkehrsberuhigten Holzstraße auch ein sogenanntes Weinhotel mit einfachen, aber gemütlich eingerichteten Zimmern. Der obligatorische Schlummertrunk gehört selbstverständlich zum Arrangement.

2019 Eltviller Riesling „Bestes Fass“ (2 Trauben)
8,50€ · 12%
Äußerst belebend und trinkig. Traditionell, mineralisch und absolut packend in der Nase und am Gaumen.

2019 Eltviller Sonnenberg Riesling „Avantgarde“ (3 Trauben)
14,90€ · 13%
Pinienwald – helle Blüten, Rauch, Saft, Säure, Salz, Kraft. Gegrilltes Kalbssteak.

2020 Rheingau Cuvée „Trio“ (3 Trauben)
7,90€ · 12,5%
Fein duftend, zarte Restsüße, weißer Pfirsich, dezente unkompliziert Muskatnoten, passt zu Quiche Lorraine und klassischem Flammkuchen.

2020 Rheingau Riesling „Lebensfreude“ (2 Trauben)
6,40€ · 11%
Aromatisch, munterer Zeitgenosse, straffe Säure, hervorragend zu Fisch und Meeresfrüchten.

2018 Rheingau Cuvée „OE“ (1 Traube)
9,90€ · 13,5%

2020 Rheingau Spätburgunder (2 Trauben)
6,40€ · 12,5%
Das ist fruchtiges Easy Drinking für jeden Tag im Sommer. Perfekter Gesprächsanreger für die Gartenparty.

Weingut Prinz
Im Flachsgarten 5,
65375 Hallgarten
T +49 (0) 6723 9998 47
www.prinz-wein.de

2019 Sauvignon Blanc (2 Trauben)
16,90€ · 13,5%
Kraftvoller Sauvignon, mit rauchig unterlegter Aromatik und süßem Kern am Gaumen, der neben deftigen Köstlichkeiten wie Räucherfisch oder Fenchelsalami brilliert.

Prinz von Hessen

Grund 1, 65366 Johannisberg
T +49 (0) 6722 4091 80
www.prinz-von-hessen.de

Inhaber
Hessische Hausstiftung
Betriebsleiter Bärbel Weinert
Kellermeister Sascha Huber
Verbände VDP
Rebfläche 47 ha
Produktion 280.000 Flaschen
Verkaufszeiten
Mo–Sa 12–17 Uhr
und nach Vereinbarung

Dass es beim Weingut Prinz von Hessen in Johannisberg auch Scheurebe gibt – im Rheingau eher ein Exot –, hat einen historischen Hintergrund. Denn nach der Gründung des Weinguts 1957 war Heinz Scheu, Sohn von ebenjenem Rebzüchter Georg Scheu, Betriebsleiter am Gut und brachte die Sorte seines Vaters mit. Und auch Betriebsleiterin Bärbel Weinert teilt heute noch die Begeisterung für den aromatischen Exoten. Das Hauptaugenmerk des Weinguts, das über 47 Hektar Rebfläche verfügt, liegt freilich Rheingau-typisch auf dem Riesling, der über 90 Prozent der Rebfläche ausmacht und damit die weitaus wichtigste Rebsorte im Sortiment darstellt. Besonders stolz ist Weinert auf ihr „Dachsfilet", den Gutswein. Da wundert es nicht, dass dieser Wein gleich in zwei Altersklassen zur Verkostung angestellt wurde, als junger 2017er aus dem Holzfass, der mit verführerisch-saftigen Pfirsichnoten ein echter Charmeur ist, und als reiferer Vertreter aus 2007, der mit seinen Aromen von Honig und Bitterorange sein Alter nicht vertuscht und für den wir eine nicht eben traditionelle Weinbegleitung vorschlagen (siehe unten). Das darf durchaus als Aufforderung verstanden werden, auch trockene Rieslinge reif zu genießen – der wir gerne nachkommen.

2007 Riesling „Dachsfilet"
29,90€ · 12,5%
Dieses Dachsfilet ist nicht mehr jung und versteckt seine Reife nicht. Noten von Bitterorange und Honig verbinden sich mit pikanter Würze. Ein Wein für Traditionalisten, denen wir eine unübliche Begleitung ans Herz legen wollen: Bitterschokolade.

2017 Riesling „Dachsfilet"
22,50€ · 13%
In der Nase ist dieser Schmeichler schon so präsent mit seiner wunderbar gelbfruchtigen Pfirsich-Aromatik, dass man fast nicht aufhören kann, am Glas zu riechen. Und am Gaumen geht es genauso weiter. Wunderbare Fruchtbombe.

2018 Riesling „Steckenpferd" Spätlese
22,50€ · 11%
Weißer Pfirsich und Bachblüten, plätschert ruhig dahin, perfekt geeignet als Terrassenwein an lauen Frühsommertagen.

2019 Riesling
9,60€ · 11,5%
Let's have a Party, wir grillen feine Dorade Royale dazu.

2019 Riesling ♦♦♦
13,60€ · 12,5%
Lebendig, fruchtig, fein und geradlinig mit stimmigen Proportionen. Die Aromatik erinnert an Earl Grey. Wir servieren dazu einen gebratenen Saibling.

2019 Riesling „Classic" feinherb ♦♦
9,60€ · 11,5%
Sommerfrische, ansprechende Nase, Weinbergpfirsich, Aprikose, Limette und zarte Säure, fein animierend. Ein Klassiker für alle Fälle.

2019 Riesling „Royal" Kabinett trocken ♦♦♦
13,60€ · 11,5%
Ein fast knusprig wirkender Riesling mit fein ziselierter Säure und Noten von Krokant und Orangeat, der auch die Sauvignon-Fans am Tisch begeistern wird.

2019 Scheurebe ♦♦♦
9,60€ · 11,5%
Unkomplizierter Schluck, läutet den Freitag-Feierabend ein.

2019 Weißburgunder ♦♦
9,60€ · 11,5%
So klar, dass er fast durchsichtig wirkt. Sehr unkompliziert, ohne belanglos zu wirken. Perfekter Starter für den Nachmittag am Grill.

2020 Merlot feinherb ♦
9,60€ · 12,5%

Weingut Querbach

Lenchenstraße 19,
65375 Oestrich
T +49 (0) 6723 3887
www.querbach.com

Inhaber Peter Querbach
Rebfläche 10 ha
Produktion 80.000 Flaschen
Gründung 1650
Verkaufszeiten
Mo–Fr 8–12 Uhr
und 14–17.30 Uhr
Sa 9–14 Uhr

Peter Querbach ist ein charismatischer Winzer, der sich keinem Mainstream oder Modetrend unterwirft oder gar anbiedert, sondern die Individualität seiner Weine schätzt, ganz gezielt sucht und – so weit es geht – fördert. Das sorgsame und durchdachte „Förderprogramm" beginnt im Weinberg, die Querbach so schonend und naturnah wie möglich bearbeitet. Im Keller setzt der Winzer auf die Vergärung mit natürlicher Hefe, danach bleiben die Weine lange auf der Feinhefe liegen, um ihnen Balance und Reifestabilität mitzugeben. Die Rechnung geht auf, Querbachs Gewächse sind Langstreckenläufer, die sicher eine gewisse Zeit zur Entfaltung brauchen, dann aber den Zeitfaktor selbst überlisten und lange Jahre für Trinkfreude sorgen.

2017 Oestrich Doosberg Riesling „Milestone" ♦♦♦
24€ · 12%
Würziger Riesling mit kraftvollem Auftritt, perfekt zu Gerichten mit geräuchertem Süßwasserfisch.

2017 Riesling „Schoppen“
9€ · 12%
Dieser „Schoppen“ ist genau das, was er sein will. In der großen Runde servieren, dazu ein toskanisches Ofenhuhn mit schwarzen Oliven und der Abend ist perfekt.

2018 Hallgarten Riesling
18€ · 12%
Sponti mit großem Lagerpotenzial, toller Ausdruck, vegetabil.

2018 Oestrich Lenchen Riesling „Q 1“ 1. Lage
21€ · 12%
Sanfte, warme Aromatik, die von einer frischen Zitrus-Brise getragen wird.

2018 Riesling „Edition“
15€ · 12%
Ungemein harmonischer Wein mit viel Zug, ein ganz idealer Allrounder.

2018 Riesling „sur lie“
12€ · 12%
Leder, Lakritze, – super entspannte Reife, voluminös und süßes Finale. Erhellt sich im Mund und verfeinert sich mit einem Spritzer salziger Säure. Tarte au citron.

Schloss Reinhartshausen

Hauptstraße 39,
65346 Eltville-Erbach
T +49 (0) 6123 75048 13
www.schloss-reinhartshausen.de

Inhaber Jürgen & Stefan Lergenmueller
Betriebsleiter Stefan Lergenmüller
Kellermeister Martin Vogel
Rebfläche 65 ha
Produktion 350.000 Flaschen
Gründung 1337

Ein Weingut mit eigener Insel ist auch am Rhein nur selten zu finden. Doch zum Weingut Schloss Reinhartshausen gehört die gegenüber von Erbach liegende Mariannenaue, hier werden rund um das Gutshaus auch Reben angebaut. Eigentümer dieses stattlichen Besitzes ist die aus der Pfalz stammende Winzerfamilie Lergenmüller, die das Weingut nach stürmischen Jahren wieder in ruhiges Fahrwasser gebracht hat. Keine leichte Aufgabe, denn immerhin umfasst das Anwesen 65 Hektar, dazu gehören beste Lagen im oberen Rheingau, vor allem Parzellen im historisch bedeutsamen Weinberg Marcobrunn. Dort hat natürlich der Riesling, und nur der, seine Heimat, während auf der Insel auch Sauvignon Blanc angebaut wird. Zum Weingut gehören ein Gutsrestaurant mit einfacher Küche und einige gemütliche Gästezimmer.

2018 Erbacher Marcobrunn Riesling „Reserve“
56,95€ · 13%
Noten von schokolierter Aprikose und getoastetem Brot wirken zwar opulent, aber nie aufdringlich. Fein und aristokratisch mit großem Potenzial für viele Jahre.

Verkaufszeiten
Mo–Fr 10–18 Uhr
Sa–So 11–19 Uhr

2018 Erbacher Schlossberg Riesling „Monopol"
52,95€ · 12,5%
Dieser Wein gibt Vollgas am Gaumen. Die sehr vitale und hell scheinende Säure bekommt eine dezente Bitternote zur Seite gestellt, zusammen ergeben sie das perfekte Paar.

2018 Erbacher Siegelsberg Riesling „GG"
31,95€ · 12%
Ein vielschichtiger Allrounder mit Trinkfluss, der es Dank seiner würzigen und cremigen Art sowohl mit Hühnercurry als auch mit einem gebratenen Kalbskotelett aufnehmen kann.

2018 Insel Mariannenaue Chardonnay „Privatreserve"
19,95€ · 12%

2018 Insel Mariannenaue Sauvignon Blanc „Reserve"
21€ · 12%
Spannungsvoll, strukturiert und erwachsen.

2018 Insel Mariannenaue Weißburgunder „Privatreserve"
17,95€ · 12%

2019 Erbacher Hohenrain Riesling Spätlese
23,95€ · 9,5%
Dicht und kompakt wird reife Frucht mit gutem Säurespiel sehr gekonnt in Szene gesetzt. Der perfekte Dämmerschoppen.

2019 Erbacher Hohenrain Riesling „Alte Reben"
23€ · 12%
Feiner, nahezu femininer Stil, der einen auch Dank seiner ausgeprägt mineralischen Art mitreißt.

2019 Erbacher Marcobrunn Riesling „Reserve"
56,95€ · 12%
Pure Euphorie: pointiert mit rassig frischer Säure, fein, eigenwillig – groß!

2019 Erbacher Schlossberg Riesling „Monopol"
52,95€ · 13%
Cremig, bultrige Tendenz mit schöner Reife und viel Schmelz.

2019 Hattenheimer Nussbrunnen Riesling
16,95€ · 12%
Ein Wein für den Samstagnachmittag. Zum Entspannen, Zurücklegen und Nichtstun. Seidige Geschmeidigkeit und mundwässernde dezente Bitternote tun alles für Sie.

2019 Hattenheimer Nussbrunnen Riesling Kabinett feinherb
18,95€ · 10%
Die präzise, tiefgründig feine, fruchtige Nase ist gewinnend, die Restsüße wird von guter Säure und voller Frucht ummantelt. Herrliches Gesamtkunstwerk!

2019 Hattenheimer Wisselbrunnen Riesling
16,95€ · 12%
Großer, dichter Riesling, kommt dennoch auf Samtpfoten daher, ungemein elegant und langlebig, ein zauberhafter Auftakt in einen geselligen Abend

2019 Hattenheimer Wisselbrunnen Riesling Kabinett feinherb
16,95€ · 10%
Feiner Duft von getrockneten Boskop-Äpfeln, ruhig und ausgewogen, konservativ. Köstlich zur gebratenen Leberwurst auf Kartoffelstampf.

2019 Insel Mariannenaue Roter Riesling
14,95€ · 12%

2019 Insel Mariannenaue Sauvignon Blanc
11,80€ · 11,5%

2020 Insel Mariannenaue Sauvignon Blanc „Privatreserve"
19,95€ · 11%

2018 Assmannshäuser Spätburgunder
24,95€ · 13,5%

2018 Erbacher Siegelsberg Spätburgunder GG
34,95€ · 13%
Tiefgründige, wundervoll reife Aromatik, gefolgt von viel Druck am Gaumen mit einem süßen Kern, daneben feine Salzigkeit. Ein Wein, der zu kraftvollen Klassikern wie Rehrücken „Baden-Baden" oder Côte de Bœuf mit Sauce béarnaise zur Höchstform aufläuft.

2019 Erbacher Hohenrain Riesling Auslese
55,95€ · 8,5%
Der Superstar der Fruchtigkeit. Helle Süße wie von Streuselkuchen, dazu große Klarheit am Gaumen. Extrem charmante Auslese mit der man viele Menschen zu Süßweintrinkern machen kann.

Balthasar Ress

Rheinallee 50,
65347 Eltville-Hattenheim
T +49 (0) 6723 91950
www.balthasar-ress.de

Inhaber Christian Ress
Betriebsleiter Oliver Schmid
Kellermeister Stephan Sänger
Verbände VDP
Rebfläche 50 ha
Produktion 350.000 Flaschen
Gründung 1870
Verkaufszeiten
Mo–Fr 8–18 Uhr
Sa–So 12–18 Uhr

Einen großen runden Geburtstag durfte man 2020 beim Weingut Balthasar Ress feiern – 150 Jahre alt wurde das Weingut letztes Jahr. Seit elf Jahren ist Christian Ress für die Geschicke des Familienweinguts verantwortlich, Oliver Schmid hat 2018 die Betriebsleitung übernommen, nachdem er schon vier Jahre den Außenbetrieb des Weinguts geleitet hatte. Beide setzen auf ein ganzheitlich ökologisches Konzept und darauf, Weinberge als sich selbst regulierende Ökosysteme wahrzunehmen, deren Widerstandskraft nur mit dem Verzicht auf chemisch-synthetische Substanzen, Herbizide und Insektizide aufgebaut und gestärkt werden kann. Diesen zukunftsträchtigen und derzeit sogar trendigen Gedanken hatte Ress bereits 2010. Neun Jahre später war das Weingut mit seinen 50 Hektar Rebfläche dann der größte Öko-Weinbaubetrieb Rheinhessens, 2020 kam pünktlich zum Geburtstag der erste Wein mit Ökosiegel auf den Markt. Ress sieht sich selbst eher als Wein-Unternehmer denn als Winzer und hat es deshalb früh verstanden, Verantwortung abzugeben – sei es an Betriebsleiter Oliver Schmid, Außenbetriebsleiter Tim Knauer oder Kellermeister Stephan Sänger, die mit ihrem Team die Stilistik der Ress'schen Weine verantworten.

2019 Hattenheim Riesling feinherb
12,90€ · 11%
Zupackend, kräuterig mit ansprechend wilden Noten – ein toller Wein zu kreativen Pastagerichten.

2019 Rüdesheim Riesling
12,90€ · 11,5%
Ein feiner und klarer Riesling mit heller Frucht und deutlicher Bitternote wie von Zitruszesten, der am Gaumen mit kräftiger Würze auftrumpft.

2019 Rüdesheim Rottland, Rüdesheim Klosterlay und Rüdesheim Roseneck Riesling „Resspekt"
65€ · 12,6%
Respekt vor solch einer Leistung: Reife gelbe Frucht trifft auf Gartenkräuter mit Saftigkeit und feiner, unaufdringlicher Länge.

2020 Riesling „Von Unserm"
11€ · 11,5%
Fein, exotisch, manchmal etwas zurückhaltend, aber als idealer Schluck für zwischendurch oder zur warmen geräucherten Forelle zu empfehlen.

2018 Pinot Noir „Von Unserm S"
25€ · 13%
Klassiker zur Wildpastete, zeigt Kirsche, dunkle Waldbeeren und toppt mit knackiger Säure.

2018 Pinot Noir „Von Unserm"
15,90€ · 12,5%
Reifer Typ mit fleischigen Noten, der seine Ecken und Kanten nicht versteckt. Deftige Kombinationen funktionieren hier am besten, zum Beispiel Blutwurst oder Schmorgerichte.

2019 Riesling „PetNat"
18€ · 12,5%
Mit gezügelter Wildheit und einem Hauch Rustikalität ist der Sekt schön balanciert, cremig mit Aromen von Apfelscheiben und Birnensaft.

2019 Oestrich Doosberg Riesling
49€ · 8,5%
Mollig-samtiger und weicher Typ, der sich nicht in den Vordergrund drängt. Die unaufdringliche Süße verträgt als Partner sogar mit Honig glasiertes Gemüse. Toll zum Menüeinstieg.

Bibo Runge

Eberbacherstraße 5,
65375 Oestrich-Winkel,
Hallgarten
T +49 (0) 6723 9986 900
www.bibo-runge-wein.de

Inhaber Markus Bonsels & Monika Eichner
Betriebsleiter Markus Bonsels
Kellermeister Markus Bonsels
Rebfläche 5 ha
Produktion 35.000 Flaschen
Gründung 2014
Verkaufszeiten
nach Vereinbarung

Die Weine von Bibo Runge tragen ihre Weinbeschreibung oft schon im eigenen Namen. Seien es die Revoluzzer-Rieslinge (der „kleine" ist ein Kabi, der große Bruder ein GG, beide werden im Holz vergoren) oder der Provokateur-Sekt, der wie ein Rosé aussieht und erst beim Blick auf die Beschreibung sein Geheimnis preisgibt: Er ist ein reiner Riesling-Sekt, im Holz ausgebaut und am Schluss mit einem Schuss Rotwein versetzt. Zu den stilprägenden Elementen der Weine von Markus Bonsels und seiner Frau Monika gehören neben langen Maischestandzeiten und teils langer Spontanvergärung im Holz auch das Arbeiten mit einer französischen Holzpresse und die konsequente Handlese der Trauben aus fünf Hektar Rebfläche rund um Hallgarten bei Oestrich-Winkel. Seit 2017 sind Bonsels und seine Frau als Investoren bei Bibo Runge dabei, inzwischen haben sich die Namensgeber aus dem Weingut zurückgezogen und Bonsels ist alleinverantwortlicher Önologe und Kellermeister des Betriebs. Langweilig wurde es dem Ehepaar trotz Corona-Krise nicht: Beide setzen seit 2020 verstärkt auf Online-Weinproben.

2018 Hallgartener Jungfer Riesling „Revoluzzer RGG" Spätlese trocken
26,50€ · 13%
Zwar wirkt zunächst der markante Holzeinsatz prägnant, der Wein zeigt sich dadurch eher üppig, fast wie eine Rubensfigur. Aber Dank der durchaus wirksamen Phenole und der cremigen Struktur beweist er zudem Lagerpotenzial und zeigt eine ganz eigene Stilistik definitiv fernab des Mainstreams.

2019 Hallgartener Lagen Riesling „Kleiner Revoluzzer" Kabinett trocken
12€ · 12%
Knackiger Wein aus der Korbpresse und zehn Monate im Doppelstück-Eichenfass vergoren, selbstbewusster Essensbegleiter.

2019 Hendelberg Riesling „Romantiker" Spätlese trocken
16,50€ · 12%
Vollreife, saftig-süßliche Opulenz – er zeigt die Statur und Ausdruckskraft eines Riesling-Sumoringers.

2014 Riesling „Rheingau" brut
17,50€ · 12,5%
Darjeeling, Gras und dazu nasse Straße? Komplex in der Aromatik und gesprächsanregend.

♥ Riesling „Provokateur" brut
14,50€ · 12,5%
In jeder Hinsicht ein Provokateur! Ein Wanderer durch das Labyrinth floraler Düfte, Blütenhonig, leichter Süße, Rauch und Leder. Der Sekt passt hervorragend zu Wildgeflügel, einer Rotbarbe mit Artischocke, einer Bouillabaisse oder einem sommerlichen Barbecue.

Ernst Rußler

Vor dem Kaltenborn 3,
65345 Rauenthal
T +49 (0) 6123 71434
www.weingut-russler.de

Inhaber Uwe Rußler
Rebfläche 11,9 ha
Produktion 80.000 Flaschen
Gründung 1742
Verkaufszeiten
Di–Do, Sa, So 9–22 Uhr

Eine der markantesten Rheingauer Weinlagen ist der weithin sichtbare Rauenthaler Berg, dessen Rieslinge seit Jahrzehnten zu den Spitzengewächsen der Region zählen. Ein vinologisches Dorado, in dem auch Uwe Rußler seine Parzellen stehen hat. Ganz der Rheingauer Tradition geschuldet, baut er seine Weine in allen Geschmacksrichtungen und Qualitätsstufen aus. Wenn es die Natur hergibt, bringt Uwe Rußler in kalten Jahren auch komplexe Eisweine auf die Flasche. Sein umfangreiches Sortiment beginnt mit Traubensaft und einfachen Literweinen, ideale Getränke für jeden Tag. Neben den Rieslingen und Burgunderweinen vom Rauenthaler Berg bietet der Betrieb auch prickelnde Sekte und einen feinen Spätburgunder Tresterbrand an.

2019 Rauenthaler Auxerrois feinherb
7,90€ · 12%

2019 Rauenthaler Baiken Riesling Spätlese feinherb
12,50€ · 12%

2019 Rauenthaler Gehrn Riesling „Alte Rebe" feinherb
12,50€ · 12%

2019 Rauenthaler Muskateller
11,90€ · 12%

♥ **2019** Rauenthaler Wülfen Riesling Kabinett trocken
6,90€ · 12%

2019 Rauenthaler Wülfen Riesling Spätlese trocken
9,30€ · 12%

2019 Riesling
6€ · 12%

2019 Riesling halbtrocken
6€ · 12%

2019 Rauenthaler Steinmächer Spätburgunder
8,50€ · 14%

2019 Rauenthaler Wülfen Spätburgunder
14,90€ · 14%

2019 Spätburgunder feinherb
8,50€ · 13,5%

2019 Rauenthaler Muskateller feinherb
11,90€ · 12%

2018 Riesling brut
9,30€ · 12%

2018 „Rußler´s Rosé" brut
9,30€ · 12%

2016 Rauenthaler Wülfen Riesling Eiswein
26,90€ · 8%
Deutlich gereifte Aromen von Akazienhonig, Bitterorange und konzentrierte Säure. Sehr gut passend zu Blauschimmelkäse.

2018 Rauenthaler Rothenberg Riesling Auslese
24,90€ · 8%
Duftige Stachelbeere, Birnenextrakt und Birnenquitte passend zum zarten Vanille-Baisertörtchen.

Schamari-Mühle

Grund 65, 65366 Johannisberg
T +49 (0) 6722 64537
www.schamari.de

Inhaber Werner & Peter Reck
Betriebsleiter Thomas Grundler
Kellermeister Thomas Grundler
Rebfläche 5 ha
Produktion 40.000 Flaschen
Verkaufszeiten
Do–Sa, Mo 10–18 Uhr
und während des
Gutsausschanks

Der lauschige Weingarten der alten Johannisberger Mühle ist ein Hotspot für alle, die gerne im romantischen Ambiente eine herzhafte Küche und die dazu passenden Weine genießen möchten. Dann nichts wie hin in den Gutsausschank der Schamari-Mühle. Seit Thomas Grundler im Betrieb das Sagen hat, hat das Weingut einen qualitativen Sprung nach vorne gemacht, vor allem die Weißweine wirken jugendlicher, frischer und animierender. Gut in Schuss und modern ausgerichtet ist auch das tolle Sortiment der Roséweine vom Blanc de Noirs trocken über den trockenen Weißherbst bis hin zum feinherben Rosé. Damit lässt sich ordentlich schwofen und feiern, was auf der Mühle nach Voranmeldung stilvoll möglich ist.

2019 Geisenheimer Kläuserweg Riesling „Scha-to-Marie"
14€ · 13%
Old fashioned – so ein ausgewogener Tropfen wird sicher zum Verkaufsschlager.

2018 Johannisberger Hölle Spätburgunder „Scha-to-Marie"
21€ · 14,5%
Zimtpflaume pur am Anfang, dann zeigen sich auch Noten wie von erlöschendem Lagerfeuer. Spannende Aromatik mit molligem und rundem Körper. Dazu noch ein Zimtparfait mit Frucht und die Aromenwelt ist voll getroffen.

2018 Cuvée „Assmannshäuser Höllenberg" brut
17€ · 13%
Manche Schaumweine sind wie dafür gemacht, sie innerhalb des Menüs einzusetzen und nicht „nur„ vorneweg. Wir wünschen uns hier eine feine Ceviche von der Forelle.

Wein- und Sektgut F. B. Schönleber

Obere Roppelsgasse 1,
65375 Oestrich-Winkel
T +49 (0) 6723 3475
www.fb-schoenleber.de

Inhaber Bernd & Ralf Schönleber
Betriebsleiter Bernd & Ralf Schönleber
Kellermeister Bernd Schönleber
Verbände VDP
Rebfläche 12 ha
Produktion 85.000 Flaschen
Verkaufszeiten Mo–Sa nach Vereinbarung

Den Betrieb von Bernd und Ralf Schönleber auf Sekte festzulegen, würde den Weinen nicht gerecht werden, die hier im Keller lagern. Denn die beiden Brüder sind in Sachen Riesling sehr ordentlich unterwegs, immerhin steht die typische Rheingauer Rebsorte auf 90 Prozent ihrer Anbaufläche in den Gemarkungen Oestrich, Mittelheim und Winkel. Daraus entstehen kraftvolle Weine, von trocken bis edelsüß. Doch die Sekte, die aus dem traditionsreichen Hause Schönleber kommen, setzten dem Ganzen die Krone auf. Prickelnd und schäumend, feinperlig und finessenreich geschmackvoll, sind die Winzersekte die spritzigen Flaggschiffe des Mittelheimer Weingutes. Dazu gehören auch ein Hotel und eine gemütliche Weinstube, wo alle Gewächse der Schönleber-Buben zu herzhafter Küche probiert werden können.

2019 Mittelheim Riesling „Franz-Bernhard"
8,50€ · 12%
Lebensfreude pur. Der Rheingauer Ersatz für Grünen Veltliner und ein wahnsinnig guter Partner für ein klassisches Wiener Schnitzel.

2019 Winkeler Jesuitengarten Riesling GG
24€ · 13%
Zarte Röststoffe verbinden sich mit würzig-vegetalen Akzenten – wie Kohlrabi à la crème.

2020 Riesling
7,50€ · 12%

Creation brut
16,50€ · 13%
Gediegen. Mit Noten von Karamell, Quitte und Brioche werden auch anspruchsvolle Gäste auf ihre Kosten kommen.

Riesling brut nature
14€ · 13%
Authentischer, kraftvoller Sekt mit unterstützend leichter Bitternote, gerade zu Speisen mit cremigen Saucen sehr gut geeignet. Ein Hauch von Brioche und Wurzelgemüse.

Riesling „Creation" brut
16,50€ · 13%
Gut eingebundene Kohlensäure und schmeichelnde Dosage, die Aromen sind animalisch, zupackend und werden serviert zu Rippchen auf Schaumweinkraut.

Riesling „Cuvée Katharina" brut
14€ · 12,5%
Warmer, duftiger Hefeteig in der Nase, zeigt gediegene Reife und verzichtet auf jeglichen anderen Aromen-Schnickschnack.

Weingut Schumann-Nägler

Nothgottesstraße 29,
65366 Geisenheim
T +49 (0) 6722 5214
www.schumann-naegler.de

Inhaber Fred Schumann
Betriebsleiter Fred & David & Philipp Schumann
Kellermeister David Schumann
Rebfläche 40 ha
Produktion 140.000 Flaschen
Gründung 1438
Verkaufszeiten
Mo–Fr 8–12.30 Uhr
und 13.30–17 Uhr

Wer kann schon auf 25 Generationen Weinbau zurückschauen? Familie Schumann-Nägler kann das, denn seit dem Jahre 1438 ist sie fester Bestandteil der Rheingauer Weingeschichte. Ursprünglich in Hattenheim ansässig, findet man das Weingut, zu dem ein bekannter Gutsausschank gehört, heute in Geisenheim. Rund 40 Hektar Rebfläche kamen im Laufe der Zeit zusammen, beste Lagen in Geisenheim, Winkeler und Hattenheim, auf denen fast ausschließlich Rieslinge kultiviert werden. Niedrige Erträge aus den exponierten Weinbergen sind für Kellermeister David Schumann wichtig, damit die Trauben ihre aromatische Kraft entfalten können, die später den Wein prägen wird. Technisch ist man im Keller auf dem neuesten Stand, doch die entscheidenden Faktoren, um einen guten Wein zu produzieren, hat die Weinbaudynastie seit 25 Generationen im Blut.

♥ **2017** Geisenheimer Rothenberg Riesling GG
21€ · 12,5%
Verbene und Eisenkraut bringen die Würze mit, am Gaumen dann der Eindruck von frischem Ananassaft. Ein Riesling für diejenigen, die es gar nicht so typisch wollen.

2018 Geisenheimer Rothenberg Riesling GG
21€ · 13%
Guter Zug am Gaumen, präzise, weinig, elegant, wenn auch etwas barocker im Stil. Ein toller Kandidat als „After Dinner"-Wein.

2019 Hattenheimer Schützenhaus Riesling Kabinett trocken
10,50€ · 12,5%
Feine Frucht, Säure sehr ausgeprägt, puristisch. Ein grandioser Essensbegleiter.

2019 Winkeler Dachsberg Riesling halbtrocken
8,50€ · 12%
Feinduftig, zitrisch und schmeichelnd. Fesselnd und doch harmonisch rund, ein Wein für jeden Tag und für einen Besuch bei der Schwiegermutter.

2020 Riesling „Réserve"
8,50€ · 11,5%
Stimmig zur leichten Sommerküche. Im Mund springt der Wein nach vorne, attackiert mit straffer Säure und gibt Gas.

2019 Cabernet Sauvignon
9€ · 13%

Sechzehn ein&vierzig Neueinsteiger

Marktstraße 11,
65375 Oestrich-Winkel
T +49 (0) 6723 9133 964
www.weingut-sechzehn-einundvierzig.de

Inhaber Bernhard & Jennifer Bickelmaier
Betriebsleiter Bernhard Bickelmaier
Kellermeister Bernhard Bickelmaier
Verbände Rheingauer Weinbauverband, Rheingauer Leichtsinn e.V.
Rebfläche 8 ha
Produktion 15.000 Flaschen
Gründung 2016
Verkaufszeiten nach Vereinbarung

Plötzlich Winzer. So könnte man die Story von Bernhard und Jennifer Bickelmaier überschreiben, deren Lebensplanung auf den Kopf gestellt wurde, als sie unerwartet das Familienweingut übernehmen sollten. Just do it, die unternehmerische Herausforderung war immens, doch die beiden haben ihre Aufgaben als Winzer und Weinmacher mit Bravour gemeistert. Dafür wurde auch die Rebfläche etwas verkleinert, aktuell sind es nur acht Hektar in den Gemarkungen von Oestrich, Mittelheim und Erbach, die im Ertrag stehen und konventionell bearbeitet werden. Der neue Schwung im Betrieb ist den Weinen – vorwiegend natürlich Rheingauer Riesling – anzumerken, frische und unkomplizierte lagentypische Gewächse sind die Visitenkarte des jungen Winzerpaares.

2019 Oestricher Doosberg Riesling Kabinett trocken
6,60€ · 12%
Exotische Früchte, weiche Aromen zum gebratenen Zander auf Champagnerkraut.

2019 Riesling „Erbacher Honigberg" Kabinett feinherb
6,60€ · 12%
Dezent kühlend und mit leiser Mineralik. Dieser Wein zeigt zarte Lieblichkeit und freut sich über eine zart aromatische Begleitung, zum Beispiel einen Bachsaibling.

2019 Riesling „Unser Urgestein"
6,10€ · 12%
Straff, reizvolle Gestalt, dennoch verhaltene dezente Frucht, spritzige Säure.

2019 Spätburgunder „Rosé QbA" feinherb
6,60€ · 11%
Rhabarber und Rose im Auftakt, am Gaumen aromatisch süß. Ein Gefühl wie im romantischen Garten.

Weingut Sohlbach
Neueinsteiger

Oberstraße 15, 65399 Kiedrich
T +49 (0) 6123 2281
www.weingut-sohlbach.de

Inhaber Georg Sohlbach
Kellermeister Fabian Sohlbach

Brot und Wein – nicht nur eine biblische Kombination, auch die Geschichte der Familie Sohlbach hängt mit diesem kulinarischen Duett zusammen. Denn ursprünglich waren die Sohlbachs ortsbekannte Bäcker, Wein wurde nur im Nebenerwerb produziert. Längst ist die Bäckerei verschwunden, heute schaut man auf zehn Hektar Rebfläche und betreibt Weinbau im Vollerwerb. Georg und Petra Sohlbach leiten den Betrieb, Sohn Fabian ist seit rund zehn Jahren mit an Bord und vor allem für den Keller zuständig. In ihren Plänen ist sich die ganze Familie einig: Das Weingut soll in Zukunft noch wachsen und die Rebfläche erweitert werden. Bleiben wird die urgemütliche Straußwirtschaft, in der die Bäcker-Vergangenheit der Winzerfamilie in herzhaften Brotzeiten immer mal wieder aufblitzt.

Verbände Rheingauer Weinbauverband
Rebfläche 10 ha
Produktion 55.000 Flaschen
Gründung 1934
Verkaufszeiten
Mo–Fr 9–12 Uhr und 15–18 Uhr
Sa 9–14 Uhr
und nach Vereinbarung

2019 Klosterberg Riesling „GG"
18,50€ · 13%
Bittermandel und Pfirsichjoghurt wirken opulent im Auftakt, am Gaumen dann ein dynamisches Spiel von Bitternoten und Holzeinsatz. Ein Matjes von der Renke dazu ist ein toller Antagonist.

2019 Roter Riesling feinherb
7,80€ · 11,5%
Mineralisch, leicht, klar, präzise. Ein toller Allrounder mit Anspruch.

2019 Wasseros Riesling „vom Quarzit" Spätlese trocken
8€ · 12%
Ausfüllend, brav und reife Aromatik nach Holz, Butterkeks und Dörrapfel – ein echter Alltagswein.

Weingut Sohns

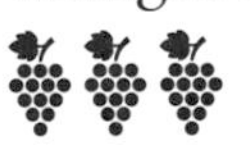

Nothgottesstraße 33,
65366 Geisenheim
T +49 (0) 6722 8940
www.weingut-sohns.de

Inhaber Erich & Pascal Sohns
Betriebsleiter Erich & Pascal Sohns
Kellermeister Pascal Sohns
Verbände Zeilensprung
Rebfläche 10 ha
Produktion 70.000 Flaschen
Gründung 1932
Verkaufszeiten
Mo–Fr 9–12 Uhr und 14–18 Uhr
Sa 10–15 Uhr
und nach Vereinbarung

Wie Tradition und Innovation bestmöglichst miteinander kombiniert werden können, zeigt das Weingut von Familie Sohns bereits seit fast 90 Jahren. Die kleine ambitionierte Weinbaudynastie schafft es Jahr für Jahr, ihr Weingut ein kleines Stück weiter in das Spitzenranking der Region zu überschreiben. Die Rebfläche ist mit zehn Hektar überschaubar, bestockt sind die Weinberge zu gut einem Drittel mit Rieslingen. Pascal Sohns, der sich um die Kellerwirtschaft kümmert, macht daraus charaktervolle und saftige Weine, die auch in restsüßen Varianten zu haben sind. In dem vor fünf Jahren neugebauten Weingut inmitten der Weinberge liegt auch die Vinothek mit großer Dachterrasse und herrlichem Blick ins Mittelrheinthal. Dazu öffnet an ausgesuchten Tagen die gemütliche Straußwirtschaft der Familie Sohns.

2019 Geisenheimer Kläuserweg Riesling „GG"
17,50€ · 12,5%
Mango, Streichholz und Graphit bringen Aromen ins Spiel, die eher an Chardonnay als an Riesling denken lassen. Der Schmelz am Gaumen wird niemals süßlich, das ist ein ernster Wein für wichtige Gespräche.

2019 Geisenheimer Mönchspfad Weißburgunder „M"
12,50€ · 13,5%
Buttriger und opulenter Auftakt mit deutlichen Noten von Holz, am Gaumen eine dezent salzige Mineralik, die für Balance und Volumen sorgt.

2019 Lorchhäuser Seligmacher Riesling
12,50€ · 13%
Rauchig, mineralisch, wild, würzig – ähnlich einem guten Schinkenspeck.

2019 Winkeler Hasensprung Riesling ♣♣♣♣
10,50€ · 13%
Schüchterner Typ, salzig karg, Würze, Kräuter und hoher Extrakt ergeben eine super Länge. Geräucherter Heilbutt auf reschem Bauernbrot.

2017 Geisenheimer Mäuerchen Spätburgunder „M" ♣♣♣
17,50€ · 13,5%
Konzentriert und tiefgründig mit zartem Holzeinsatz und kühler rotbeeriger Frucht.

Josef Spreitzer

Rheingaustraße 86,
65375 Oestrich
T +49 (0) 6723 2625
www.weingut-spreitzer.de

Inhaber Bernd & Andreas Spreitzer
Betriebsleiter Bernd Spreitzer
Kellermeister Andreas Spreitzer
Verbände VDP
Rebfläche 30 ha
Produktion 230.000 Flaschen
Gründung 1641
Verkaufszeiten
Mo–Fr 9–12 Uhr
und 13.30–18.30 Uhr
Sa 10–16 Uhr

Der Erfolg des Weingutes liegt in der guten und weitsichtig angelegten Substanz, die Großvater und Vater von Bernd und Andreas Spreitzer kontinuierlich aufgebaut haben. Die Spreitzer-Buben, wie die Winzer-Brüder im Rheingau liebevoll genannt werden, haben mit ihrem Können das Weingut Schritt für Schritt in neue Sphären geführt. Heute steht der Betrieb ganz oben im Rheingauer Ranking und die Rieslinge aus dem Familiengut gehören unbestritten zu den besten in der Republik. In der schicken Vinothek kann man diese probieren, Weine, die mit viel Sorgfalt und Umsicht produziert werden und auf Nachhaltigkeit angelegt sind. Damit die Substanz auch für die nächste Generation bereitet ist, haben die Spreitzers ihren Holzfasskeller erweitert, neue Eichenfässer angeschafft, die Traubenannahme und Presssysteme modernisiert und den alten Hausbrunnen von 1820 zur Wasserversorgung reaktiviert. So funktioniert der Generationenvertrag.

2019 Hallgartener Hendelberg Riesling „Alte Reben" 1. Lage ♣♣♣
15,20€ · 12,5%
Fordert Aufmerksamkeit, ruht dennoch in sich, ein Feierabendschoppen, der's in sich hat.

2019 Hattenheimer Wisselbrunnen Riesling GG ♣♣♣♣
28€ · 13%
Weich und saftig im Auftakt mit einem animierenden Aromenspiel und reifer Frucht. Am Gaumen sehr straff und intensiv.

2019 Oestricher Doosberg Riesling „alte Reben" ♣♣♣
15,20€ · 12,5%
Feine Mineralik, dichter Extrakt, ausladender Körper – braucht Speisen mit viel Fett.

2019 Oestricher Lenchen Riesling „303“ Spätlese
24€ · 7,5%
Karamelliger Auftakt mit Noten von Haselnusscreme. Der perfekte Begleiter für Blauschimmelkäse mit seiner expressiven Frucht, die er voll zur Schau stellt.

2019 Oestricher Rosengarten Riesling GG
28€ · 13%
Feine Frucht von Mandarine und Pfirsich trifft auf animierende Bitternoten. Das ist pure Trinkfreude für anspruchsvolle Riesling-Fans.

2019 Riesling „Buntschiefer“
11€ · 11,5%

2019 Riesling „Muschelkalk“
11€ · 11,5%
Unaufgeregter, schnörkelloser Stil mit viel Exotik. Unkompliziertes „Easy Drinking“.

2019 Hallgartener Hendelberg Riesling Trockenbeerenauslese 1. Lage
89€ · 7,5%
Mit seinem Aromenspektrum von getrockneten Kräutern, Orangenschale und Honigwabe erinnert dieser Wein fast an Grand Marnier. Ein sehr komplexer Wein mit langer Zukunft.

2019 Oestricher Lenchen Riesling Trockenbeerenauslese
95€ · 7%
Blitzende Exotik von Mango und Ananas trifft auf Rosinen und Apfelsine. Sehr süß mit fester Substanz und viel Extrakt. Langer Nachhall.

Sektmanufaktur Schloss Vaux

Kiedricher Straße 18a,
65343 Eltville am Rhein
T +49 (0) 6123 62060
www.schloss-vaux.de

Inhaber Nikolaus Graf von Plettenberg & Christoph Graf
Betriebsleiter Joachim Renk
Kellermeister
Maike Maria Münster
Rebfläche 7 ha
Produktion 450.000 Flaschen
Gründung 1868
Verkaufszeiten
Mo–Fr 8–17 Uhr
Sa 11–14 Uhr

Sekte von besonderer Qualität zu produzieren, war schon immer der Anspruch, den sich Schloss Vaux selbst auferlegte und den es bis heute erfüllt. Die Sektmanufaktur, die im Jahre 1868 in Berlin gegründet wurde und einige Jahrzehnte später nach Eltville umzog, versteht sich denn auch als Kaderschmiede des Schaumweins, eine Manufaktur, die in der Herstellung des prickelnden und schäumenden Weins alle Qualitätsregister zieht, die das Sekthandwerk hergibt. Über traditionelle Flaschengärung muss man hier nicht reden, die ist Standard bei allen Sekten, die das Haus verlassen. Qualität von der Traube bis ins Sektglas, heißt die Devise des Traditionshauses, das seit 2014 eigene Weinberge im Rheingau bewirtschaftet, um direkten Zugriff auf die Rieslinge und Spätburgunder zu haben, aus denen die Sekte produziert werden. Ein gutes Stück Unternehmenskultur, das dem Kunden unbedingte Transparenz bietet.

2016 Riesling „Geisenheimer Rothenberg" brut (3 Trauben)
39€ · 12,5%
Feuerstein in der Nase, exotische Aromen wie kandierte Ananas. Im Glas ein fröhliches Fest an fruchtiger Aromatik, gut eingebundener Säure, lebendiger Perlage, begleitet von einem feinen Nachhall.

2016 Riesling „Rheingauer Réserve Sekt b.A. Rheingau" brut (3 Trauben)
21€ · 12%
Reife Nase, Sultaninen, sehr reizvoll, stimmig, feine Autolyse Aromen, seidig, zarte Perlage – Nierchenragout in Senfsauce.

2016 Riesling „Rheingauer Réserve" brut (3 Trauben)
21€ · 12%
Rund, süß, harmonisch, Champagnertyp, Apfelmus, Apfeltarte, Aprikose.

2017 Spätburgunder „Rosé Réserve b.A. Rheingau" brut (2 Trauben)
26€ · 12%
Ein sehr eleganter Schaumwein, der ohne viel Tamtam auskommt und sich elegant und gekonnt im Hintergrund hält.

2017 Spätburgunder „Rosé Réserve" brut (3 Trauben)
26€ · 12%
Elegante Frucht, an der die Bittermandel vorbeischleicht. Dann ein Körnchen Salz. Elegant und im besten Sinne karg.

Weingüter Wegeler Gutshaus Rheingau

Friedensplatz 9–11,
65375 Oestrich-Winkel
T +49 (0) 6723 99090
www.wegeler.com

Inhaber
Familie Wegeler-Drieseberg
Betriebsleiter
Michael Burgdorf
Kellermeister
Andreas Holderrieth
Verbände VDP
Rebfläche 45 ha
Produktion 330.000 Flaschen
Verkaufszeiten
Mo–Fr 8–17 Uhr
Sa, So 11–16 Uhr
und nach Vereinbarung

Fast 140 Jahre lang dauert die Beziehung der Wegelers mit dem Riesling schon. Seit 1882 ist das Weingut in Oestrich-Winkel in Familienhand, inzwischen geführt von Anja Wegeler-Drieseberg und ihrem Mann Dr. Tom Drieseberg. Und die Wegelers haben nicht nur eine lange, sondern auch eine besonders gute Beziehung zum Riesling – es muss so sein, denn anders lassen sich die Qualitäten, die seit Jahrzehnten in den Gutshäusern an Rhein und Mosel erzeugt werden, nicht erklären. Für Neugierige und Liebhaber alter Rieslinge ist die Tatsache besonders interessant, dass man am Weingut auch eine breite Auswahl an gereiften Weinen erstehen kann. Seien es zum Beispiel 2008er Kabinett-Weine, die Großen Gewächse der letzten Jahre oder deutlich ältere Weine bis in die 1970er-Jahrgänge aus der Schatzkammer. Tom Drieseberg, der bei seinem Einstieg ins Gut 1998 eine beträchtliche Menge „alter" Weine vorfand, nutzte diese Tatsache nicht nur dafür, eine Schatzkammer einzurichten, in der auch sehr reife Weine noch perfekt lagern können. Er begann auch damit, aus jedem Jahrgang Bestände zurückzuhalten und diese Weine dann unter dem Label „Vintage Collection" mit entsprechender Reife auf den Markt zu bringen. Was die Wegeler-Weine auszeichnet, ist jedoch nicht nur ihr immenses Reifepotenzial. Auch die jungen Weine bringen schon eine hohe Trinkfreude mit und sind trotz ihrer Komplexität und Struktur bereits in der Jugend gut verständlich und zugänglich.

2018 Riesling „Geheimrat J"
33€ · 12,5%
Charaktervoll und durch das gekonnte Säurespiel zudem energisch, filigran und erfrischend.
Ein Wein, der selbst blind seine Herkunft und Tradition vollends verkörpert.

2019 Riesling „Berg Rottland" Spätlese
23,50€ · 7,5%
Lebendige und exotische Frucht im Auftakt, dann eine tänzelnde Säure am Gaumen.
Dieser Wein wirkt schlank und vital und macht richtig gute Laune.

2019 Riesling „Berg Schlossberg" GG
33€ · 13%
Alte Schule! Zeigt typische Riesling-Attribute, allen voran eine kräftige, selbstbewusste Säure.

2019 Riesling „Berg Schlossberg" Kabinett
17,50€ · 8%
Leicht metallische Noten mit Hang zu gehaltvoller Süße.

2019 Riesling „Jesuitengarten" GG

33€ · 13%

Die Säure tanzt einen Pas de deux mit allen feinen Aromen und verschlankt sich zusehends mit dem Einfluss von Sauerstoff.

2019 Riesling „Oestricher"

15€ · 12,5%

Kühl, hohe Säure und noch verschlossene Aromen, mit etwas Zeit im Glas zeigt sich der Wein easy going.

2019 Riesling „Rothenberg" GG

55€ · 13%

Dieser kraftvolle wie fest konturierte Riesling mit bester Zukunftsperspektive beeindruckt schon jetzt durch seine animierend leicht wirkende, finessenreiche Stilistik, die auf großem Können sowie ausgeprägtem Selbstbewusstsein durch das Wissen um die Tradition im Hinterkopf des Erzeugers gründet.

2019 Riesling „Wegeler PUR" feinherb

17,50€ · 11,5%

Mineralisch, jugendlicher Auftritt, frische zitrische Aromen unterstützen die feste Säurestruktur – und schenken pures mundfüllendes Vergnügen.

2019 Riesling „Wegeler"

11,50€ · 12%

Leicht, zart, filigran. Seine eher zurückhaltende Art kann an heißen Sommertagen für Erfrischung sorgen.

2014 Riesling „Geisenheim Rothenberg" brut

55€ · 12,5%

Dieser Sekt kommt langsam angefahren mit dunklen Noten von salziger Brühe und Darjeeling und gibt am Gaumen dann richtig Gas. Elegant und langlebig.

2015 Riesling „Geheimrat J" brut ♣♣♣
34€ · 12,5%
Reife, bäuerliche Art. Duftet nach Heu und Waldhonig, Boskop-Apfel und Birnenkompott. Liegt gediegen, ruhig perlend im Glas. Der ideale Schluck zu einem herbstlichen Mittagessen.

2019 Riesling „Rothenberg" Auslese ♣♣♣♣
23€ · 7%
Saftig, exotischer Früchteteller, sehr erhaben. Perfekter Brückenwein für ansonsten „Trocken-Trinker".

Robert Weil

Mühlberg 5, 65399 Kiedrich
T +49 (0) 6123 2308
www.weingut-robert-weil.com

Inhaber Suntory, Wilhelm Weil
Betriebsleiter Clemens Schmitt & Philipp Bicking
Kellermeister Christian Engel & Fabian Kretschmer
Verbände VDP
Rebfläche 90 ha
Produktion 650.000 Flaschen
Verkaufszeiten
Mo–Fr 8–17.30 Uhr
Sa 10–17 Uhr
So 11–17 Uhr

Wer „Weil" sagt, denkt Riesling. 106 Hektar und 100 % Riesling – und regelmäßig die geradezu sagenumwobene Wertung von 100 Punkten vor allem für die edelsüßen Raritäten des Hauses. Die Perfektion der Weil'schen Weine ist nur schwer in Worte zu fassen, ihre Noblesse und Gediegenheit lassen einen ehrfürchtig auf das blicken, was im Glas ist. Diese eigene, eigenständige und für den Rheingau stilprägende Stilistik, die seit 1987 von Wilhelm Weil, dem Urenkel des Gründers Dr. Robert Weil, geprägt wird, kann natürlich technisch mit extrem guten Lagen wie dem Gräfenberg und seinem etwas kleinerem Bruder, dem Turmberg, erklärt werden, mit dem Einsatz modernster Kellertechnik und geradezu pedantischem Streben nach bester Qualität. Oder damit, dass man sich nicht auf der Tradition des Hauses ausruht, sondern trotz allem Erfolg immer wieder neue Wege beschreitet. Und doch bleibt selbst bei sehr erfahrenen Verkostern am Ende der Eindruck, dass ein wenig Magie dabei sein muss bei Weinen wie der Trockenbeerenauslese 2019 vom Gräfenberg, die einen in ihrer Größe fast zu erschlagen droht und deren verführerischer Kraft man sich nach kurzer Zeit nur allzu gerne ausliefert. Die Weine von Weil muss man probiert haben, nur mit Worten lässt sich ihre Anziehungskraft schwer begreiflich machen.

2019 Kiedrich Gräfenberg Riesling GG ♣♣♣♣♣
43,60€ · 13%
Mineralisch, griffig mit feinster Eleganz. Wie warmes Krustenbrot mit Fleur de sel im Glas.

2019 Kiedrich Klosterberg Riesling 1. Lage ♣♣♣♣
27,60€ · 13%
Aprikose und Bittermandel machen den Auftakt. Am Gaumen dann ein freudiges und animierendes Spiel von Süße und Säure, dazu leiser Schmelz. Ein sehr lebensfroher Wein, der sich über Gesellschaft freut.

2019 Kiedrich Turmberg Riesling 1. Lage

27,60€ · 13%

Ein kerniger Typ mit leichter Bitternis und einer kühlwürzigen Art. So animierend kann „bitter" sein. Tolle Balance und große Trinkfreude, von diesem Wein sollte man mehr als eine Flasche einkühlen, wenn die Gäste kommen.

2019 Riesling „Kiedricher"

18,90€ · 12,5%

Das Süße-Säure-Spiel ist appetitanregend und bringt den Genießer zum Schwelgen. Pasta passt am besten dazu!

2019 Kiedrich Gräfenberg Riesling Trockenbeerenauslese

325€ · 7,5%

Dieser Wein ist Noblesse pur. Zu trinken eigentlich in einem Barockschloss, zur Not tut es auch das eigene Zuhause, aber bitte mit dem nötigen Respekt. Ein großer Wein, der ganz genau weiß, was er ist.

2019 Kiedrich Gräfenberg Riesling „Goldkapsel" Auslese

190€ · 7,5%

Komplex, wahnsinnig präzise, majestätisch: ein absoluter Solist!

Essen

ADLER WIRTSCHAFT FRANZ KELLER

15 | 20

Hauptstraße 31,
65347 Eltville-Hattenheim
T +49 (0) 6723 7982
www.franzkeller.de

Das Team der Familie Keller will keine Kompromisse bei der Qualität der Zutaten eingehen. Egal, ob Fleisch, Gemüse, Kräuter oder Fisch: Immer ist die Herkunft kontrolliert, immer geht diese Kontrolle einher mit der Achtung vor dem Tier. Franz Keller sen. züchtet auf dem Falkenhof im Taunus mittlerweile Bunte Bentheimer Schweine und Charolais-Rinder, die Franz jun. dann verarbeitet. Er führt die Tradition des 1993 eröffneten Restaurants fort, bietet zum Beispiel das legendäre Adleressen weiter an, das in der großen Variante allein 13 Vorspeisen liefert. Das Restaurant vermittelt mit seiner Einrichtung aus Holz und dem Kamin ein gemütliches Ambiente, das man so schnell nicht wieder verlassen will. Auch Weinterrasse oder Wintergarten empfehlen sich für kulinarische Ausflüge. Wer direkt übernachten will, findet im kleinen Hotel des Hauses gemütliche Zimmer.

Empfohlen von
Chat Sauvage

GUTSAUSSCHANK „BEI'M ELSJE"

Neustraße 3, 65347 Eltville
T +49 (0)) 6723 1022
www.beim-elsje.de

Belgisch-rheinische Gastfreundschaft, gepaart mit mediterranem Flair empfängt die Gäste in diesem gemütlichen Gasthaus mitsamt zwei Gaststuben und seinem schönen Biergarten. Auf der Karte stehen Hirschhacksteak auf schwarzer Holundersauce, Hallgarter Rehsülze mit Bratkartoffeln oder irisches Tomahawksteak vom heißen Stein. Das Wild stammt nicht nur aus heimischen Wäldern, sondern wird vom Wirt selbst erlegt.

Empfohlen von
Hans Bausch

GUTSAUSSCHANK IM BAIKEN

Wiesweg 86, 65343 Eltville
T +49 (0) 6123 9000 345
www.baiken.de

Schon der Blick aus diesem Restaurant, das fast mitten in den Weinbergen liegt, hinein ins Rheintal ist den Ausflug wert. Die Küche ist bodenständig, die saisonale Karte wechselt regelmäßig und vor allem der unkomplizierte Service wird immer wieder gelobt. Die Weinkarte präsentiert heimische Weine. Bei gutem Wetter lockt die schöne Terrasse.

Empfohlen von
Kloster Eberbach

JEAN

15 | 20

Wilhelmstraße 13, 65343 Eltville
T +49 (0) 6123 9040
www.hotel-frankenbach.de

KLOSTERSCHÄNKE

Kloster Eberbach, 65346 Eltville
T +49 (0) 6723 60460
www.kloster-eberbach.de

Die Zisterzienser waren bekannt für ihre variantenreiche, durchaus gesunde Küche aus Gemüse, Getreide und Eiern, Flussgemüse (also Fisch) wurde an den Fastentagen aufgetischt, manchmal gab es Geflügel und Wild. Fleisch spielte im Grunde keine große Rolle, ein Glas Wein musste aber schon sein. Und genau diese traditionelle Zisterzienserküche wird in der Klosterschänke modern interpretiert: Serviert werden bodenständige Speisen aus der Region. Die Gäste nehmen draußen auf der Terrasse oder im historischen Gastraum Platz und genießen das Ambiente rund um das größte deutsche Weingut. Auf dem Areal des Klosters steht auch das „Schwarze Häuschen", in dem man die Weine der Staatsdomäne sowie kleine Vesper-Snacks probieren kann. Übernachtungsgästen stehen 20 Zimmer in Mühle und Scheune, weitere acht in der Klosterschänke zur Verfügung.

Empfohlen von
der Redaktion

KRONENSCHLÖSSCHEN

16 | 20

Rheinallee, 65347 Eltville
T +49 (0) 6723 640
www.kronenschloesschen.de

Drumherum schöne Fachwerkhäuser, alte Straßen und Gassen, eine historische Burg und die Barockkirche St. Vincent – und nicht weil davon entfernt, direkt am Rhein, dieses legendäre Traditionshaus aus dem Jahr 1894, das ein Hotel und zwei Restaurants beherbergt. Küchenchef ist seit mehr als einem Jahr Roland Gorgosilich, der eine Speisekarte aus regionalen und europäischen Zutaten anbietet. Die fast 100 Seiten starke Weinkarte in diesem Spitzenrestaurant ist legendär. Neben dem Gourmetrestaurant gilt auch das Bistro als eine der besten Adressen im Rheingau. Hier kann man sich ganz unkompliziert sein eigenes Menü zusammenstellen. Zum Hotel gehören 18 Zimmer und Suiten, alle individuell und zum Teil mit Antiquitäten eingerichtet. Im Gästehaus gibt es elf weitere Zimmer.

Empfohlen von
Georg Müller Stiftung

OSTERIA PICCOLO MONDO

Schmittstraße 1, 65343 Eltville
T +49 (0) 6123 2124
www.osteria-piccolomondo.de

Seit 25 Jahren werden hier bei typisch italienischer Küche in einem historischen Fachwerkhaus sowie auf einer großen Terrasse im Herzen der Altstadt die Gäste bewirtet. Auf der Karte alles, was man sich von seinem Lieblingsitaliener erwartet: Meeresfrüchtesalat, Pizza, Pasta, Orata und Scampi vom Grill sowie Saltimbocca. Je nach Saison gibt es Steinpilze, Wildgerichte und Spargel. Kleine Anekdote: Auf der Karte stehen auch „Tagliatelle Sean Connery – Nudeln mit Hummercrème, Scampis, Flusskrebsen und grünem Spargel". Die Kreation wurde nach Sir Sean Connery benannt, der 1986 beim Filmdreh zu „Der Name der Rose" (Kloster Eberbach) im Piccolo Mondo diese Nudeln gerne und oft gegessen hat.

Empfohlen von
Jakob Jung

THAN & LUC

Gutenbergstraße 18,
65343 Eltville
T +49 (0) 6123 9349 563
www. thanundluc.de

Frische, leichte und vietnamesische Küche mit würzigen Currys, Sommerrollen, vegetarische und vegane Köstlichkeiten oder hausgemachte Limonaden stehen hier auf der Karte. Asia-Fans können wählen zwischen süß-sauren Schweinerippchen, knusprigen Garnelen, gedämpften Edamame mit Sanddorn-Meersalz oder einer Nudelpfanne mit Gemüsestreifen

Empfohlen von
der Redaktion

WEINBAR 1818

Erbacher Straße 26–28,
65346 Eltville
T +49 (0) 6123 7907 10
www.das-knyphaus.de

Direkt auf dem Weingut der Familie Knyphausen befindet sich diese Weinbar, in der man mit der ganzen Familie essen kann. In der Weinlounge 1141 gilt Selbstbedienung, dort steht rustikale Vesperküche mit Hausmacherwurst und Spundekäs auf der Karte. Sechs moderne Zimmer, zwei Appartements, eine Suite sowie ein kleines Ferienhaus stehen Übernachtungsgästen auf diesem Weingut zur Verfügung.

Empfohlen von
der Redaktion

WEINSTUBE GELBES HAUS

Burgstraße 3, 65343 Eltville
T +49 (0) 6123 5170
www.weinstube-gelbeshaus.de

In diesem Gebäude aus dem 17. Jahrhundert sitzt man direkt über den Weinbergen und kann bei Rinderkraftbrühe, Forellenfilet oder Zitronenhähnchen und Rheingauer Riesling die Aussicht erleben. Zudem gehören drei Ferienwohnungen und der Rheingarten dazu, in dem man die Natur mit Flammkuchen oder Spundekäs genießen kann.

Empfohlen von
Jakob Jung

ZUM KRUG

Hauptstraße 34,
65347 Eltville-Hattenheim
T +49 (0) 6723 99680
www.zum-krug-rheingau.de

Das Fachwerkhaus beherbergt seit Jahrzehnten eine Gastronomie ohne Experimente, die der gutbürgerlichen Küche die Krone aufsetzt. Josef Laufer jun. führt das Erfolgsrezept des elterlichen Gasthauses weiter – mit Klassikern wie Rheingauer Blutwurst, Sauerbraten vom Bio-Weiderind oder sautierten Kalbsnieren und gebackenem Kalbsbries. Die Atmosphäre in den Stuben ist heimelig und gemütlich. Bei gutem Wetter lädt die Terrasse ein. Zum Krug gehören ein Weingut und ein Hotel mit schicken Zimmern.

Empfohlen von
August Kesseler

BURG SCHWARZENSTEIN

Rosengasse 32,
65366 Geisenheim
T +49 (0) 6722 99500
www.burg-schwarzenstein.de

Hier kann man abschalten vom Alltag, die absolute Ruhe mit dem Weitblick in die Reben genießen – ebenso wie die Kulinarik in den beiden Restaurants und den Komfort der Hotelzimmer. Im Burgrestaurant stehen Klassiker wie Rinderroulade, Sauerbraten oder Wiener Schnitzel auf der Karte; im Restaurant Müllers auf der Burg führt Nelson Müller aus Essen die Regie über Herd und Kochtopf. Austern und Kaviar wurde eine eigene Station gewidmet, ansonsten ist die Karte international-mediterran, mit regionalen Fingerabdrücken. Bretonischer Steinbutt kommt mit Stielmus auf den Teller, Käsespätzle mit Wildkräutern, die Jakobsmuschel mit Bärlauch und die Kalbs-Currywurst mit Pommes frites. Auch mit dieser Gourmet-Karte soll es ungezwungen in dem schicken Pavillon zugehen. Gruppen oder Familienfeiern steht ein Private-Dining-Room zur Verfügung. Allen Räumen gleich: der gigantische Ausblick. Übernachten können die Gäste in 51 Zimmern in der Parkresidenz, im Burghotel oder im Gästehaus.

Empfohlen von
Chat Sauvage

SCHLOSSSCHÄNKE AUF DEM JOHANNISBERG

Schloss Johannisberg,
65366 Geisenheim
T +49 (0) 6722 96090
www.schloss-johannisberg.de

In der Schlossschänke auf Schloss Johannisberg erwartet das Team um Küchenchef Christian Steuer und Chef-Sommelier Markus Vogelgesang die Gäste. Neben der gehobenen Küche spielt die Weinkarte natürlich eine große Rolle. Sie spiegelt 1.200 Jahre Rheingauer Weinbaugeschichte wider und zeigt eine große Jahrgangstiefe. Krönender Abschluss des Besuchs ist letztendlich der einzigartige Blick über das Rheintal.

Empfohlen von
der Redaktion

ZWEI UND ZWANZIG

Lindenplatz 1,
65366 Geisenheim
T +49 (0) 6722 7108 312
www.zwei-und-zwanzig.de

Ganz der angesagten veganen Küche hat sich das Team um Dirk Schritt und Marina Ginkel verschrieben. Und so gibt es Falafel, Kimchi, Bowls oder sehr aromatische Burger (echt ohne Fleisch) und zum süßen Abschluss Cupcakes. 120 der besten veganen Rezepte stehen zum Nachkochen im eigenen Kochbuch des Restaurant-Teams.

Empfohlen von
der Redaktion

KIEDRICHER HOF

Oberstraße 22, 65399 Kiedrich
T +49 (0) 6123 93497 77
www.kiedricher-hof.de

Alte Holzbalken, ebenso historische Bruchsteinmauern, dazwischen modernes, klares Design in einem Renaissancehaus: Äußerst gemütlich präsentiert sich das Restaurant, das von Rita und Felix Kuckein geleitet wird. Und genauso wie der generationenübergreifende Zeiten-Mix bei der Architektur ist auch die Speisekarte ein Bekenntnis zur Tradition – wie mit der Vorspeise Himmel und Erd aus gebratener Blutwurst –, aber auch zur Jetzt-Zeit – wie mit Salatbowl oder Rahmsüppchen von Edelfischen oder dem Streetfood-Angebot während des Lockdowns. Ebenfalls im Angebot: Burger, Lammrücken oder vegetarischer Linsen-Bratling. Die Weine stammen ausschließlich von Rheingauer Jungwinzern. Bei gutem Wetter sitzt es sich entspannt im Innenhof, in der Scheune können private Feste stattfinden.

Empfohlen von
Weingut Sohlbach

WEINSCHÄNKE SCHOSS GROENESTEYN

15 | 20

Oberstraße 36, 65399 Kiedrich
T +49 (0) 6123 1533
www.groenesteyn.de

Schon mal Maultaschen vom Kaninchen probiert? Oder gesmokte Brustspitze vom Wagyu? Klingt kreativ – und genau diese Kreativität wird hier, beim Blick auf die Kiedericher Weinberge, mit Rheingauer Bodenständigkeit gepaart. Dirk Schröer und Amila Begic wollen authentische Küche bei unkomplizierter Atmosphäre bieten. Beim Einkauf wird auf Regionalität geachtet: Das Wild stammt aus dem Taunus, Forellen und Saiblinge kommen aus dem Spessart. Auf der Karte stehen variable Menüs aus Gänseleber, Jakobsmuschel und Rebhuhn, dazu werden Rheingauer Weine ausgeschenkt. Im Sommer nimmt man auf der Terrasse Platz und hat freien Blick auf das Schloss Groenesteyn.

Empfohlen von
Robert Weil

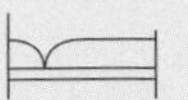

Schlafen

KLEINES GASTHAUS
Rheingaustraße 18, 65375 Oestrich-Winkel
T +49 (0) 6723 9134 33
www.kleinesgasthaus-oestrich.de
Mediterranes Flair, flackerndes Kaminfeuer, gemütliche Atmosphäre: Die italienisch inspirierte Karte tut ein Übriges, damit sich die Gäste wohlfühlen. Neben Rumpsteak, Lamm oder Garnelen stehen viele Pizza- und Pastagerichte auf Basis alter Familienrezepte zur Auswahl. Spaghetti kommen mit gebratener Bauernbratwurst auf den Teller, Linguine mit Lachs und Gemüse-Estragonsauce. Die Mittagskarte wechselt wöchentlich und sonntags gibt es ein besonderes Menü-Angebot.
Empfohlen von
Ferdinand Abel

GUTSHOTEL JULIA
Rheinallee 2, 65346 Eltville
T +49 (0) 6123 9349 954
www.julias-gutshotel.de
Aus dem 16. Jahrhundert stammt das alte Herrenhaus des Maximilianshofes, das hier in der Mitte des Grundstücks noch steht. Später bewirtschafteten die Jesuiten das Gut, danach gehörte es zum erzbischöflichen Priesterseminar, seit 1828 der Familie Oetinger: also reichlich Historie rund um dieses frühere Weingut und das heutige Gutshotel. 16 Zimmer in verschiedenen Gebäuden und ein gemütliches Ferienhaus in einer früheren Kate gehören nun dazu. Im Café Gutshof werden Kaffee und kreative Kuchen serviert, im Hofladen gibt es regionale Produkte von Erzeugern aus der Nachbarschaft wie Käse, Wein und Honig.
Empfohlen von
der Redaktion

RESIDENZ WEINGUT SCHLOSS REINHARTSHAUSEN
Hauptstraße 39, 65346 Eltville
T +49 (0) 6123 7504 825
www.residenz-schloss-reinhartshausen.de
Neun Suiten allein im historischen Herrenhaus mit Rheinblick gehören zu diesem Ensemble, dazu weitere unterschiedlich große Einzel- und Doppelzimmer, die hier das Wohnen im Weingut möglich machen. Im gleichnamigen Weingut der Familie Lergenmüller wird seit mehr als 680 Jahren Wein angebaut – auch auf der idyllischen Rheininsel Mariannenaue. In der Vinothek kann man nicht nur die hauseigenen Weine verkosten, sondern auch Tropfen aus der Pfalz oder von der Mosel, außerdem Brände, Gin und Bier. In der Schlossschänke befindet sich zudem ein Restaurant mit Flammkuchen oder Wildschweinbratwurst auf der Karte.
Empfohlen von
der Redaktion

GÄSTEHAUS GOTTESTHALER MÜHLE
Gottesthal 115,
67375 Oestrich-Winkel
T +49 (0) 6723 6025 00
www.gottesthaler-muehle.de
Eingebettet in eine Landschaft zwischen Rhein und Weinbergen lässt es sich hier wunderbar entspannen – bei der Adresse! Bis vor einigen Jahren war die Mühle noch ein Weingut, danach wurde sie zum Gästehaus mit sieben individuell eingerichteten Zimmern – unter anderem im ehemaligen Kelterhaus, in der Remise oder in der früheren Scheune – umgebaut.
Empfohlen von
Ferdinand Abel

NÄGLER'S FINE LOUNGE HOTEL
Hauptstraße 1,
65375 Oestrich-Winkel
T +49 (0) 6723 99020
www.naeglers-hotel.de
Ein schickes stylisches Lifestyle-Hotel, ausgezeichnet mit vier Sternen und der Zertifizierung „Qualitätsgastgeber Wanderbares Deutschland" erwartet den Rheingau-Gast an dieser Adresse, nur wenige Meter vom Rhein entfernt. Die 41 unterschiedlich großen Zimmer und Suiten sind modern und komfortabel eingerichtet, haben zum Teil eine kleine Küche, einige auch Balkon mit Rheinblick. Im Spa stehen Sauna, Fitness und Beautykabinen zur Verfügung, außerdem werden unterschiedliche Arrangements – Wandern, Kultur, Wellness – angeboten. Auf der Sonnenterrasse lässt sich mit Blick auf den Rhein ein Glas Rheingauer Wein genießen.
Empfohlen von
der Redaktion

Einkaufen

ESSKORK-SERVICE
Schwalbacher Straße 22a,
65343 Eltville
T +49 (0) 6123 7954 344
www.esskork-service.de
Gewürze von Ingo Holland, Gläser von René Gabriel, Feinkost aus Griechenland oder der Toskana, Butter und Crème fraîche aus der Normandie: Eric Elbert bietet in seinem sehr gut sortierten Feinkost-Geschäft exquisite Speisen und Zutaten für zu Hause an. Im Esskork findet der Kunde neben einer großen Auswahl von vorgekochten Gerichten wie der legendären Rheingauer Rieslingsuppe oder den Ochsenbacken in Rotweinsauce auch eine der besten Weinkollektionen des gesamten Rheingaus sowie Olivenöl, Essig oder Nudeln.
Empfohlen von
der Redaktion

KOSTBAR FEINKOST ELTVILLE
Schwalbacher Straße 6, 65343 Eltville
T +49 (0) 6123 7949 95
www.kostbar-eltville.de
Erlesene Spezialitäten wie Rosenlikör, Nudeln, Saucen, Sugos, Pesto, Chutney, Rieslingsenf, Zitronensalz oder Grillgewürz stehen hier neben einer großen Auswahl an Essig-Sorten im Regal und bieten eine sinnliche Fundgrube für jeden Hobbykoch. Als Service werden dazu Rezepte mit den jeweiligen Spezialitäten geliefert.
Empfohlen von
der Redaktion

DER KÄSELADEN
Marktstraße 8, 65343 Eltville
T +49 (0) 6123 6897 08
www.kaeseladen.jimdofree.com
„Lebendige" Käsesorten stehen hier im Mittelpunkt: Das heißt, es gibt Rohmilchkäse, höhlengereifte Bergkäse, Ziegenkäse und unterschiedliche Frischkäse-Zubereitungen, aber auch Trester-Käse oder Stilton aus Somerset. Außerdem sind Wein- und Käse-Seminare im Angebot und auf Wunsch gibt es frisch geriebenen Käse fürs heimische Fondue.
Empfohlen von
der Redaktion

OBSTGUT AUF DER HEIDE
Auf der Heide 1, 65366 Geisenheim
T +49 (0) 6722 6130
www.obstgut-auf-der-heide.de
Mit Erdbeeren wird im Frühsommer gestartet, weiter geht es mit Beeren, Pfirsichen, Zwetschgen und Aprikosen, im Herbst dann mit Äpfeln und Birnen: Das Sortiment in diesem Obstgut ist reichhaltig und enthält auch Gemüse wie Paprika, Tomaten, Bohnen, Grünkohl und Kürbisse, die ebenfalls selbst angebaut werden. Im Hofladen werden außerdem Fruchtaufstriche, Liköre, Säfte, Forellen, Wurst und Eier verkauft – ein Rundumsortiment also, das Familie Geiger in dritter Generation mitsamt all ihren Helfern anbietet.
Empfohlen von
der Redaktion

Empfehlenswerte Metzgerei

Metzgerei Willi Ottes
Oestrich-Winkel, (Mühlstraße 3)
www.metzgerei-ottes.de

Vinothek

Viele Winzer im Rheingau öffnen die ganze Woche über Tor und Tür, um ihre Weine in hauseigenen Vinotheken verkosten zu lassen Ein Besuch (nach dem Blick auf die Internet-Seite oder einem kurzen Anruf) lohnt in jedem der Weinorte. Infos zu Vinotheken bei den Rheingauer Winzern gibt es auf der Internetseite www.rheingau.com/vinotheken

KELLER UND KUNST KONTOR
Oberstraße 14, 65399 Kiedrich
T +49 (0) 173 6358 566
www.kellerundkunst.de
Weine aus besten Rheingauer Lagen, Literatur, Geschenke, Möglichkeiten, an einer Weinprobe teilzunehmen oder selbst zu feiern: Das ist das Kontor am Rheinsteig in Kiedrich, das Hubert Allert und Eleonore Scriba betreiben. Sie verstehen sich als Partner der heimischen Weinszene, wollen aber auch bezahlbare Kunst anbieten. In einer Leseecke kann man durch Kiedricher Lektüre oder andere Zeitungen blättern.
Empfohlen von
Weingut Sohlbach

OBERER RHEINGAU

Zu diesem Bereich gehören die Städte Frauenstein, Wiesbaden mit seinem südlichsten Stadtteil Kostheim, Hochheim und Flörsheim-Wicker.

In Hochheim wurde schon von den Römern Weinbau betrieben, Erwähnung fand dies aber erst um 1200. Im Ortsteil Massenheim wurde der Weinbau bereits 819 n. Chr. beurkundet.
Der Hochheimer Wein ist wegen seiner besonders guten Qualität weit über den Rheingau hinaus bekannt und wird sogar im englischen Königshaus getrunken. Als Königin Victoria zu Besuch war, soll sie gesagt haben: „A good Hock keeps off the doc."

Wer diese Gegend erkunden will, bewegt sich am besten über den insgesamt 18 Kilometer langen Weinerlebnisweg Oberer Rheingau und erfährt an zahlreichen Infotafeln alles über den Weinbau und seine Winzer.
Berühmte Weinlagen sind der Herrenberg in Frauenstein, der Wiesbadener Neroberg, Kiliansberg in Kostheim, Domdechaney oder Herrenberg in Hochheim, St. Anna Kapelle in Flörsheim-Wicker oder der Nonnberg in Wicker.

WEINGÜTER

200
DOMDECHANT WERNER'SCHES WEINGUT
Rathausstraße 30
65234 Hochheim am Main

201
JOACHIM FLICK

Straßenmühle
65439 Flörsheim-Wicker

202
WEINGUT HÖHN

Freudenbergstraße 200
65201 Wiesbaden

203
WEINGUT KÜNSTLER

Geheimrat-Hummel-Platz 1a
65239 Hochheim am Main

204
REBENHOF – WILLI ORTH

Frankfurter Straße 57–59
65239 Hochheim am Main

205
WEINGUT SCHREIBER
Johanneshof
65239 Hochheim am Main

206
WEINGUT IM WEINEGG

Kirchstraße 38
65239 Hochheim am Main

HESSISCHE BERGSTRASSE

207
GRIESEL & COMPAGNIE

Grieselstraße 34
64625 Bensheim

Domdechant Werner'sches Weingut

Rathausstraße 30,
65234 Hochheim am Main
T +49 (0) 6146 8350 37
www.domdechantwerner.com

Inhaber
Dr. Franz Werner Michel
Betriebsleiter Michael Bott
Kellermeister Michael Bott
Verbände VDP
Rebfläche 13,5 ha
Produktion 100.000 Flaschen
Gründung 1780
Verkaufszeiten
Mo–Fr 8–18 Uhr
Sa 8–13 Uhr
und nach Vereinbarung

In Hochheim wurde der Riesling nachgewiesenermaßen erstmals schriftlich erwähnt – vor bald 600 Jahren im Jahr 1435. Dieser Historie fühlt man sich im Domdechant Werner'schen Weingut verpflichtet: Der Riesling macht über 95 Prozent der etwa 13 Hektar Rebflächen des Weinguts aus, die alle rund um Hochheim liegen. Seit 240 Jahren ist das Weingut bereits in Familienhand. Der Domdechant Dr. Franz Werner führte das Weingut einst durch die schwierigen Jahre des deutsch-französischen Krieges und beteiligte sich am Wiederaufbau des Mainzer Doms. Heute wird das Weingut in 7. bzw. 8. Generation von Franz Michel und seiner Tochter Catharina Mauritz geführt. Wer in den Genuss eines Gesprächs über (Wein-, Riesling- und Familien-)Geschichte mit Franz Michel kommt, wird das Erlebnis selbst und seine leidenschaftliche Art, die Vorzüge Hochheims als Weinbauort zu preisen, nicht so schnell vergessen. Auch der Besuch des historischen Gutshauses von 1864 und die Begehung der Räumlichkeiten, die vor Antiquitäten und großformatigen Ölbildern der Familie nur so strotzen, sind beeindruckend. In Hochheim lässt sich gelebte Riesling-Leidenschaft und Traditionsbewusstsein so authentisch erleben wie nur selten.

2019 Hochheimer Domdechaney Riesling 1. Lage
17,50€ · 13,5%
Sehr ernsthafter Wein, der um seine Herkunft weiß. Spielt mit etwas Restsüße und wirkt dabei immer noch spritzig und gut ausbalanciert.

2019 Hochheimer Kirchenstück Riesling 1. Lage
15€ · 13,5%
Mächtig und filigran, feingliedrig, dennoch hoch im Extrakt, Limettenzesten, Orangenblüten und Eleganz, gutes Finish.

2019 Hochheimer Kirchenstück Riesling GG
26€ · 13,5%
Grafit und Mineralik treffen auf florale Noten. Am Gaumen sehr konzentriert und komplex mit sattem, saftigem Abgang und viel Schmelz und Extrakt. Ein breitschultriger Wein für wichtige Gäste.

2019 Riesling
9,50€ · 12,5%
Sehr stylisch mit viel Saft und zugänglicher Frucht. Hier wird dick aufgetragen, von Schüchternheit und Zurückhaltung keine Spur.

Joachim Flick

Straßenmühle,
65439 Flörsheim-Wicker
T +49 (0) 6145 7686
www.flick-wein.de

Inhaber Reiner Flick
Verbände VDP
Rebfläche 19,7 ha
Produktion 185.000 Flaschen
Gründung 1650
Verkaufszeiten
Mo–Fr 15–19 Uhr
Sa 10–14 Uhr
und nach Vereinbarung

Für die Weinszene in Flörsheim, Wicker und Hochheim war Reiner Flick ein Glücksfall, der quirlige Winzer setzt seit rund zwei Jahrzehnten mit seinen Weinen aus der Straßenmühle Akzente. Seine Monopollagen Wickerer Nonnberg und Hochheimer Königin Victoriaberg mit dem Denkmal von 1854 sind weltbekannt, Flick hat in den berühmten Rebhängen vor allem Rieslinge stehen. Um den Familienbetrieb für die nächste Generation fit zu machen, Tochter Katharina studiert aktuell in Geisenheim Weinbau, plant Reiner Flick den Bau eines neuen Flaschenlagers. Zum Weingut gehört auch eine tolle Event-Location, Reiner Flick hat mit viel Geschmack eine alte Sektkellerei renovieren und zur stimmungsvollen Feier-Lokalität ausbauen lassen.

2019 Hochheim Königin Victoriaberg Riesling Kabinett 1. Lage
14,50€ · 10%
Feingliedrig, harmonisch, gut strukturierter Rheinriesling mit Schwung. Mundet zu Aprikosen-Quarktorte mit einem Klacks Sahne.

2019 Hochheimer Königin Victoriaberg Riesling 1. Lage
13,90€ · 12,5%
Honigmelone, Minze und salzige Noten, dazu deutliche Röstaromen im Auftakt. Am Gaumen sehr elegant und mit Tiefgang und Spannung.

♥ **2019** Nonnberg Riesling „Wicker Nonnberg" 1. Lage
13,90€ · 12,5%
Ein charmanter Schmeichler, der mehr als diese eine Dimension bedienen kann. Noten von Feige und Karamell werden von Vanille begleitet und am Gaumen von einem saftigen Zug perfekt begleitet.

2019 Wicker Nonnberg Riesling „Vier Morgen" GG
28,50€ · 13%
Zwischen zwei Welten. Ein Wein, der Tradition und Moderne vereint und dabei sehr gut aussieht. Zitrus pur, dazu pudrig-feine Vanillenoten und leichte Süße. Extrem charmant.

2020 Riesling „F. vini et vita"
7,80€ · 12,5%
Duftige Sommerwiese, kräftiger Auftritt, Mineralität lockt, feine zitrische Aromen beleben und fördern den Trinkspaß.

2020 Riesling „Lorch"
9,80€ · 12,5%
Klassischer, präziser und zupackender Typ, der seine Herkunft widerspiegelt und „viel Wein im Glas" bietet.

2018 Wicker Nonnberg Spätburgunder 1. Lage
28,50€ · 14%
Saftig, Eukalyptus, balsamisch, Schwarzer Pfeffer – der Allrounder zum Rumpsteak.

2020 Rosé Cuvée JF
8,80€ · 12,5%

Weingut Höhn

Freudenbergstraße 200,
65201 Wiesbaden
T +49 (0) 611 7168 789
www.weinguthoehn.de

Inhaber Wilhelm & Jürgen Höhn
Betriebsleiter Jürgen Höhn
Kellermeister Jürgen Höhn & Max Simonis
Rebfläche 19,5 ha
Produktion 1.300.000 Flaschen
Gründung 1696
Verkaufszeiten
Mo–Fr 17–19 Uhr
Sa 10–12 Uhr
und nach Vereinbarung

Weine aus der Landeshauptstadt Wiesbaden sind rar, doch sie gehören seit Jahrhunderten zur Weinszene des Rheingaus. Der wiederum gehörte bis Anfang des 19. Jahrhunderts zu Mainz, heute die Landeshauptstadt von Rheinland-Pfalz. Für Jürgen Höhn ist das Schnee von gestern, der Agrartechniker und Winzermeister hat seinen Betrieb im Stadtteil Freudenberg und seine Weinberge in den Vororten von Wiesbaden, dazu bewirtschaftet er einige Parzellen weiter rheinabwärts. Mit seinen Rotweinen, zu denen neben den klassischen nationalen Sorten auch Global Player gehören, können Höhn und sein Kellermeister Max Simonis regelmäßig punkten, die Weine sind nachhaltig und tiefgründig. Vor allem die Gewächse aus der Steillage Frauensteines Herrnberg gehören dank ihrer klaren Rebsortenstilistik zu den Favoriten des Betriebs. Seit dem Jahr 2017 werden alle Weine vegan ausgebaut.

2018 Sauvignon Blanc
7,90€ · 13%

2019 Eltviller Sonnenberg Riesling Kabinett halbtrocken
6,50€ · 12%

2019 Erbacher Marcobrunn Riesling „RGG"
23,50€ · 12,5%
Intensives Röstaroma, Dörrapfel, pfeffrig, sehr dicht und vielseitig. Ein Wein, der selbst Schlecht-Wetter-Tage versüßt, an denen man zu Hause bleiben muss.

2019 Hattenheimer Mannberg Riesling „RGG" 🍇🍇🍇🍇
22,50€ · 12,5%
Der Wein ist wie ein japanisches Schwert: präzise, vielschichtig, persistent und langlebig.

♥ **2019** Hattenheimer Nussbrunnen Riesling Kabinett trocken 🍇🍇
8,90€ · 13%

2019 Kiedricher Sandgrub Riesling Kabinett trocken 🍇🍇
6,50€ · 12%

2019 Rheingau Chardonnay 🍇🍇🍇
7,90€ · 12,5%
Samtig, weich, doch Säure – alles am richtigen Platz, nichts falsch. Spargelgratin.

2019 Riesling „Rheingau" 🍇🍇🍇
5,90€ · 12,5%

2019 Sauvignon Blanc 🍇🍇
7,90€ · 12,5%

2019 Sauvignon Blanc „Rheingau" 🍇🍇
7,60€ · 12,5%

2019 Schiersteiner Hölle Riesling Kabinett 🍇🍇🍇
6,90€ · 9,5%

2019 Schiersteiner Hölle Riesling „Granitfass" Spätlese 1. Lage trocken 🍇🍇
12,50€ · 12,5%

2019 Schiersteiner Hölle Riesling „RGG" 🍇🍇🍇
21,50€ · 12%
Mainstream im besten Sinne – wem sollte dieser Klassiker nicht schmecken?

2018 Frauensteiner Herrnberg Spätburgunder Auslese trocken 🍇🍇🍇
17,50€ · 15%

2015 Schiersteiner Hölle Riesling Beerenauslese 1. Lage 🍇🍇🍇🍇
17,50€ · 7,5%
Ausgereift druckvolle Traumnase. Röstnoten von Kaffee, Crème caramel und ein Hauch Salzigkeit begleiten gegrilltes Gemüse oder Fisch und sogar Desserts, wenn sie mit ein paar Flöckchen Fleur de sel gewürzt sind.

2018 Schiersteiner Hölle Riesling Trockenbeerenauslese 1. Lage 🍇🍇🍇
95€ · 6,5%
Dichte Honigsüße gepaart mit feiner Rieslingsäure, wirkt noch recht kompakt und wird noch einige Jahre bis zur Entfaltung benötigen.

2019 Hattenheimer Nussbrunnen Riesling Spätlese 🍇🍇🍇🍇
13,50€ · 7,5%
Unwiderstehlicher, feinfruchtiger Typ mit glasklarer Ausrichtung und strahlender Mineralität. Zum Käsekuchen mit einem Hauch Orangenabrieb.

Weingut Künstler

Geheimrat-Hummel-Platz 1a,
65239 Hochheim am Main
T +49 (0) 6146 83860
www.weingut-kuenstler.de

Inhaber Gunter Künstler
Betriebsleiter Rolf Schregel
Kellermeister Gunter Künstler & Rolf Schregel
Verbände VDP, Fair'n Green
Rebfläche 50 ha
Produktion 350.000 Flaschen
Gründung 1965
Verkaufszeiten
Mo–Fr 8–12 Uhr und 13–18 Uhr
Sa 10–16 Uhr
So 11–16 Uhr

Aus kleinen Anfängen heraus hat sich das Weingut zu einem Vorzeigebetrieb nicht nur im Rheingau entwickelt. Gunter Künstler, der das Weingut von seinem Vater übernommen hat und seit mehr als 30 Jahren leitet, hat mit seinen Weinen deutschlandweit Akzente gesetzt und mit außergewöhnlichen Qualitäten immer wieder für Furore gesorgt. Vor allem seine Rieslinge, die zu 80 Prozent das Rebsortenportfolio ausmachen, gehören heute zu den Besten im Land. Die charaktervollen Premiumweine sind fast alle im Holzfass ausgebaut, Gunter Künstler und sein Kellermeister Rolf Schlegel verstehen es bestens, den Gewächsen eine perfekte geschmackliche Balance mitzugeben. Neben den klassischen Rheingauer Rieslingen kultiviert Künstler auch einige Global Player, eine internationale Ergänzung zum heimischen Programm.

2018 Sauvignon Blanc „Kalkstein" (3 Trauben)
18,50€ · 13%
Ein absoluter Allrounder, richtig charmant!

2019 Chardonnay „Barrique" (3 Trauben)
29,90€ · 13,5%
Toast, Honig und Butter – die Aromen eines perfekten Frühstücks und großartiger Chardonnays.

2019 Hochheimer Herrnberg Riesling 1. Lage (2 Trauben)
12,50€ · 13%

2019 Hochheimer Hölle Riesling „Hölle Im Neuenberg" 1. Lage (3 Trauben)
13,90€ · 12,5%

2019 Hochheimer Hölle Riesling „Hölle" GG (4 Trauben)
37€ · 13%
Herbal, würzige Schönheit, gebettet auf duftig frischem Heu.

2019 Hochheimer Stielweg Riesling „Alte Reben" 1. Lage (3 Trauben)
18€ · 13%

2019 Kostheim Riesling „Weiss Erd" GG ◆◆◆
26€ · 13%
Dieser Wein hat nicht nur eine Dimension. Neben kühler Würze finden sich auch herbale und sogar exotische Nuancen wie von reifer Mango. Am Gaumen fast balsamisch wirkend mit langem Nachhall. Wir servieren dazu ein Risotto nero mit Zitronenschalen-Abrieb.

2019 „Gutsriesling" ◆◆
9,90€ · 12,5%

2019 Rüdesheim Berg Rottland Riesling GG ◆◆◆◆
37€ · 12,5%
Hohe Rheingauer Schule. Spontan vergorener Klassiker, der eine prachtvolle Spannung aufbaut.

2019 Sauvignon Blanc „Kalkstein" ◆◆◆
18,50€ · 13%

2018 Assmannshäuser Höllenberg Spätburgunder GG ◆◆◆◆
55€ · 14%
Viel Frucht und dunkle Schokolade bieten elegante Kombinationsmöglichkeiten etwa zu Geschmortem oder sehr reduzierten Soßen. Aber noch geduldig sein, er ist auf Zukunft ausgelegt.

2018 Stein Spätburgunder „Hochheimer Stein" 1. Lage ◆◆◆
26,50€ · 13,5%
Ein fruchtig, frischer Auftakt begleitet bitter-süße Brombeerkonfitüre, beides zaubert einen roten Sommertraum ins Glas.

2020 Pinot Noir „Inspiration Rosé" ◆
9,90€ · 12,5%

2011 Chardonnay „2011 Chardonnay Sekt" brut nature ◆◆◆
22€ · 12%

2016 Riesling „Hochheimer Stein" extra brut ◆◆◆◆
34€ · 12,5%
Fein-duftiger und elegant-würziger Begleiter mit exakt abgestimmter Holznote, der sich nicht nur zum Aperitif eignet, sondern, da er mit Luft gewinnt, auch etwa zur Trüffel-Pasta.

2017 Spätburgunder „Assmannshäuser Rosé Sekt" brut nature ◆◆◆
22€ · 12%
Ein Sekt mit Wiedererkennungswert, der gesprächsanregend wirkt.

Rebenhof – Willi Orth

Frankfurter Straße 57–59,
65239 Hochheim am Main
T +49 (0) 6146 9897
www.weingut-rebenhof.de

Inhaber Pia Rosenkranz
Rebfläche 9 ha
Produktion 60.000 Flaschen
Verkaufszeiten
Mo–Fr 8.30–13 Uhr
und 14–18.30 Uhr

Bei klarer Sicht kann man von Hochheim aus die Frankfurter Skyline sehen, die Mainmetropole liegt nur einen Katzensprung entfernt. In Sachen Weinbau gehört Hochheim zum Rheingau und steht für charaktervolle Weine, die überwiegend auf kalkreichen Böden wachsen. Im Rebenhof, der seit Jahrzehnten im Generationenwechsel und heute von Pia Rosenkranz geführt wird, sind das vor allem Rieslinge, ergänzt mit einigen wenigen Partien Spätburgunder. Mit viel Fingerspitzengefühl und entsprechender Erfahrung nähert man sich im Rebenhof der Weinproduktion, die im naturnah und umweltschonend bewirtschafteten Rebhang beginnt und in der sorgsam und behutsam eingesetzten Kellertechnik fortgeführt wird. Bekannt ist der Rebenhof auch für seine diversen Veranstaltungen, die im eigens dafür gebauten Landhaus stattfinden.

2019 Riesling Kabinett trocken
6,50€ · 12%
Mineralstoff to go – im Mund saftig, druckvoll, aber nicht anstrengend, hat Biss.

2019 Riesling „vom Kalkstein"
8€ · 11,5%
Lebendiger Typ mit großer Spannweite zwischen Kardamom, Currykraut und steinig-kühler Phenolik. Eiskalt serviert etwa perfekt zu Austern.

2019 Riesling „vom Tonmergel"
9€ · 13,5%
Erfrischend und mundwässernd mit Noten von Honig und Zitronenschale. Dabei sehr klar und erfrischend, ein toller Begleiter für die ersten warmen Tage im Jahr.

2019 Spätburgunder
15€ · 13%
Rote und Schwarze Johannisbeere, Tiefe, fleischig, elegantes Gewand, in der Nase auch Schießpulver, ideal zum Coq au vin.

2019 Spätburgunder „Hochheim"
25€ · 13,5%
Internationaler Stil, saftig, reife Schwarzkirsche.

Weingut Schreiber
Johanneshof,
65239 Hochheim am Main
T +49 (0) 6146 9171
www.weingut-schreiber.de

2018 Riesling „Hochheimer Stein" brut nature 
9,50€ · 13,1%
Voluminöser Sekt, die Rieslingsäure puffert und gibt ihm Saftigkeit. Viel Dichte – sehr weinig.

Weingut im Weinegg

Kirchstraße 38,
65239 Hochheim am Main
T +49 (0) 6146 9072 229
www.weingut-weinegg.de

Inhaber Fabian Schmidt
Verbände Demeter (in Umstellung)
Rebfläche 10,5 ha
Produktion 65.000 Flaschen
Verkaufszeiten
Mo 9–11 Uhr
Mi 9–11 Uhr und 18–20 Uhr
Fr 18–21 Uhr
Sa 12–14 Uhr
So 14–19 Uhr
sowie zu den Bürozeiten Mo, Mi und Do 9–11 Uhr

Fabian Schmidt war gerade mit dem Studium fertig, als er die einmalige Chance bekam, das bekannte Weingut in Hochheim zu übernehmen. Seitdem sind nun zwölf Jahre vergangen, damals hatte der traditionsreiche Betrieb, dessen Wurzeln bis ins 13. Jahrhundert zurückreichen, rund 3,5 Hektar Rebfläche. Heute bewirtschaften Schmidt und sein Team fast 11 Hektar, derzeit befindet sich das Weingut in der Umstellung zum zertifizierten Demeter-Betrieb. Für den jungen Winzer ist das ein wichtiger Schritt in die Zukunft, um seinen Gewächsen mehr Nachhaltigkeit und Authentizität mitzugeben. Wer mehr darüber erfahren möchte, bucht am besten eine Weinprobe, Kellerführung oder eine unterhaltsame Weinwanderung mit Fabian Schmidt.

2019 Hochheimer Hofmeister Riesling 
8,50€ · 12,5%
Spannendes Potpourri aus Wiesenkräutern, Mirabelle und Brennnesseln – polarisierend, aber absolut naturnah, saftig und spontan.

2019 Hochheimer Hölle Riesling „Stückfass"
15€ · 12,5%

Deutlich vom Holz geprägt, viele frische Kräuter in der Nase eröffnen den Zugang zu diesem noch sehr jungen Wein.

2019 Hochheimer Reichestal Riesling „Stückfass" feinherb
15€ · 12,5%
Bezaubernd facettenreiche Aromatik von Pfirsichnektar, Bergamotte, Honigwabe und Pfeifentabak. In seiner Opulenz verführerisch.

2019 Hochheimer Stielweg Riesling
13€ · 12,5%
Bombastische Frucht mit viel Saft und Zug am Gaumen, zupackendem Grip und viel Extrakt. Der kann es sogar mit gegrillten Thunfisch mit Kapern aufnehmen, ohne zu verblassen.

2020 Riesling
7€ · 12,5%
In der Nase Aprikose und Lindenblüten, rauchig, im Mund an Speck erinnernd und intensive Salzigkeit, die Säure ist prägnant.

2019 Hochheimer Reichestal Riesling
15€ · 10,5%
Dicht gewobener Wein, vielversprechende enorme Länge, mediterrane Aromen wie Thymian, salzige Olive in der Nase, überraschend trockener Auftakt im Mund.

Griesel & Compagnie

Grieselstraße 34,
64625 Bensheim
T +49 (0) 6251 8696 890
www.griesel-sekt.de

Inhaber Jürgen Streit & Petra Greißl-Streit
Betriebsleiter Niko Brandner
Kellermeister Rachele Crosara
Verbände Verband traditioneller Sektmacher
Rebfläche 14 ha
Produktion 75.000 Flaschen
Gründung 2013
Verkaufszeiten
Do–Fr 15–18 Uhr
Sa 10–14 Uhr
und nach Vereinbarung

Es sind noch keine zehn Jahre her, da wurde die Sektmanufaktur Griesel & Compagnie aus der Taufe gehoben und sorgte mit ihren schäumenden Erstlingswerken an der Bergstraße für Aufsehen. Aus perfekt reifen und aromatischen Trauben wurden Sekte, die von Kraft und gleichzeitiger Eleganz strotzten und der Bezeichnung Schaumwein alle Ehre machten. Das ist bis heute so geblieben und dafür lässt man sich vor allem im Keller viel Zeit. Denn nur mit Geduld wird Können und Erfahrung zum Qualitätsmerkmal, alle Arbeiten im Keller folgen dem „Low Intervention"-Prinzip. Kellermeisterin Rachele Crosara setzt dabei auf Spontangärung, die einzelnen Partien werden in kleinen und großen Fässer, Holz und Stahl kombiniert ausgebaut. Ein geschicktes Wein-Puzzle, das erst dann komplett ist, wenn der in traditioneller Flaschengärung entstandene Wein seine Ruhe gefunden hat – der Traditionsekt liegt mindestens 20 Monate auf der Hefe – und auf seine schäumende Wiedergeburt im Glas wartet.

2013 Riesling Réserve – Dosage Zéro
50€ · 12,5%
Reife Frucht plus salzige Sojasauce. Dafür soll man sich ein wenig Zeit nehmen.

2015 Grande Cuvée – Dosage Zéro
29€ · 12,5%
Der aromatische Außenseiter zeigt im Mund Walnuss, Haselnuss, Waldhonig, Brotrinde und Kaffee, Hopfen und exotische Curry-Würze. Die sehr feine Perlage erzeugt eine cremige Struktur.

2016 Chardonnay „Prestige" brut nature
25€ · 12%
Der kräftige Körper brilliert mit Saftigkeit, Biss und Grip, zeigt sich mächtig im Mund, lang anhaltend und rauchig. Hinzu gesellt sich eine gut abgestimmte Limette, ebenso präsentes CO_2.

2016 Pinot Noir „Prestige" brut nature
25€ · 12%
Der Vielschichtige: komplexer Champagnertyp, voluminös und saftig mit Quitte, gerösteten Mandeln und Brioche.

2016 Pinot Noir „Rosé Prestige" extra brut
23€ · 12%
Fantastisch, cremiger und stoffiger Rosé-Sekt, ein idealer Begleiter von Sashimi und Sushi.

2017 Blanc de Blancs „Tradition" brut
17€ · 12,5%
Ein idealer, appetitanregender Auftakt für einen genussvollen Abend.

2017 Blanc de Noirs „Tradition" brut 
15,50€ · 12,5%
Ein Sekt mit Januskopf zeigt zuerst Zitrusfrucht und Apfelblüte, etwas Sahne und Butter und legt dann nach mit reifer Honignote, Torf und Unterholz. Deutlich erkennbar das gut integrierte Holz der Lagerung, der Säurekick im Nachhall regt an.

2017 Riesling „Tradition" brut
15,50€ · 12,5%
Rosa Grapefruit in der Nase, Würzkräuter, Zitronenmelisse und Minze. Im Mund wiederholen sich die Aromen und werden von einer kräftigen Perlage begleitet.

2017 Rosé „Tradition" brut
15,50€ · 12,5%
Mandarine und Grapefruit betten sich in Hefeteig, feiner Grip, mit Erinnerungen an die Champagne.

Essen

RESTAURANT MÜHLSTEIN
Friedhofstraße 101,
64625 Bensheim
T +49 (0) 6251 9366 90
www.muehlstein-bensheim.de
Lachs im Bananenblatt und handgerollte Maultaschen, Gänseleber und Thunfischrücken oder Kalbsfilet mit Spargel aus der Nachbarschaft – das sind nur einige der kulinarischen Angebote in diesem gehobenen Lokal, das sich gemütlich mit Fachwerk und Kamin präsentiert. Die Weinkarte hält viele edle Tropfen wie mehrere Champagner vor, aber auch Weine von der Hessischen Bergstraße.
Empfohlen von
der Redaktion

DREI BIRKEN

15 | 20
Hauptstraße 170,
69488 Birkenau
T +49 (0) 6201 32368
www.restaurant-drei-birken.de

Einkaufen

DER RHEINGAU AFFINEUR
Limesweg 7, 65232 Taunusstein
T +49 (0) 6128 9792 973
www.rheingau-affineur.de
Hier dreht sich alles um Käse, Käse und noch mal Käse: Anke Heymach veredelt Käse aus Deutschland, Österreich und der Schweiz mit echten Rheingauer Ingredienzien. So wird Schnittkäse mit Apfelwein affiniert, die Rinde mit Rosenblüten und Kornblumen bestreut. Ein anderer Käse kommt in den Brombeersud, der nächste erhält Riesling-Aromen. Es gibt Käse- und Weinseminare – entweder live im Gewölbekeller oder online zu Hause. Verkauft wird der Käse in vielen Kaufhäusern in ganz Deutschland, er kann auch bestellt werden.
Empfohlen von
der Redaktion

Mittelrhein

MITTELRHEIN

Mittelrhein – das ist gleichbedeutend mit dem Romantischen Rhein. Hier, im heutigen UNESCO Welterbe, sang die Loreley mit lieblicher Stimme und verwirrte der Legende nach die Kapitäne der Rheinschiffe, hier stehen wunderbare Schlösser und Burgen und hier gibt es zauberhafte Dörfer. Der Wein, vorzugsweise Riesling, wächst auf Schiefer und wird im Steilhang geerntet. Mit 470 Hektar gehört das Anbaugebiet zu einem der kleinsten in Deutschland.

DIE BESTEN WEINE BIS 15€

Die Winzer am Mittelrhein sind Steillagenspezialisten: Alles Handarbeit – und das kann man schmecken. Diese hier gelisteten Weine sind preiswerte **Preziosen für jeden Tag.**

RIESLING

2019 Riesling „Vollsteil“ feinherb
9,90€ · 12.5% · Goswin Lambrich

2019 Bacharacher Riesling
8,80€ · 12.5% · Weingut Ratzenberger

2019 Riesling „Blauschiefer“
8,90€ · 14% · Goswin Lambrich

2019 Bopparder Hamm Feuerlay Riesling Spätlese trocken
9€ · 13.2% · Heilig Grab

2020 Königswinterer Drachenfels Riesling „Drachenlay“ Kabinett
9€ · 8.5% · Weingut Pieper

2019 Bopparder Hamm Riesling „Steilstück“
12€ · 12.5% · Matthias Müller

2019 Steeger St. Jost Riesling 1. Lage
13,20€ · 12.5% · Weingut Ratzenberger

2020 Königswinterer Riesling „Rüdenet“
8€ · 12% · Weingut Pieper

2019 Königswinterer Drachenfels Riesling „Septimontium“
14,50€ · 12.5% · Weingut Pieper

2019 Bopparder Hamm Riesling „Edition MM“
14,90€ · 13.5% · Matthias Müller

2019 Riesling halbtrocken
6,90€ · 13% · Goswin Lambrich

2019 Bopparder Hamm Ohlenberg Riesling Spätlese trocken
9€ · 12.7% · Heilig Grab

2019 St. Goarer Burg Rheinfels Riesling
11€ · 13% · Weingut Philipps-Mühle

2018 Schloss Fürstenberg Riesling 1. Lage
12,40€ · 12% · Weingut Ratzenberger

EIN SAGENUMWOBENER FELSEN, STEILE WEINBERGE UND EINE GIGANTISCHE AUSSICHT

Von Anke Kronemeyer

470 Hektar groß ist das Anbaugebiet Mittelrhein und damit eins der kleinsten in Deutschland. Die Weine, die dort wachsen, sind allerdings ganz groß. Und die Landschaft ohnehin. Wer pure Rheinromantik erleben will, fährt nach St. Goar, Oberwesel oder Bacharach. Hier ist außerdem Europas höchste Schlösser- und Burgendichte.

Alle waren sie hier. Heine, Brentano, Goethe. „Ich weiß nicht, was soll es bedeuten", sinnierte Heinrich Heine ganz pathetisch über die Loreley, die die Schiffer auf ihrer Fahrt über den Rhein verwirrt haben soll. „Zu des Rheins gestreckten Hügeln, hochgesegneten Gebreiten, Auen, die den Fluß bespiegeln" begeisterte sich seinerzeit Johann Wolfgang von Goethe und Clemens Brentano widmete sich in der Ballade „Zu Bacharach am Rheine" ebenfalls der Loreley. Um sie ranken sich immer noch ganze Serien von pathetischen und mystischen Geschichten, die nach wie vor Jahr für Jahr Scharen von Touristen aus der ganzen Welt an den Mittelrhein locken.

Die rund 150 Winzer auf der 120 Kilometer langen Strecke zwischen Königswinter, Koblenz, Boppard oder Lahn leben aber nicht in der Vergangenheit, sondern in der Realität. Und die sieht bei den Weinbergen, die zu 85 Prozent in Steillage bewirtschaftet werden, nicht immer einfach aus.

Von den 470 Hektar wächst auf rund 400 Hektar Weißwein, hier zum großen Teil Riesling. Zehn Prozent macht der Spätburgunder aus – und damit sind auch schon die zwei wichtigsten Rebsorten des Mittelrheins genannt. Und weil der Wein auf Schiefer wächst, hat er eine ganz besondere Mineralik. Die Erträge im Weinberg werden traditionell niedrig gehalten, auch das spiegelt sich im Wein. Noch ein Mittelrhein-typischer Fakt: Es gibt hier nur wenige Winzer, die große Flächen bewirtschaften, sondern die meisten ernten auf bis zu fünf Hektar.

Wer die Region besucht, will natürlich den Wein vor Ort verkosten, aber vor allem die Rhein-Romantik genießen. Dazu gehören zum Beispiel Besuche der Schlösser und Burgen. Bei Wanderungen auf dem Rheinsteig oder dem Rheinburgensteig lässt sich

die Natur wunderbar genießen. Das Obere Mittelrheintal wurde 2002 UNESCO Welterbe und präsentiert sich mit einer wilden und rauen Landschaft, mit schroffen Felsen, steilen Hängen und mittelalterlich anmutenden zauberhaften Dörfern, die sich entlang des Flusses schlängeln.
Einen erlebnisreichen Tag sollte man unbedingt mit einer abendlichen Einkehr vollenden: Und dann gibt es natürlich Spundekäs und Fleischwurst, Wild aus der Region, aber auch Brände aus heimischem Obst. Eine neue Initiative rekultiviert gerade die Mittelrhein-Kirsche, aus der zum Beispiel Marmeladen und Hochprozentiges hergestellt werden. Bei den „Mittelrhein Momenten" laden Winzer und Spitzenköche einmal im Jahr in Restaurants auf Burgen und Schlösser, um besondere Menüs zu servieren. Und natürlich den eigenen Wein zu präsentieren. Der wird mittlerweile auch von vielen nachrückenden Jungwinzern gemacht, die die Betriebe ihrer Eltern oder Großeltern übernehmen.
Allen gemein ist ein Thema und es stellt die größte Herausforderung der nächsten Jahre am Mittelrhein dar: der Klimawandel. Unter anderem, weil der Wein dort auf Schiefer wächst – und Schiefer trocknet nun mal schneller aus als andere Bodenformationen. So sind die Winzer, die den Bopparder Hamm als bekannteste Lage dieses Anbaugebiets bewirtschaften, gerade bei konkreten Abstimmungen, wie sie eventuell bewässern oder anders auf die Trockenheit reagieren können.

INTERNETADRESSE
www.mittelrhein-wein.com

Zahlen & Fakten

GEOGRAFISCHE LAGE
Das Anbaugebiet zieht sich über 120 Kilometer auf beiden Seiten des Rheins von der Nahe bis Koblenz und von Kaub bis zum Siebengebirge

REBFLÄCHE
470 Hektar

REBSORTEN
Riesling, Spätburgunder

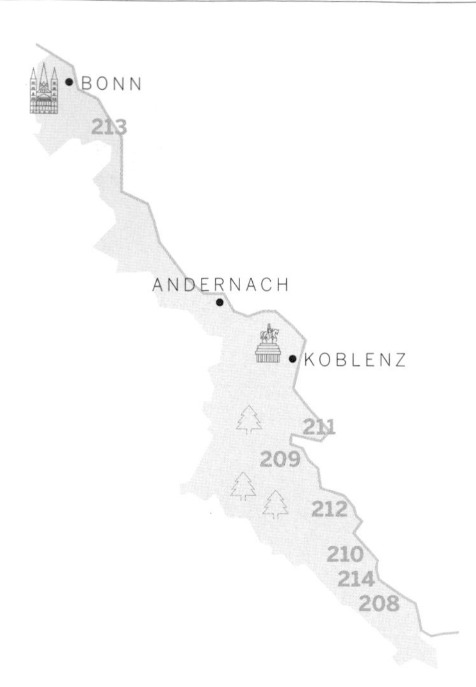

In einer einzigartigen Kulturlandschaft zwischen Bingen und Bonn liegen steile Rebhänge entlang des Rheins und in dessen Seitentälern. Unter klimatisch günstigen Verhältnissen findet die Riesling-Rebe auf den mineralreichen Schieferböden im Oberen Mittelrheintal sowie auf Bims, Grauwacke oder vulkanischem Gestein im Unteren Mittelrheintal ideale Wachstumsbedingungen. Die meisten der etwa 150 Weingüter in einem der kleinsten Anbaugebiete Deutschlands sind Familienbetriebe mit bis zu fünf Hektar Anbaufläche.

Geografische Lage Das Anbaugebiet Mittelrhein erstreckt sich über 120 Kilometer und zwei Bundesländer von Bingen und Kaub im Süden über Koblenz bis zum Siebengebirge kurz vor Bonn. Im Oberen Mittelrheintal befinden sich die meisten Weinberge linksrheinisch, im Unteren Mittelrheintal mehrheitlich rechtsrheinisch. Die Rebflächen sind zu 85 Prozent Steillagen. Die größte zusammenhängende Rebfläche ist der Bopparder Hamm.
Klima Milde Winter, früher Vegetationsbeginn, durchschnittliche Jahrestemperatur 10 °C; an 45 bis 50 Tagen im Jahr übersteigt die Temperatur 25 °C. Der Rhein wirkt als Wärmespeicher.
Boden Schiefer, Grauwacke, Bims, Löß
Rebfläche 470 ha, 400 ha Weißwein, 70 ha Rotwein
Rebsorten Riesling, Müller-Thurgau, Weißburgunder, Grauburgunder, Spätburgunder
Geschichte Der Weinbau wurde von den Römern an den Mittelrhein gebracht. Erste Erwähnungen finden sich im Jahr 588 in Leutesdorf. Nach und nach breitete sich der Weinbau nach Nord und Süd aus. Um 1900 waren ca. 2.200 Hektar mit Reben bestockt, aktuell sind es noch 470 Hektar. Der Rückgang der Anbaufläche ist insbesondere dem Steillagenweinbau und der schweren Handarbeit geschuldet.
Besonderheiten Der südliche Teil des Anbaugebiets, das Obere Mittelrheintal, ist seit 2002 UNESCO Welterbe. Dort liegt auch die sagenumwobene Loreley. Das Mittelrheintal hat die höchste Burgendichte Europas.

WEINGÜTER

208
WEINGUT EISENBACH-KORN
Kirchstraße 23
55413 Oberheimbach

209
HEILIG GRAB
Zelkesgasse 12
56154 Boppard

210
GOSWIN LAMBRICH
Auf der Kripp 3
55430 Oberwesel-Dellhofen

211
MATTHIAS MÜLLER
Mainzer Straße 45
56322 Spay

212
WEINGUT PHILIPPS-MÜHLE
Gründelbach 49
56329 St. Goar

213
WEINGUT PIEPER
Hauptstraße 458
53639 Königswinter

214
WEINGUT RATZENBERGER

Blücherstraße 167
55422 Bacharach

Weingut Eisenbach-Korn
Neueinsteiger
Kirchstraße 23,
55413 Oberheimbach
T +49 (6743) 6081
eisenbach-korn.de

2017 Riesling brut
10,50€ · 12,7%
Komplex, dicht und mit Nachhall am Gaumen. Anspruchsvoll und harmonisch.

Heilig Grab

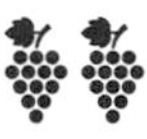

Zelkesgasse 12, 56154 Boppard
T +49 (0) 6742 2371
www.heiliggrab.de

Inhaber Jonas Schoeneberger
Rebfläche 4 ha
Produktion 35.000 Flaschen
Verkaufszeiten
Mi–So ab 15.00 Uhr
und nach Vereinbarung

In Boppard ist die Rheinromantik in allen Ecken zu spüren, zu dem euphorischen Lebensgefühl gehört auch der Wein, etwa vom Weingut Heilig Grab. Mag der Name auch etwas morbide klingen, die Weine jedenfalls, vor allem natürlich Rieslinge, sind sehr lebendig und erfrischend. Das liegt auch daran, dass in den letzten Jahren kräftig investiert wurde. Nicht nur die Traubenverarbeitung hat Inhaber Jonas Schoeneberger modernisiert, auch die Ausstattung des Kelterhauses mit neuester Kühltechnik für die Gärtanks haben den Betrieb weiter nach vorne gebracht. Unverändert klein geblieben ist die Rebfläche, die nur vier Hektar umfasst. Dafür aber liegen die Parzellen sämtlich in der Mittelrheiner Spitzenlage Bopparder Hamm, deren mineralreiche Böden charaktervolle Weine garantieren.

2019 Bopparder Hamm Feuerlay Riesling Spätlese trocken
9€ · 13,2%
Spannungsvoll und mit ganz eigenem Charakter stellt er unter Beweis, was in seinem Terroir steckt.

2019 Bopparder Hamm Ohlenberg Riesling Spätlese trocken
9€ · 12,7%
Wärmend und füllig, ein unaufgeregter, schmeichelnder Kandidat zum Entspannen.

2019 Bopparder Hamm Riesling
6€ · 12,8%

Goswin Lambrich

Auf der Kripp 3,
55430 Oberwesel-Dellhofen
T +49 (0) 6744 8066
www.weingut-lambrich.de

Inhaber
Christiane Lambrich-Henrich & Matthias Lambrich
Betriebsleiter
Christiane Lambrich-Henrich & Matthias Lambrich
Kellermeister
Christiane Lambrich-Henrich
Rebfläche 16 ha
Produktion 70.000 Flaschen
Gründung 1975
Verkaufszeiten
Mo–Fr 8.30–12.30
Di, Do, Fr 14–18 Uhr
Sa 9–12.30 Uhr
sowie zum Gutsausschank

Während sich im romantischen Tal der Rhein durch das Schiefergebirge schlängelt, liegt auf der Rheinhöhe der kleine Ort Dellhofen. Hier ist das Weingut Lambrich beheimatet, ein noch relativ junger Betrieb, der erst im Jahre 1975 aus der Taufe gehoben wurde. Christiane Lambrich-Henrich ist seit etwas mehr als 20 Jahren Chefin im Hause, seit drei Jahren wird sie von ihrem Bruder Matthias unterstützt. Ein Geschwister-Duo, das sich die Produktion charakterstarker Rieslinge auf die Fahne geschrieben hat, ganz im Stil des Mittelrheins gespickt mit mineralischen Noten. Um dieses Ziel zu erreichen, müssen die Geschwister und ihr Team viel Handarbeit in den Steillagen leisten, ein aufwendiges Unterfangen, das auch dem Erhalt der einmaligen Kulturlandschaft dient. Denn Heimat ist für die Lambrichs auch der Wein, der aus den Trauben gekeltert wird, die eine Etage unter Dellhofen wachsen.

2019 Riesling halbtrocken
6,90€ · 13%

2019 Riesling „Blauschiefer"
8,90€ · 14%
Cremig und saftig zeigt sich dieser Wein als anpassungsfähiger Essensbegleiter und intensiver Allrounder.

2019 Riesling „Vollsteil" feinherb
9,90€ · 12,5%
Zartbittere Mandarine, feine Struktur aber mit Substanz. Ein idealer Tropfen für einen Ausflug mit Freunden an den Badesee.

2019 Roter Riesling
12,90€ · 12,5%
Zurückhaltender, unbeschwerter Alltagswein mit saftig-reifer Nase und kräuterigen Aromen. Zum Wildkräutersalat mit geräucherter Forelle.

2018 Pinot Noir
15,50€ · 13,5%
Ganz klassische Spätburgunder-Stilistik mit toller Würzigkeit und Noten von Eukalyptus und Pfeifentabak. Geradeheraus, ehrlich und charmant.

2018 Riesling brut
11,50€ · 12,5%

2019 Oberweseler St. Martinsberg Riesling Auslese
10,90€ · 8%
Verspielt-reduzierte Art mit viel Spannung ganz ohne Opulenz. Nicht zum Verschenken, nur zum Selbertrinken. Oder auch zur Hummerbisque.

2019 Oberweseler St. Wernerberg Riesling Spätlese
11,90€ · 7,5%
Reife Mirabelle, Williamsbirne, kandierter Apfel, ein feines Säurespiel verleiht dem Wein Pfiff.

Matthias Müller

Mainzer Straße 45, 56322 Spay
T +49 (0) 2628 8741
www.weingut-matthiasmueller.de

Inhaber Matthias & Marianne Müller
Betriebsleiter Matthias Müller
Kellermeister Matthias & Johannes Müller
Verbände VDP
Rebfläche 14 ha
Produktion 130.000 Flaschen
Gründung 1678
Verkaufszeiten
Mo–Sa 9–19 Uhr
So, Feiertag 10–16 Uhr

Auch wenn die Anbaufläche am Mittelrhein nach und nach zurückgeht, bleibt die kleine Weinregion für Jungwinzer attraktiv. Denn in den steilen Hängen links und rechts des Rheines wachsen Trauben, die nachhaltig mineralreiche und elegante Weine garantieren. Dazu ist die Landschaft einzigartig und bietet romantische Ansichten wie aus dem Bilderbuch. Eine sehenswerte Kulisse, die auch das Weingut von Matthias und Johannes Müller in Szene setzt. Seit Herbst 2020 wird das Team von Christoph Müller und der gebürtigen Rheinhessin Anika Hattemer-Müller, der Ehefrau von Johannes, unterstützt, ein wichtiger personeller Schritt in die Zukunft des 14 Hektar großen Familienbetriebes. Der Riesling weckt bei allen Protagonisten nicht nur die Leidenschaft, sondern vor allem den Ehrgeiz, die Vielfalt der Gewächse aus den Schieferböden im Glas abbilden zu können.

2019 An der Rabenlei Riesling GG
25€ · 13,5%
Dieser Riesling weiß genau, was er will. Das ist kein Charmeur und Schmeichler, sondern ein eher karger Typ, der zunächst erobert werden will und es einem dann mit Klarheit, Tiefgang und dichter Struktur dankt.

2019 Bopparder Hamm Riesling „Edition MM"
14,90€ · 13,5%
Salz-Krokant und Flieder zusammen mit Zitronenzeste erzeugen ein facettenreiches Aromenspektrum, das mit Leichtigkeit auch große Runden unterhält.

2019 Bopparder Hamm Riesling „Steilstück"
12€ · 12,5%
Ausdrucksstark, betörend, beerig und stoffig zugleich: ein absoluter Langläufer, der sich Dank seines Drucks am Gaumen optimal etwa zur Wildterrine mit Feldsalat kombinieren lässt.

2019 Engelstein Riesling GG

25€ · 13,5%

Der erste Auftakt ist noch recht leise, dann jedoch zeigt sich eine klare Handschrift und Präzision. Ein Wein mit Selbstbewusstsein und einer Präsenz, die sich nicht auf den ersten Blick erschließt.

♥ **2019** Feuerlay Riesling GG

29€ · 13,5%

Eine fast prickelnde Mineralik geht mit floralen Noten eine betörende Liaison ein. Am Gaumen dann saftig-pikant, geradezu spicy. Dieser Wein leuchtet von innen und verschönert den Abend.

Weingut Philipps-Mühle

Gründelbach 49, 56329 St. Goar
T +49 (0) 6741 1606
www.philipps-muehle.de

Inhaber Thomas & Martin Philipps
Betriebsleiter Thomas & Martin Philipps
Kellermeister Martin Philipps
Verbände Winzerinitiative Gipfelstürmer Mittelrhein, Generation Riesling
Rebfläche 6,7 ha
Produktion 50.000 Flaschen
Gründung 2005
Verkaufszeiten
Mo–Sa 9–19 Uhr
Vinothek an der Loreley:
Apr.–Okt.
Mo–So 10–18 Uhr

Thomas und Martin Philipps wissen um die weinbauliche Problematik des Mittelrheins, dessen Anbaufläche immer weiter zurückgeht, weil viele kleine Winzer aufgeben. Nicht so die beiden Brüder. Die fangen gerade erst an und haben aus der historischen Getreidemühle ihrer Vorfahren ein Weingut gemacht, das erst in den Kinderschuhen steckt. Doch die Leidenschaft von Thomas und Martin Philipps für den Wein ist groß, ihr Durst nach Qualität im Glas noch lange nicht gestillt. Basis ihres Erfolgs sind beste, teils rekultivierte Steillagen mit Schieferverwitterungsböden, die vorwiegend mit Rieslingen bestockt sind. Probieren kann man die Weine mit einer gehörigen Portion Mühlenromantik in der alten Wassermühle im Gründelbachtal, dazu bietet Familie Philipps leckere hausgemachte Spezialitäten an.

2019 St. Goarer Burg Rheinfels Riesling

11€ · 13%

Leicht, klar und unbeschwert – ideal für heiße Sommerabende.

2019 St. Goarer Burg Rheinfels Riesling halbtrocken

11€ · 13%

Selbst „Erstweintrinker" wird dieser spielerische und saftige Riesling begeistern. Sein Motto: Sonne – Terrasse – Nichtstun.

2019 St. Goarer Frohwingert Riesling

16€ · 14%

Ein markanter Schmeichler mit herbaler Würze, duftiger Zitrusfrucht und vitaler Frische. Freudig.

2016 Riesling brut 🍇🍇🍇
12,50€ · 12,5%
Präziser, traditioneller Stil, die süßlichen Aromen wirken etwas verspielt, saftig unkompliziert, die Säure gibt dem Schaumwein Schliff und ergänzt so reizvoll die feine Perlage.

2016 Riesling „St. Goarer Burg Rheinfels" brut nature 🍇🍇🍇
17€ · 12,5%
Filigran, trotzdem straff von der Struktur her und belebend mit intensiver Perlage.

Weingut Pieper

🍇🍇🍇

Hauptstraße 458,
53639 Königswinter
T +49 (0) 2223 22650
www.weingut-pieper.de

Inhaber Felix Pieper
Rebfläche 9 ha
Produktion 75.000 Flaschen
Verkaufszeiten
Di–Sa 16.30–22 Uhr
So 12–22 Uhr

Mitten im Siebengebirge an den Hängen des sagenumwobenen Drachenfelses liegen die Rebanlagen der Piepers, die mit neun Hektar Rebfläche das größte Weingut Nordrhein-Westfalens ihr Eigen nennen können. Der Name des Gebirges – Drachenfels – könnte sich etymologisch von seiner Bodenformation ableiten, dem Trachyt, einem kalireichen, vulkanischen und porösen Boden, perfekt für den Weinanbau. Schöner ist jedoch die Vorstellung, dass ein auf dem Berg lebender Drache Namenspatron war, wie es in einer alten Sage heißt. Felix Pieper verantwortet seit 2007 die Geschicke des Weinguts und wird von seinen Eltern und der Schwester unterstützt. Neben der besonderen Bodenformation und den Steillagen ist der Schlüssel zur Qualität für Pieper auch der pflegliche und respektvolle Umgang mit seinen Reben, so zum Beispiel die strenge Selektion am Stock. Hier wird lieber auf Ertrag verzichtet, um Qualität zu ernten. Für 2021 planen die Piepers die Neuanlage einer seit vierzig Jahren brachliegenden Parzelle und den Umzug der gesamten Produktion in das umgebaute Betriebsgebäude. Ruhig wird es auf dem Drachenfels also noch lange nicht.

2018 Leutesdorfer Gartenlay Sauvignon Blanc 🍇🍇🍇
13€ · 13%
Trinkfreude auf sehr hohem Niveau!

2019 Königswinterer Drachenfels Riesling „Septimontium" 🍇🍇
14,50€ · 12,5%
Dieser Wein lässt der Forelle den Vortritt. Mit seiner leise würzigen Verspieltheit ein toller Kamerad für die feinen Aromen.

2019 Leutesdorfer Gartenlay Sauvignon Blanc 🍇🍇
13€ · 13,5%
Süße, Säure und feine Bitterkeit stehen dem Wein sehr gut. Honig und Rosenduft verleihen Charme, der oxidative Ausbau zeigt Reife.

2020 Königswinterer Drachenfels Gewürztraminer 🍇🍇🍇
10,50€ · 13%
Mineralisch, pfeffrig, leicht indifferent, aber betörende Nase mit zart süßlichem Charakter. Mediterrane Fischgerichte können damit gut umgehen.

2020 Königswinterer Drachenfels Grüner Veltliner 🍇🍇
10,50€ · 13%

2020 Königswinterer Drachenfels Riesling Spätlese 🍇🍇🍇
10,50€ · 8,5%
Dynamisch, feinwürziger Riesling mit moderater Süße, der sich bestens als Aperitif eignet. Packende Säure und eng verwoben.

2020 Königswinterer Drachenfels Riesling „Drachenlay" Kabinett 🍇🍇🍇
9€ · 8,5%
Dieser Prototyp eines Riesling Kabinett ist fein, hat Zug, Säure, Frucht und Trinkfluss. L'appétit vient en mangeant – der Appetit kommt beim Essen.

2020 Königswinterer Riesling „Rüdenet" 🍇🍇
8€ · 12%
Ein Held des Alltags mit seiner zugänglichen Art, der saftigen Frucht und lebendigen Säure. Sollte immer im Kühlschrank stehen.

2018 Rhöndorfer Drachenfels Pinot Noir „Mönchenberg" 🍇🍇
15€ · 13%
Dieser Wein schlägt eine Brücke auch für Nicht-Spätburgunder-Trinker durch seinen internationalen, südländischen Charakter. Zupackendes Holz. Genial zu Ente und Gans.

Weingut Ratzenberger

Blücherstraße 167,
55422 Bacharach
T +49 (0) 6743 1337
www.weingut-ratzenberger.de

Inhaber Jochen Ratzenberger
Verbände VDP
Rebfläche 21 ha
Produktion 150.000 Flaschen
Verkaufszeiten
nach Vereinbarung

Die natürliche Kulisse, in der die Trauben des Bacharacher Familienbetriebes wachsen, hätte sich ein Regisseur nicht besser ausdenken können, um dem Ganzen etwas Einmaliges zu verleihen. Eingebettet in das mit Burgen und Ruinen gespickte Rheintal wurzeln die Reben in teils extremen Steilhängen, ohne aufwendige und teure Handarbeit geht hier gar nichts. Jochen Ratzenberger weiß um diesen am Ende sich lohnenden Aufwand und bewirtschaftet seine Weinberge deswegen naturnah und umweltschonend. Und er weiß um die mineralreichen Schieferböden, die seinen Weinen jenen Glanz mitgeben, der sie zu echten Mittelrheinern macht. Zu seinem Angebot gehören auch feinnervige und prickelnde Riesling-Sekte, produziert nach der traditionellen Flaschengärmethode.

2018 Schloss Fürstenberg Riesling 1. Lage
12,40€ · 12%

2019 Bacharacher Riesling
8,80€ · 12,5%
Balancierter Einsteiger-Riesling mit feingliedriger Struktur und ganz viel Exotik.

2019 Bacharacher Wolfshöhle Riesling GG
34€ · 13%
Barocke Ausstattung mit viel Dekor. Dieser Wein braucht seine Zeit und bietet sich zum Trinken in einem weichen Sessel an. Für die entspannten Momente im Leben, wenn nicht viel gesagt werden muss.

2019 Steeger St. Jost Riesling 1. Lage
13,20€ · 12,5%
Seine salzig-mineralische Note und sein absolut fester Körper prädestinieren ihn Dank viel Schmelz zum tollen Essensbegleiter, auch wenn es mal etwas deftiger sein darf, wie etwa zur gebratenen Blutwurst.

2019 Steeger St. Jost Riesling GG
34€ · 12,5%
Ein lebendiger und warmer Wein, der mit opulenter gelber Frucht verwöhnt und lange präsent bleibt. Sehr lebendig und lebensfroh, ein guter Begleiter an den ersten warmen Tagen des Jahres.

2015 Bacharacher Spätburgunder
14,60€ · 13%
Laub, Zeder und Weichsel zeigen die Rebsorte schon im Auftakt. Eher international interpretierter Pinot mit mächtiger Tanninstruktur und festem Biss. Dieser Wein ist kein Solist, begleitet aber perfekt Rouladen mit Kapern und Sardellen.

2016 Bacharacher Wolfshöhle Spätburgunder GG
36€ · 13%
Eine fast fordernde Würze mit Noten von Tabak, Backpflaume und Speck wird am Gaumen von samtiger Fülle begleitet, die einen kräftigen Schmelz mitbringt. Sehr kräftig.

2015 Riesling „Bacharacher" brut
15,40€ · 12,5%
Dillblüten, angenehm cremige Perlage, ein perfektes Glas zur Mousseline von Flussfischen.

2019 Bacharacher Wolfshöhle Riesling Auslese
22,50€ · 7,5%
Ganz viel Saft. Aromen von Ananas und Honig und die dicke Süße am Gaumen können auch mutig kombiniert werden, um neue Geschmackswelten zu erkunden. Servieren Sie diesen Wein zu einer richtig scharfen Arrabbiata.

2019 Bacharacher Wolfshöhle Riesling Spätlese
15€ · 9%
Höchstelegant mit delikater Zitrus-Komponente und feinst abgestimmten, durchweg positiven Bitternoten. Ideal etwa zur Kalbsleber Berliner Art.

2019 Bacharacher Wolfshöhle Riesling Trockenbeerenauslese
150€ · 7,5%
Auf leisen Sohlen nähert sich diese Trockenbeerenauslese, am Gaumen zeigt der Wein Klarheit und eine tänzerische Verspieltheit, die ihn sehr charmant macht. Ein zarter Wein mit großer Lebendigkeit.

Bacharacher Wolfshöhle Riesling Beerenauslese
36€ · 7,5%
Ausgelesene Früchte, Ananas und kandierte Orangenschale, fein, elegant, cremig, dichtes Aromennetz, hervorragende komplexe Struktur.

DIE TIPPS DER WINZER

Dippekuchen, Rheinischer Sauerbraten oder doch lieber eine Leberpastete, angereichert mit echten Mittelrhein-Kirschen – **am Mittelrhein gibt es viele kulinarische Spezialitäten.** Wo gibt es die schönsten Restaurants oder die besten Hotels? Wer, wenn nicht **der Winzer vor Ort** kennt sich bestens in seiner Region aus? Darum haben wir Winzer und ihre Familien nach **ihren persönlichen Tipps** gefragt.

P.S. Prüfen Sie bitte vor Ihrem Besuch, ob alle Lokale und Geschäfte wieder geöffnet haben und welche aktuellen Öffnungszeiten gelten.

Essen

PURS

18/20 PUNKTE

Steinweg 30, 56626 Andernach
T +49 (0) 2632 9586 750
www.purs.com

Absolute Spitzenküche wird hier in drei Top-Restaurants unter einem Dach geboten. Dabei liegt das Haus eher in einer unscheinbaren Straße, aber hinter historischen Mauern der „Alten Kanzlei" von 1677. Im hochdekorierten Purs steht Christian Eckhardt am Herd, der sich bei großen Koch-Vorbildern ausbilden ließ. Die Inneneinrichtung – auch die des Hotels an gleicher Adresse – stammt von Designer und Antiquar Axel Vervoordt. Darum ist es auch die Schönheit der Dinge, die selbst in der Küche und auf dem Teller – gemeinsam mit Geschmack und Genuss – die Hauptrolle spielt. Der Küchenchef ist berühmt für seine ungewöhnlichen, aromenreichen Kombinationen: Bei ihm kommen Entenleber mit Artischocke und Traube, Jakobsmuschel mit Mais und Curry, Dorade mit Fenchel, Pistazie und Quitte oder Hummer mit Kohlrabi und Sauerampfer auf den Tisch. Die Weinkarte und vor allem die Beratung am Tisch werden ebenso hochgelobt wie der komplette Rundum-Service im Purs.

Empfohlen von
Matthias Müller

RISTORANTE AI PERO

17/20 PUNKTE

Schafbachstraße 14,
56626 Andernach
T +49 (0) 2632 9894 060
www.aipero.de

YOSO – AROMENKÜCHE SARAH HENKE

15/20 PUNKTE

Schafbachstraße 14,
56626 Andernach
T +49 (0) 2632 4998 643
www.yoso-restaurant.de

LANDGASTHOF EISERNER RITTER

Zur Peterskirche 10,
56154 Boppard
T +49 (0) 6742 93000
www.eiserner-ritter.de

In sechster Generation wird dieses charmante, familiengeführte Traditionshaus im Oberen Mittelrheintal geführt. Die meisten Zutaten für die regionale Küche stammen aus der Nachbarschaft, Hühner wachsen auf einem Hof in der Nähe auf, Räucherfisch, Ziegenkäse oder Rindfleisch kommen aus dem Hunsrück, das Wild aus heimischen Wäldern. Darüber gibt das Restaurant auf seiner Internetseite auch sehr transparent Auskunft. Bei gutem Wetter lädt die Welterbe-Terrasse zum Freiluft-Genuss ein. Zum Haus gehört auch ein Drei-Sterne-Superior-Hotel mit 13 komfortablen Zimmern.

Empfohlen von
Heilig Grab

FONDELS MÜHLE
Mühltal 8, 56154 Boppard
T +49 (0) 6742 5775
www.fondelsmuehle.de
Eine gelungene Kombination aus mediterraner und regionaler Küche wird in diesem gemütlich eingerichteten, historischen Gebäude, einer der letzten Öl- und Getreidemühlen, geboten. Gebaut wurde das Haus im Jahr 1762, alte Balken und Mühlsteine geben noch heute Zeugnis ab. Auf der Karte stehen Kalbsragout, Rinderbraten oder Putencurry, die Produkte stammen zum größten Teil aus Hunsrück, Eifel oder Pfalz, die Weine wachsen am Bopparder Hamm.
Empfohlen von
Heilig Grab

LE CHOPIN

15/20 PUNKTE
Rheinallee 41, 56154 Boppard
T +49 (0) 6742 1020
www.bellevue-boppard.de

RESTAURANT SCHMAUSEMÜHLE
56283 Gondershausen
T +49 (0) 6745 270
www.schmausemuehle.de
Im Herzen des Baybachtals begrüßt das Mühlen-Team seine Gäste. Das Brot wird im Steinbackofen gebacken, es gibt Kartoffelsuppe, Forelle, Schnitzel oder Rinderroulade. Das Gebäude war früher eine Getreidemühle und ist seit 450 Jahren in Familienbesitz. Zum Haus gehören elf gemütliche Hotelzimmer und eine rustikale Blockhütte, das Schmausehüttchen.
Empfohlen von
Heilig Grab

MALBERG HÜTTE
Dorfstraße 10,
53547 Hausen (Wied)
T +49 (0) 2638 9467 31
www.malberg-huette.de
Auf 366 Metern liegt diese rustikale Hütte und damit auf der höchsten Erhebung des Wiedtals. Von dort aus hat man den weiten Ausblick bis hin in den Westerwald. In der ehemaligen Skihütte neben der Bergstation des Malbergliftes serviert Hüttenwirt Jogi mit seinem Team bodenständige Küche. Aber auch Tapas oder Wildgerichte stehen auf der abwechslungsreichen Karte.
Empfohlen von
der Redaktion

RESTAURANT CHAMAI
Löwenburgstraße 35,
53604 Bad Honnef
T +49 (0) 2224 9786 74
www.restaurant-chamai.de
Elemente aus der klassisch-französischen und der deutschen Küche werden hier mit modernen Einflüssen kombiniert, bei allem liegt der Schwerpunkt auf Fischgerichten: Das ist die knappe Zusammenfassung des Konzepts in diesem Restaurant, das in einem früheren Weinhaus im historischen Kern von Rhöndorf entstanden ist. Aber: Nicht nur Fisch wie Rotbarsch aus Wildfang oder Forelle aus dem Asbach nebenan, sondern auch Wild, erlegt vom heimischen Jäger, werden verarbeitet. Die lesenswerte Weinkarte ist ebenfalls regional geprägt – mit internationalen Spezialitäten.
Empfohlen von
Weingut Pieper

DA VINCI

15/20 PUNKTE
Deinhardplatz 3, 56068 Koblenz
T +49 (0) 261 9215 444
www.davinci-koblenz.de

RESTAURANT GERHARDS GENUSSGESELLSCHAFT

Danziger Freiheit 3,
56068 Koblenz
T +49 (0) 261 9149 9133
www.gerhards-genussgesellschaft.de

Deutsche und mediterrane Küche stehen in diesem Restaurant, das als eines der besten in Koblenz gelobt wird, in feinster Mischung auf der Karte. Hummersuppe, Hirschragout, Rheinischer Sauerbraten oder geschmorte Putenkeule, Skrei-Filet mit Bärlauchrisotto, aber auch vegetarische Menüs begeistern die Gäste. Die Karte wechselt wöchentlich, sonntags gibt es meistens einen Braten und die Azubis dürfen unter einem bestimmten Motto ihre eigenen Menüs entwickeln.

Empfohlen von
Matthias Müller

RESTAURANT VERBENE

Florinspfaffengasse7,
56068 Koblenz
T +49 (0) 261 1004 6221
www. restaurant-verbene.de

In einer ruhigen Seitengasse im Herzen der Altstadt liegt dieses kleine Restaurant mit seiner ambitionierten Küche und herzlichen familiären Atmosphäre. Die Karte ist klein und überschaubar und wird fast täglich saisonal angepasst. Dem Team um David Johannes Weigang legt Wert auf regionale Produkte, die von Produzenten aus der Umgebung stammen. Und so stehen grüne Erbsensuppe, gebeizter Saibling, Kalbsbraten mit Lavendel-Honig-Kruste oder ein goldenes Ei mit Schwarzem Trüffel auf der Karte. Versprochen wird „Genuss, nicht nur für Gourmets“.

Empfohlen von
Matthias Müller

SCHILLER'S MANUFAKTUR

17/20 PUNKTE

Mayener Straße 126,
56070 Koblenz
T +49 (0) 261 9635 30
www.schillers-restaurant.de

WEINHAUS JESUITER HOF

Hauptstraße 458,
53639 Königswinter
T +49 (0) 2223 22650
www.weingut-pieper.de

Bodenständige Küche wird in diesem Gasthaus serviert, das zum Weingut Pieper gehört. Man nimmt Platz in einer gemütlichen Weinstube und bekommt sein Essen in großzügigen Portionen. Die Weine stammen vom eigenen Weingut und wachsen am nahen Drachenfels.

Empfohlen von
der Redaktion

BUNGERTSHOF

Heisterbacher Str. 149,
53639 Königswinter-Oberdollendorf
T +49 (0) 2223 3010
www.bungertshof.com

Ein historischer Ort: Schon 1444 wurde dieser Hof erwähnt, präsentiert sich im traditionellen Fachwerkstil und lädt inmitten der Weinberge zu einer Auszeit ein. Dort stehen Flammkuchen in allen Variationen, Antipasti, aber auch eine Schinkenplatte oder Braten mit Kartoffelsalat auf der Karte. Hier kann man auch Geburtstage oder Hochzeiten feiern.

Empfohlen von
Weingut Pieper

WEINMÜHLE
Lindenstraße 7,
53639 Königswinter-Oberdollendorf
T +49 (0) 2223 21813
www.weinmuehle.net
Allein die Steinwände strahlen eine fast romantische Atmosphäre in diesem Restaurant aus. Auf der Karte stehen mit Reibekuchen, Wildschweinkrone mit Schupfnudeln oder Kalbstafelspitz mit Frankfurter Grüner Sauce regional-saisonale Gerichte, die man auch im mediterranen Innenhof genießen kann.
Empfohlen von
Weingut Pieper

BROMBEERSCHENKE
Hof Haselberg,
56567 Leutesdorf
T +49 (0) 02631 71242
www.brombeerschenke.de
Seit mehr als 50 Jahren wird hier in Südhanglage die dornige Brombeersorte „Theodor Reimers" angebaut. Darum dreht sich in der Schenke auch alles um die Brombeere: Es gibt Eis mit Brombeeren, Brombeergetränke wie Glühwein oder Punsch, Brombeer-Streuselkuchen, aber auch Herzhaftes (ohne Beeren) wie Quiche, Spätzle, Fondue oder Zwiebelspießbraten. Außerdem werden die Früchte, zu Gelees, Tee, Bonbons und Wein verarbeitet.
Empfohlen von
der Redaktion

LEYSCHER HOF
August-Bungert-Allee 9,
56599 Leutesdorf
T +49 (0) 2631 73131
www.leyscher-hof.de
Von Reibekuchen bis Sauerbraten: In diesem historischen Wirtshaus mit tollem Rheinblick wird bodenständige rheinische Küche serviert. Regionale Gerichte aus saisonalen Zutaten stehen in diesem Haus, in dem seit zwei Jahrhunderten Gäste bewirtet werden, im Mittelpunkt. Nachmittags werden außerdem Kaffee und Kuchen angeboten. Es gibt zwei Säle sowie ein Weinzimmer, bei gutem Wetter lockt der große Rheingarten ins Freie. Zum Haus gehört außerdem ein Hotel mit gemütlichen Zimmern.
Empfohlen von
der Redaktion

ZUR LINDE
Bachstraße 12,
65218 Mülheim-Kärlich
T +49 (0) 2630 4130
www.zurlinde.info
Seit 100 Jahren schon werden in diesem Haus im Schatten einer Linde Gäste bewirtet. Das Restaurant ist modernisiert worden, das Küchenteam unter Küchenchef Marco Linden will seine Wertschätzung von Lebensmitteln an den Gast weitergeben. Darum kommen die meisten Zutaten aus einem Umkreis von 80 Kilometern, gleichwohl wird auch international gekocht. Und so stehen Rindergulasch mit Apfelrotkohl, Backhähnchen mit Rahmspinat oder Riesengarnelen mit grünem Spargel und Kalbs rücken mit Kräuterkruste auf der Karte. Regionale Genusskultur steht auch im Mittelpunkt des kulinarischen Kalenders, zu dem zu besonderen Themen-Abenden eingeladen wird.
Empfohlen von
der Redaktion

SCHLICHT.ESSLOKAL 

Kurfürstenstraße 86,
56218 Mülheim-Kärlich
T +49 (0) 163 5880 806
www.schlicht-esslokal.de

PARKRESTAURANT NODHAUSEN

Nodhausen 1, 56567 Neuwied
T +9 (0) 2631 3448 80
www.parkrestaurant-nodhausen.de

Zwei Restaurants unter einem Dach: In der Brasserie wird im Ambiente des Wintergartens gehobene gutbürgerliche Küche angeboten, es gibt Nuss vom Maibock auf Spargelragout oder Steak aus eigener Fleischreifung. Im Coquille St. Jacques steht französisch-mediterrane Gourmetküche im Mittelpunkt, Hummer auf Blumenkohlsalat mit Imperialkaviar oder Kalbstrio mit Trüffeljus und Steinpilzen. Küchenchef in beiden ist Florian Kurz, dessen Familie das Haus seit einem Vierteljahrhundert führt. Er hat außerdem eine Feinkostmanufaktur gegründet, in der er besondere Speiseöle anbietet.

Empfohlen von
der Redaktion

DIE TRAUBE

Rathausplatz 12,
56179 Vallendar
T +49 (0) 261 61162
www.stefan-schleier.de

1647 wurde dieses Haus gebaut, zum Ende des 30-jährigen Krieges. 1810 wurde es zum ersten Mal als Gasthaus beurkundet. Also speist man heute, inmitten des Ortskerns, an wahrlich historischer Stätte – und das in gemütlichem Ambiente. Heutiger Küchenchef ist Stefan H. Schleier, seine Frau Anita die Patronesse. Die Karte ist abwechslungsreich mit herzhafter Rinderkraftbrühe, Krabben-Burger oder einem halben Hummer mit weißem Pfirsich. Die Weinkarte legt den Schwerpunkt auf deutsche Weine, die meisten kommen aus der nahen Umgebung, es gibt aber auch Tropfen aus Spanien oder Italien.

Empfohlen von
Matthias Müller

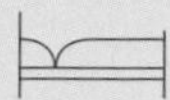

Schlafen

PARKHOTEL AM SCHÄNZCHEN
Konrad-Adenauer-Allee 1, 56626 Andernach
T +49 (0) 2632 9205 00
www.parkhotel-andernach.de
Eine „rheinische Sinfonie" aus Hotellerie, Gastronomie und Konditorei wird hier angekündigt – inmitten einer historischen Region und des Weltkulturerbes. Das Drei-Sterne-Superior Haus heißt Urlauber genauso willkommen wie Geschäftsreisende, Radwanderer oder Rheinromantiker. Die 28 Gästezimmer sind modern-komfortabel eingerichtet und bieten größtenteils direkten Blick auf den Rhein oder auf die historische Stadtmauer. Zum Haus gehört auch ein Restaurant, in dem regional-international mit mediterranen Einflüssen gekocht wird. Berühmt und beliebt ist auch die hauseigene Konditorei mit zahlreichen hausgemachten Torten und Kuchen.
Empfohlen von
der Redaktion

ROMANTIK HOTEL VILLA SAYN
Koblenz-Olper-Straße 111, 56170 Bendorf
T +49 (0) 2622 94490
www.villasayn.com
Ein exquisites Hotel mitsamt Gourmetrestaurant erwartet hier die Gäste hinter einer historischen Fassade. Die 16 schicken Zimmer und Suiten sind luxuriös und modern eingerichtet. Im Restaurant „La Toscana" werden verschiedene Menüs serviert, die Weinkarte umfasst 500 Positionen. Im Restaurant „Dr. Brosius" sowie im Bistro wird regionale Küche wie Flammkuchen, Burger oder Salate serviert.
Empfohlen von
der Redaktion

RHEINHOTEL BELLEVUE
Rheinallee 41, 56154 Boppard
T +49 (0) 6742 1020
www.bellevue-boppard.de
Familientradition seit mehr als 130 Jahren, die Eleganz der Belle Époque und die Fantasie des Jugendstils – all das begegnet einem in diesem Vier-Sterne-Superior-Hotel direkt am Rhein. Die 93 Zimmer und Suiten sind elegant eingerichtet, aus der Rheingold-Suite, in der auch schon das japanische Kaiserpaar übernachtet hat, hat man den kompletten Blick auf den Rhein.
Empfohlen von
Matthias Müller

ROMANTIK HOTEL KLOSTERGUT JAKOBSBERG
Im Tal der Loreley, 56154 Boppard
T +49 (0) 6742 8080
www.jakobsberg.de
Wo früher ein Kloster war, kann man heute entspannt und gepflegt übernachten und das Mittelrhein-Tal entdecken. Das Haus ist seit den 1960er-Jahren in Besitz des Unternehmers Hans Riegel, der es sanierte und im alten Stil wieder aufbauen ließ. Im Hotel, zu dem auch ein Golfplatz, eine Kapelle und ein Weinberg gehören, wurde ein Kunstkonzept mit unterschiedlichen Themenbereichen umgesetzt. Auch kulinarisch wird viel geboten: Im Restaurant „Waidblick" hat man nicht nur einen gigantischen Blick auf die Rheinschleife, sondern es werden auch Wildspezialitäten sowie internationale Speisen serviert. Ein zweites Restaurant ist das „Jakob", außerdem gibt es noch das Clubhaus und die Hotelbar. Der schönste Platz auf dem Jakobsberg aber ist die große Rheinterrasse.
Empfohlen von
Matthias Müller

FETZ – DAS LORELEY-HOTEL
Oberstraße 19,
56348 Dörscheid
T +49 (0) 6774 267
www.fetz-hotel.de
Kuschelnest oder Komfortzimmer, Landhaus- oder Lebensart-Zimmer? Hier ist jeder Raum anders eingerichtet. Gemütlich und modern sind sie aber alle und sollen Erholung im Mittelrhein-Tal vermitteln. Das familiengeführte Haus bietet auch eine regional-saisonale Karte in seinem Restaurant und übersetzt dort nach eigenen Angaben „bodenständige Gerichte ins Moderne". Da kommt die Rehkeule mit Sellerie-Schokoladen-Püree und Thymiankrapfen auf den Teller oder die gebeizte Lachsforelle aus der nahen Wisper auf Gurken-Spaghetti. Zum Hotel gehört ebenso eine Riesling-Lounge.
Empfohlen von
der Redaktion

WEINBERG-SCHLÖSSCHEN
Hauptstraße 2,
55413 Oberheimbach
T +49 (0) 6743 9471 840
www.weinberg-schloesschen.de
36 komfortable Zimmer und Suiten in sechs Kategorien erwarten hier den Gast, der inmitten des Weltkulturerbes Mittelrhein und der idyllischen Weinberge Station machen kann. Das familiengeführte Haus bietet auch ein Restaurant an, in dem regional-bodenständig und zugleich extravagant und kreativ gekocht wird. Spezialität des Hauses sind Wildgerichte.
Empfohlen von
Matthias Müller

THALHAUSER MÜHLE
Iserstraße 85,
56584 Thalhausen
T +49 (0) 2639 9635 90
www.thalhauser-muehle.de
Eigentlich stammt die Mühle aus dem Jahr 1880, wurde aber über die Jahrzehnte grundlegend saniert und präsentiert sich jetzt mit 34 Hotelzimmern komplett runderneuert. Es gibt Suiten und Doppelzimmer, alle komfortabel und gemütlich mit viel Holz eingerichtet. Das Isertal lädt zu Aufenthalten in der Natur mit Wanderungen ein und auch Businessgäste sind willkommen. Zur Gastronomie gehören mehrere Räumlichkeiten, in denen auch gefeiert werden kann – ebenso ein Biergarten und Terrasse. Die Küche ist dabei regional, die Thalhauser-Mühle ist zertifizierter Naturgenuss-Gastgeber, ein Projekt der Naturregion-Rhein-Westerwald.
Empfohlen von
der Redaktion

Einkaufen

Fleisch und Wurst von der Ziege, Kirschen und Äpfel, Kartoffeln und Sonnenblumen, Honig oder Gemüse: Es gibt zahlreiche Erzeuger und Hofläden entlang des Mittelrheins. Weitere Infos auf der Website
www.romantischer-rhein.de/wein-und-kulinarik/regionale-spezialitaeten/regionale-erzeuger

BOPPARDER WEINKONTOR IM HISTORISCHEN TURM
Heerstraße 197, 56154 Boppard
T +49 (0) 6742 81804
www.historischerturm.de
Feinkost, Liköre, Dekorations- und Kunstgegenstände findet man hier an geschichtsträchtiger Adresse ebenso wie Spiegel, Lampen, Bilder, Skulpturen, Kleinmöbel und Bilder. Inhaberin Marlene Leue lädt außerdem zu Weinproben und vermietet Ferienwohnungen.
Empfohlen von
der Redaktion

HOF RONIG
Hof Ronig 2, 53547 Dattenberg
T +49 (0) 2644 4156
www.hof-ronig.de
Hier darf man noch seine eigene Milchkanne mitbringen, um die frisch gemolkene Kuhmilch abzufüllen: Dieser landwirtschaftliche Betrieb, der in siebter Generation von Familie Schmitz betrieben wird, hält neben den Kühen noch mehr als 200 Hühner, Enten, Gänse, Puten, Heidschnucken und sogar mit den vierhörnigen Jakobsschafen eine uralte Rasse. Im Hofladen gibt es außerdem Obst und Gemüse, Kartoffeln, Eier und Honig.
Empfohlen von
der Redaktion

STRAUSSENFARM GEMARKENHOF
Am Plattborn 7, 53424 Remagen
T +49 (0) 2642 21960
www.straussenfarm-gemarkenhof.de
Mehr als 500 Tiere kann man auf dieser Farm erleben – ein ganz besonderes Erlebnis für große und kleine Besucher, die mit einer Bimmelbahn übers Gelände gefahren werden. Hier werden die Strauße gezüchtet, ihr Fleisch wird auf dem Hof direkt verkauft.
Empfohlen von
der Redaktion

OBSTHOF SPURZEM-KREUTER
Bachstraße 11,
56218 Mülheim-Kärlich
T +49 (0) 2630 2629
Mehr als 20 Sorten Äpfel und Birnen, Süß- und Sauerkirschen, Pflaumen, Zwetschgen, Mirabellen sowie Kartoffeln aus eigenem naturnahem Anbau sind in diesem Hofladen im Angebot. Außerdem sind Honig, Nudeln, Eier und Säfte im Sortiment.
Empfohlen von
der Redaktion

Empfehlenswerte Bäckereien

Bäckerei und Café Proffitlich
Bad Honnef, (Drachenfelsstraße 21)

Bäckerei Maaß
Braubach, (Oberalleestraße 1)

Bäckerei Kugel
Lahnstein, (Brückenstraße 11)

Empfehlenswerte Metzgereien

Metzgerei Wagner
Braubach, (Friedrichstraße 101)

Index

Weingüter

Tipps

MITTELRHEIN

Leitung der Verkostungen sowie des Expertenrats Otto Geisel
Executive Publisher Ursula Haslauer
Geschäftsführung Hans Fink (v.i.S.d.P.)
Beratung Produktion Kerstin Böhning
Projektleitung Pia Epp

Anzeigenvermarktung Burda Community Network GmbH, Geschäftsführer Burkhard Graßmann (Sprecher), Michael Samak
Publisher Management Meike Nevermann (Ltg.), Anja Kallmeier
Verantwortlich für den Anzeigenteil Tobias Albrecht
AdTech Factory GmbH & Co. KG, Hauptstraße 127, 77652 Offenburg
Es gilt die aktuelle Preisliste, bcn.burda.de

Vertrieb MZV GmbH & Co. KG, 85716 Unterschleißheim, www.mzv.de
Münchner Verlagsgruppe GmbH, Türkenstraße 89, 80799 München
Vertriebskoordination Kerstin Lallinger

Verkostungsteam der vorliegenden Ausgabe Eva Adler, Katja Apelt, Jochen Benz, Gerhild Burkard, Thomas Hausmann, Thorsten Firlus, Jochen Kreppel, Astrid Löwenberg, Jossi Loibl, Andreas Lutz, Nina Mann, Jens Pietzonka, Thomas Sommer, Herbert Stiglmaier, Melanie Wagner, Klaus Wählen, Ronny Weber, Andreas Winkelmann
Verkostungslogistik Laura Endres, Maximilian Fröhlich, Michael Sauer

Redaktion Kerstin Böhning, Anke Kronemeyer
Autoren Eva Adler, Katja Apelt, Thorsten Firlus, Anke Kronemeyer, Astrid Löwenberg, Ingo Swoboda, Melanie Wagner
Fotoredaktion Mandy Giese
Fotocredits Deutsches Weininstitut, Rheinland-Pfalz Tourismus GmbH/ Giulio Groebert, Rheinland-Pfalz Tourismus GmbH/Dominik Ketz, Rheinland-Pfalz Tourismus GmbH/Georg Müller, Rheinland-Pfalz Tourismus GmbH/Kati Nowicki

Gestaltungskonzept Daniel Pietsch
Icons Illustration Ludwig Haslberger
Layout und Satz brand unit GmbH, Lehargasse 7, A-1060 Wien
Kartografie brand unit GmbH, Lehargasse 7, A-1060 Wien
Lithografie Mario Rott, brand unit GmbH, Lehargasse 7, A-1060 Wien
Lektorat Print Company Verlagsgesellschaft m.b.H., Gumpendorfer Str. 41/6, A-1060 Wien

Datenmanagement Sebastian Schäfer, Katharina Weber
Weitere Mitarbeiterin Draga Vukojevic

Printed in Germany by Parzeller print & media GmbH
Verlag Burda Studios Pictures GmbH, Arabellastraße 23, 81925 München, www.burda.com

Hinweise und Anregungen gerne an: gaultmillau@burdastudios.com

28. Jahrgang

ISBN 978-3-7423-1973-9
ISBN Ebook pdf 978-3-7453-1706-0
ISBN Ebook epub 978-3-7453-1707-7
GTIN: 4193225116901 04

Die Genusswelt der Weine und Restaurants finden Sie auch auf Facebook www.facebook.com/gaultmillaudeutschland und Instagram www.instagram.com/gaultmillau_deutschland

Jetzt zu unserem Newsletter anmelden und immer auf dem Laufenden bleiben **www.gaultmillau.de**